CLAIRE COOKE

UNE ENQUÊTE AVEC
EMMA CLARKE

— JURÉE N°9 —

Les Éditions
Coup d'œil

De la même auteure :

Le cruciverbiste, roman, Les Éditions Goélette, 2015 (réédition Les Éditions
    Coup d'œil, 2019).
Plonge avec moi, récit, Les Éditions Goélette, 2019.

Infographie : Maude Vallières

Première édition : © 2017, Les Éditions Goélette, Claire Cooke
Présente édition : © 2019, Les Éditions Coup d'œil, Claire Cooke
www.boutiquegoelette.com
www.facebook.com/EditionsGoelette
www.clairecooke.com
www.facebook.com/clairecookeauteure

Dépôt légal : 3ᵉ trimestre 2019
Bibliothèque et Archives nationales du Québec
Bibliothèque et Archives Canada

Les Éditions Coup d'œil bénéficient du soutien financier de la SODEC
pour son programme d'aide à l'édition et à la promotion.

Canada

Nous reconnaissons l'aide financière du gouvernement du Canada par
l'entremise du Fonds du livre du Canada (FLC) pour nos activités d'édition.
We acknowledge the financial support of the Government of Canada through
the Canada Book Fund (CBF) for our publishing activities.

Imprimé au Canada

ISBN : 978-2-89768-870-7
(version originale : 978-2-89690-860-8)

À Nicolas, dont je suis si fière.

La lumière est dans le livre. Ouvrez le livre tout grand.
Laissez-le rayonner. Laissez-le faire.

Victor Hugo

Cher lecteur

Vous est-il déjà arrivé d'avoir une obsession ?
De celle qui ne vous lâche plus, qui vous empêche d'être en paix ?
Vous savez, l'idée folle qui nourrit votre cerveau, met vos nerfs à
rude épreuve, et finit par vous englober tout entier.

De là peut naître la haine, le mensonge, la vengeance…

Voici l'histoire de la jurée n° 9.

Petites excuses

Si j'ai pris la liberté de défier la réalité, ce n'est que
pour laisser libre cours à votre imagination…

PROLOGUE

Le temps est venu

Parmi les factures et les publicités, le postier déposa la convocation dans la boîte aux lettres impersonnelle. Loin de se douter de ce que ce geste anodin représenterait pour sa propriétaire, il continua son chemin.

Avant de passer la porte, la femme prit son courrier et regarda chaque enveloppe en soupirant. Puis, intriguée, elle en tourna une dans ses mains.

— Palais de justice de Longueuil, chambre criminelle, lut-elle à voix haute.

Curieuse, elle la décacheta.

SOMMATION AUX JURÉS

Vous êtes sommé(e) de comparaître devant la Cour supérieure, chambre criminelle, du district de Longueuil, au palais de justice de Longueuil, le 8 octobre 2012, pour servir en qualité de juré(e) durant le terme des assises.

Veuillez prendre note que vous devez être disponible sur demande pour le terme des assises criminelles d'octobre.

Ceci est une ordonnance de la Cour supérieure qui devra être respectée sous peine de conséquences pénales.

Elle sortit la chemise où étaient classés les articles se rapportant au meurtre de Carmen Lopez, et les passa en revue un à un. Un étrange sourire imprimé sur les lèvres, elle posa les yeux sur son pendule de Newton, en saisit la première bille et la laissa retomber.

S'ensuivit une succession de claquements provoqués par ses sosies, suspendus à sa suite, s'entrechoquant les uns contre les autres. Sachant qu'il suffisait de poser une main sur l'objet pour interrompre le mouvement, elle préféra jouir de cette vision qui lui rappelait la mesure de sa vengeance qui, elle non plus, ne cesserait tant qu'elle-même ne l'aurait décidé.

Consciente qu'une occasion aussi inespérée ne se présenterait plus jamais, elle demeura prostrée durant de longues minutes. Fixant les billes qui continuaient leur manège inlassable, elle réfléchit à ce qu'elle devait faire pour ne pas rater sa chance. Après un temps qui lui parut une éternité, elle émergea enfin. Satisfaite de l'idée qui venait de germer dans sa tête, elle attrapa son sac, prit ses clés et sortit.

PREMIÈRE PARTIE
EXIL

Tuer le temps

Londres

Février 2012

Le brouillard londonien laissait toujours penser que plus jamais le soleil ne réussirait à le percer. Jusqu'à ce qu'un rayon timide s'aventure à travers la couverture dense pour finir par se cacher de nouveau. À Londres, il pouvait faire beau plusieurs fois par jour, disait-on. Sauf lorsque le ciel pleurait à fendre l'âme.

Loin de s'en plaindre, Emma Clarke adorait la brume qui l'apaisait et lui rappelait son enfance, ici, dans la ville royale. Elle avait déserté le Québec pour quelque temps, espérant trouver du réconfort auprès de son père, après l'enquête qui l'avait tenue en haleine au début de l'été précédent. Au mois de suspension dont elle avait écopé – «pour désobéissance», avait décrété l'inspecteur-chef –, elle avait jumelé quelques semaines de vacances accumulées.

Le séjour à Londres avait donc été prolongé jusqu'à ce que la tenue du procès du Cruciverbiste[1] l'oblige à revenir à Montréal. Au lieu d'être fière d'avoir fait écrouer l'assassin, elle ressentait depuis cette affaire un malaise difficile à décrire. Le verdict était tombé après une semaine de délibérations : homicide involontaire pour cause de délire religieux. Involontaire! Délire religieux!

«Hallucinant, merde!» avait-elle eu envie de hurler en plein tribunal.

---

1. Voir *Le cruciverbiste*, Les Éditions Coup d'œil, 2019.

Elle se remémora ses propres paroles alors que l'avocat de la défense la questionnait : « Il était machiavélique ! » Le procureur avait renchéri en regardant le jury : « Vous voyez, mesdames et messieurs les jurés, même la lieutenante-détective qui était au cœur du dossier affirme haut et fort que l'accusé n'était pas lui-même. Il est clair qu'un élément tout à fait extérieur à sa volonté l'a fait agir en non-connaissance de cause. Comment voulez-vous qu'il soit coupable ? » L'air fat et l'œil satisfait, l'avocat avait alors pivoté vers la policière et, avant de reprendre sa place, avait fait tournoyer les pans de sa toge comme pour lui montrer sa toute-puissance. Quant à l'accusé, il lui avait souri impunément de son box. Elle avait reconnu le sourire diabolique et avait presque pu réentendre la voix caverneuse qui, peu de temps auparavant, avait envahi le salon meublé uniquement d'un buffet et de la chaise sur laquelle elle avait été obligée de rester assise durant des heures.

Sous le choc, elle s'était précipitée dans le premier avion pour, une fois encore, s'éloigner, voire se sauver de cette décision qu'elle subissait comme une agression.

Lorsqu'elle séjournait à Londres, Emma pratiquait son jogging trois ou quatre fois par semaine, au petit matin de préférence, enveloppée de ce voile nuageux au milieu des parcs magnifiques qui peuplent le centre de la ville. Cela l'aidait à contrôler les migraines qui lui empoisonnaient l'existence depuis l'accident qui avait failli lui coûter la vie, en plus de mettre de l'ordre dans ses pensées. Comme ce matin-là.

À mi-course, son téléphone vibra dans la poche de son blouson.

— Salut ! C'est le milieu de la nuit au Québec !

— Ma nuit que je passe à l'hôpital avec Burn qui a fait un AVC, annonça Renaud Lapointe, son collègue sergent-détective.

— Sa femme est avec toi ?

— Étant donné que tu n'es pas là, elle m'a demandé de rester avec elle.

Arthur Burn, capitaine aux crimes majeurs, avait été maintes fois prévenu par son médecin : s'il n'arrêtait pas de fumer, il risquait d'être victime d'une crise cardiaque ou d'un accident vasculaire cérébral. Son amour pour sa chère Sûreté du Québec l'avait sans doute incité à mettre les bouchées doubles au travail depuis le départ de sa lieutenante, et peut-être aussi avait-il retouché au fruit défendu, songea Emma.

— Il avait recommencé à fumer ?

— Pas facile de l'empêcher de faire quoi que ce soit, dit Renaud.

— Il va s'en sortir ? demanda-t-elle, inquiète en l'imaginant paralysé de façon définitive.

— Le côté droit est pas mal amoché. Visage, bras et main. Et il ne peut pas parler.

— C'est terrible... On le remplacera au QG ?

— Justement... Dubois veut te voir.

Emma était à peine arrivée à Londres et voilà que l'inspecteur-chef la rapatriait. L'espace d'un instant, elle pensa à l'intérim. Mais aussitôt elle tiqua : le brassage de paperasse n'était pas son fort. Et puis, son cœur se serrait à l'idée de rentrer si tôt.

La douche ne dura que dix minutes, après quoi Emma réussit à obtenir *in extremis* un billet d'avion lui permettant de partir sur-le-champ. Elle promena un regard triste sur la chambre qu'elle avait occupée durant les quinze premières années de sa vie, fit sa valise et descendit l'escalier en en comptant les marches : quatorze.

Charles Clarke était déjà assis derrière son bureau, l'air soucieux.

— Un enfant a disparu depuis hier soir, dit-il en jetant un œil perplexe à la valise. Tu repars ?

Son père sembla encore plus contrarié.

— Burn a fait un AVC. L'inspecteur-chef me demande.

— Dans quel état est-il ? demanda Charles, soudain inquiet.

— Un sale état.

— Pauvre Arthur, songea-t-il tout haut. J'ai espéré pendant un instant que tu pourrais travailler avec moi.

– J'aurais bien aimé mettre la main à la pâte. Tu as des détails ?

Le détective privé expliqua qu'une connaissance avait aperçu l'enfant aux abords de Hyde Park, la veille, vers les 18 h. Puis, plus rien.

– Une fille ou un garçon ?

– Un garçon de six ans.

– La Serpentine a été ratissée ? demanda Emma.

– Les hommes de Scotland Yard sont déjà dans le lac avec leurs bonbonnes.

À seulement imaginer un enfant enfoncé dans l'eau pas si profonde, mais tout de même possiblement meurtrière, elle frissonna.

– Ta relation avec Dubois s'est améliorée ?

La question obligea Emma à revenir à la réalité.

– On ne peut pas demander à l'inspecteur-chef de changer, lança-t-elle avant d'embrasser son père.

Alors qu'elle montait dans le taxi, la musique de Chopin l'enveloppa. Le compositeur, toujours présent dans sa vie, s'invitait même dans cette voiture, pensa-t-elle. Elle pianota sur le siège les notes qu'elle connaissait par cœur pendant que le véhicule filait vers l'aéroport.

Devant Hyde Park, Emma colla le nez contre la vitre, et pensa bien sûr au petit bonhomme disparu. En voyant là des enfants qui couraient après un ballon, elle se demanda comment on pouvait songer, ne serait-ce qu'une seconde, à faire du mal à l'un d'eux. Des souvenirs pas très roses la ramenant dans des eaux pas très bleues remontèrent à la surface. Elle serra les poings sur la banquette et se mordit la lèvre inférieure pour empêcher sa mâchoire de trembler.

En même temps

Montréal

Elliot Carrière prit une gorgée de café et ouvrit son iPad. À la une, on se remémorait l'enlèvement d'Ingrid Betancourt, candidate à la présidentielle colombienne. Dix ans auparavant, jour pour jour, le 23 février 2002. Le sergent-détective de la police municipale leva la tête, et son regard se perdit dans les branches d'arbres dénudées, qui se permettaient de frapper contre la fenêtre de la véranda, tandis que son esprit vagabondait vers des événements de l'année précédente, alors que la lieutenante-détective de la Sûreté du Québec, Emma Clarke, était séquestrée par un cinglé. À la suite de cette affaire qui avait nécessité tous les effectifs de la SQ, le policier avait dû respecter le désir d'Emma de prendre du recul, malgré son envie de poursuivre leur conversation inachevée.

Donc, depuis le mois d'août, ç'avait été silence radio jusqu'à ce qu'il l'aperçoive durant le procès du forcené, où elle l'avait fui. Délibérément, c'était évident. Tout ce qu'il avait réussi à faire, c'est capter son regard à quelques rares occasions. Il soupira, puis repensa à l'entretien qu'il avait eu avec l'inspecteur-chef de la SQ, duquel il était sorti aussi sidéré qu'euphorique.

Ω

– Je ne vous propose pas l'intérim, Clarke, commença l'inspecteur-chef, bien calé sur sa chaise. C'est moi qui cumulerai les deux fonctions. J'ai d'autres vues pour vous. J'aimerais que vous vous occupiez d'une tâche… disons… cléricale. Je dois produire un mémoire au sous-ministre de la Sécurité publique. Il a déjà été rédigé, mais rien ne se tient. Comme vous êtes championne en français…

Le ton d'Édouard Dubois ne laissait place à aucune interprétation. Comme s'il voulait la punir encore plus pour son insubordination. Bien que contrariée d'être obligée de nager dans les papiers, Emma n'en laissa rien paraître.

– Et mes vacances ?

– J'ai bien failli vous envoyer aux pièces à conviction, ou encore à la bibliothèque, vous savez. Votre exil vous a permis de réfléchir ?

Il la provoquait, mais elle n'avait pas l'intention de se laisser faire sans dire un mot.

– J'ai fait ce que m'a dicté ma conscience.

À son expression et aux yeux qu'il dardait sur elle, Emma sentit qu'il n'aimait pas qu'elle lui tienne tête. Elle garda tout de même son regard rivé au sien, debout devant lui. Dubois se balança sur sa chaise, coudes appuyés, doigts croisés.

– Sachez, Clarke, qu'il sera très important que vous me teniez étroitement au courant, à l'avenir. Car oui, malgré vos nouvelles fonctions, il n'est pas impossible que je vous confie une nouvelle enquête. Histoire d'évaluer votre capacité à travailler en équipe. J'attends donc de vous une transparence à toute épreuve. Je me fais bien comprendre ? Je ne suis pas Burn, ne l'oubliez pas. Et puis, vos vacances, elles peuvent être reportées, non ? ajouta-t-il en levant à peine quelques doigts pour désigner la sortie.

En colère, Emma se retint pour ne pas claquer la porte. C'était l'excuse qu'il alléguait pour la priver de la possibilité de se recentrer après un cas qui l'avait troublée.

Je déteste qu'il m'appelle par mon nom de famille ! pesta-t-elle intérieurement.

Elle n'eut pas le temps de faire dix pas que la porte se rouvrait derrière elle.

– Clarke, j'oubliais…, lança Dubois. Suzie Marseille a rejoint les troupes d'intervention. J'imagine que c'était tentant avec les manifestations qui font rage.

On avait entendu parler jusqu'à Londres de ces longues marches que les étudiants faisaient dans les rues de Montréal afin de contester les nouveaux droits de scolarité universitaires imposés par le gouvernement.

– Avouons que les arrestations musclées sont l'affaire de Marseille. C'est presque un homme, celle-là! Une vraie sergente! ajouta-t-il, admiratif. Elle retourne à la patrouille de façon définitive. Pour la remplacer, j'ai tout de suite pensé à Elliot Carrière qui s'est montré plus qu'intéressé à occuper le poste. Un homme de devoir. Exemplaire. Bien sûr, il est de la municipale, mais les formalités de dérogation…

Emma resta figée et n'écoutait plus. Le sergent-détective de la Rive-Nord, qui avait toujours rêvé de rejoindre les rangs de la SQ, deviendrait son collègue! Comment Dubois avait-il réussi un coup pareil? Elle entendit la suite comme dans un brouillard.

– … question de jours, sinon d'heures… entérinées… situation exceptionnelle… excellent atout… sera votre coéquipier… Renaud Lapointe affecté ailleurs…

La résolution de s'éloigner d'Elliot Carrière durant son exil serait donc mise à rude épreuve. Elle devrait le revoir plus tôt que prévu. Les images d'un soir de juin défilèrent dans sa tête. Le piano, le baiser, la porte qu'on referme. Ses sentiments mitigés.

Continuant son chemin dans le couloir, Emma massa sa tempe pour essayer de mater un début de migraine. Alors que, de retour dans son bureau, elle sortait deux cachets de Fiorinal, la carte de la psychologue recommandée par Simon tomba à ses pieds. Lettres noires sur fond blanc. Comme s'il n'y avait pas de temps à perdre avec des fioritures. L'idée que ça pouvait être représentatif de l'attitude de la thérapeute en consultation lui traversa l'esprit.

– Pourquoi pas un psy? lui avait lancé son meilleur ami alors que, plusieurs mois plus tôt, ils étaient assis sur un banc au bord du lac aux Castors, sur le mont Royal, tentant de reprendre leur souffle à mi-chemin de leur jogging.

Elle l'avait regardé comme si la question ne s'adressait pas à elle.

– Ils ont l'habitude, ces gens-là, c'est leur job. Parler à quelqu'un de neutre qui ne te jugera pas peut t'aider. Madame Estelle a fait des miracles pour moi, avait enchaîné Simon qui l'avait consultée alors qu'il pensait avouer son homosexualité dans son milieu de travail.

Emma avait regardé la faune s'ébattre dans le lac.

– Tu fais ce que tu veux, mon amie, avait conclu Simon devant son mutisme.

Puis il s'était levé et avait repris sa course.

Emma avait souvent repensé à cette conversation. Il était peut-être temps de passer à l'action.

– Ah, et puis merde! dit-elle à voix haute en remettant la carte dans le tiroir.

Au bout des trente secondes qu'elle compta, elle la ressortit et, avant de changer d'avis, composa le numéro du cabinet d'Estelle Sauvé. La voix enregistrée sur le répondeur était avenante. C'était un début.

L'assistante de la psychologue la surprit en la rappelant dans la minute et en lui offrant un rendez-vous dès le lendemain. Un client terminait justement sa thérapie. Qu'irait-elle raconter? songea-t-elle. Son enfance? Les drames qui l'avaient jalonnée? Sa pseudo-vie amoureuse? Elle se savait secrète. Réussirait-elle à s'épancher? Il y avait des zones intouchables à l'intérieur d'elle. Des questions qu'il ne fallait surtout pas aborder trop abruptement, trop profondément. L'image insoutenable de sa mère étendue dans la baignoire funeste s'imposa à son esprit, tandis que celle de sa sœur inerte martyrisa son cœur.

Anne Lenoir

Une conversation à la table d'à côté attira l'attention d'Anne Lenoir. Un presque monologue, en fait. Même s'il parlait tout bas, l'homme gueulait. Ses yeux gueulaient. La femme, belle, longs cheveux noirs, accent à couper au couteau – une Espagnole, sans doute, jugea Anne –, subissait sa colère avec noblesse, et cet affrontement semblait le rendre fou.

Les phrases lui parvenaient par bribes : « … pas le droit », « … pas question », « … ce qu'il te reste à faire ». L'homme les crachait avec un regard mauvais, lui rappelant des paroles identiques proférées contre elle et enregistrées dans son cerveau depuis des années. Elle les comprit donc ; nul besoin d'explications. Soudain, la femme soutint le regard de l'homme et lâcha : « Je ne peux pas. » L'oreille tendue, Anne avait entendu la toute petite phrase qui devenait si lourde de sens dans un contexte comme celui-là. Si cette femme s'en tenait à sa décision, elle serait sauvée. Sinon, elle passerait par le même calvaire qu'elle, comme bien d'autres avant et après elles.

Après le désastre qui avait saccagé sa vie, Anne Lenoir avait, durant un temps nécessaire, gardé un lien avec la conseillère des femmes et des filles qui devaient, par obligation, prendre le chemin maudit. Celui de l'avortement imposé sous les menaces. Il lui était impossible d'oublier les histoires d'horreur racontées par la douce infirmière qui épaulait les femmes pour le meilleur et pour le pire. Et Dieu sait si elle avait dû composer avec ce pire.

Le couple ne débattait plus. Les deux regards intraitables se mesuraient. Le verre de vin devant monsieur et le verre d'eau devant madame demeurèrent cloués à la table jusqu'à ce que monsieur boive une lampée du sien avant de le reposer durement.

Anne reformula dans sa tête la question qui ne la laissait plus en paix depuis trop longtemps. Comment un homme osait-il s'en prendre à une femme qui l'aimait sans doute, qui désirait enfanter et qui voulait qu'il soit le père consentant?

ADÈLE

On était mercredi. Laurent Miller ne viendrait pas chez Carmen Lopez. Adèle Granger le savait, car elle avait épié son mari. Elle emprunta la route 132, direction est, jusqu'à la sortie du boulevard Roland-Therrien, à Longueuil. Puis, comme un automate, elle tourna à trois reprises dans les rues, jusqu'à sa destination. Elle éteignit le moteur de la Fiat qui continua de rouler jusqu'au troisième voisin de la maison aux volets rouges, où elle finit par s'arrêter. L'horloge du tableau de bord indiquait : 18 h 10.

Elle se sentit d'abord hésitante, se demandant ce qu'elle faisait là. Et puis non, se dit-elle, il lui fallait aller jusqu'au bout. Mais, avant, elle devait se calmer. Bien sûr, elle aurait dû prendre trois grandes inspirations et s'abstenir d'expirer la troisième comme le lui avait enseigné sa prof de yoga, mais cela lui était impossible. Ses sens étaient beaucoup trop survoltés et, de toute manière, son cerveau aurait refusé. Ses paupières se fermèrent sur ses yeux douloureux.

Adèle décida d'attendre la noirceur pour se donner encore un peu de temps. D'un coup, ses yeux se rouvrirent et fixèrent les volets maintenant blanchis par le voile de neige qui tombait. Elle décida de passer encore une fois en revue ce qu'elle avait projeté. Or, on aurait dit que ses idées s'entremêlaient tout à coup. Qu'une brume épaisse les empêchait de s'éclaircir.

Le jour se cacha enfin derrière la ligne d'horizon. Le temps était venu. Adèle Granger eut une pensée pour son mari. Pour Laurent Miller.

L'affolement s'empara d'elle. Elle se fit des scénarios improbables dans sa tête prête à exploser. Elle crut sentir ses nerfs se nouer. Après s'être longuement préparée, elle savait pourtant ce qu'elle devait faire et dire. C'est du moins ce qu'elle ne cessai de se répéter depuis un bon moment. Son sang battait contre ses tempes pendant que ses mains devenaient moites et que ses idées se mettaient follement en place. L'adrénaline faisait son travail. Les yeux d'Adèle ne quittaient pas les volets rouges qu'elle devinait malgré l'obscurité, pendant que sa main gauche, anxieuse, agrippait et serrait à s'en faire mal la poignée de la portière. Adèle n'avait plus de temps à perdre. Il lui fallait se décider. Et vite.

Après avoir quitté Longueuil, la Fiat 500 d'Adèle Granger roula à vive allure sur la chaussée enneigée de la route 132, tandis que sa propriétaire, trop obsédée par ses pensées déchaînées, oubliait de prêter attention à la route. Réalisant beaucoup trop tard qu'il lui serait impossible d'éviter le véhicule qui la précédait, paniquée, elle donna un furieux coup de volant. Sa voiture fit une embardée spectaculaire et zigzagua dangereusement sur plusieurs mètres, avant d'atteindre le fossé où sa course folle se termina.

DEUXIÈME PARTIE
L'ENQUÊTE

Emploi du temps

« Une voiture fait plusieurs tonneaux sur la route 132 »

Ce n'était qu'un entrefilet ; il attira pourtant l'attention d'Elliot Carrière. La famille n'étant pas encore avisée, l'identité de la personne plongée dans le coma n'était pas révélée.

Le nouveau sergent-détective de la SQ déposa son iPad et se versa un troisième café, nécessaire après le cinq à sept organisé la veille pour souligner son arrivée au QG. Tout le groupe d'enquête était présent, à commencer par l'inspecteur-chef qui avait fait une allocution empreinte de fierté. Il y avait aussi Renaud Lapointe, sergent-détective, Jeanne Léonard, pathologiste, Michel Tougas, technicien en scène de crime. Et évidemment, Emma Clarke, lieutenante-détective, qui devenait aujourd'hui sa supérieure.

Comme il s'y était attendu, celle-ci avait gardé ses distances après l'avoir, bien entendu, félicité et lui avoir souhaité la bienvenue. La classe et le savoir-faire de cette femme étaient inscrits dans son ADN, il le savait. Elle avait passé la soirée à discuter avec Renaud, son collègue de toujours, et Jeanne Léonard, son amie. Un verre à la main, Elliot l'avait examinée de loin. Discrète, elle était économe de gestes, se contentant de passer sa main libre, celle qui ne tenait pas le verre de bulles, dans sa chevelure bouclée. Qui de son père ou de sa mère lui avait transmis les gènes africains ? Il n'avait jamais posé la question. Les lèvres pulpeuses ne mentaient pas. Le nez légèrement épaté, non plus. Les yeux verts, par contre, étaient l'héritage d'un parent de race blanche. Mais la peau café au lait était ce qu'Elliot préférait. Indéniablement. Elle lui faisait l'effet d'un aimant.

Perdu dans ses pensées, sans s'en rendre compte, il avait fredonné l'air qui jouait à la radio. Puis, malgré l'heure matinale, il eut Édouard Dubois au téléphone.

– À Longueuil, précisa ce dernier. Clarke ira avec vous. Vous réglez ça avec elle.

Surpris que l'inspecteur-chef s'adresse d'abord à lui, Elliot enfila son manteau et prit soin de ne pas réveiller Isabelle en refermant la porte sans bruit. Pendant que le véhicule se réchauffait, il fixa la fenêtre de sa chambre où sa femme dormait encore, et songea qu'elle ne méritait pas qu'il rêve à une autre.

– Bonjour, Emma. On a besoin de nous sur la Rive-Sud, dit-il dans son main-libre. Je passe te prendre au QG ?

– Je suis sur la route. Je te rejoins à quelle adresse ?

La crainte de se retrouver dans le même véhicule qu'Elliot l'avait fait mentir délibérément. En vérité, Emma terminait son cappuccino, adossée au comptoir de la cuisine, en regardant le plat Marassa rempli de clémentines. Elle pensait à sa petite sœur à qui ce bol avait appartenu jusqu'à sa mort, il y avait maintenant près de trente ans. Depuis le drame épouvantable qui lui avait enlevé sa jumelle âgée d'à peine sept ans, il trônait au centre de la table et ne manquait jamais de fruits. En guise d'offrande, comme elle l'avait promis.

Emma soupira, rinça sa tasse, la déposa sur le séchoir à vaisselle avant d'ouvrir son iPad. Ses yeux de détective se posèrent sur l'article qui parlait du capotage de la Fiat 500 sur la route 132. Elle songea que la victime devait être assez amochée, étant donné la petitesse de la voiture. Enfilant son perfecto, elle refusa de faire le parallèle avec sa moto.

– Carrière/Clarke, marmonna-t-elle en dévalant l'escalier.

Ce serait leur première enquête en duo au sein de la SQ. Elle était inquiète et excitée à la fois. Et aussi frustrée que l'inspecteur-chef se soit permis d'appeler d'abord Elliot. Décidément, la misogynie de son chef risquait de lui empoisonner la vie, se dit-elle, excédée. Dans un désir de vengeance, elle regretta que le sort réservé à Burn, son capitaine, à la suite de son AVC, ne fût pas celui d'Édouard Dubois.

Déjà de mauvaise humeur, elle pesta contre le mastodonte banalisé qui eut de la peine à démarrer, en dépit d'un mercure clément. Le faire reculer ensuite dans la ruelle de l'avenue de Gaspé aurait pu se comparer à faire entrer un éléphant dans une boîte de conserve. Elle comptait les jours en attendant de pouvoir enfin sortir la moto de son hibernation.

En route vers Longueuil, elle revit la soirée de la veille. Les égards exagérés de Dubois envers son nouveau sergent-détective. Les regards appuyés d'Elliot saisis au vol. Les souvenirs sensuels de l'année précédente.

Ils arrivèrent à deux minutes d'intervalle dans la rue résidentielle bordée d'arbres centenaires. Leurs pieds foulant la nouvelle neige, ils se dirigèrent vers la porte laissée entrouverte par l'équipe déjà affairée sur les lieux. Elliot parla le premier :

– Tu connais la chanson *O-o-h Child*?

Il espérait sans doute alléger l'atmosphère lourde de non-dits en posant une question aussi anodine, songea Emma.

– C'est dans la palette de la pianiste, capitaine Clarke? railla-t-il.

Voilà que le naturel du sergent revenait au galop avec le ton sarcastique qui faisait sa réputation et qui agaçait toujours autant Emma.

– Un air des années soixante-dix qui a propulsé le groupe The Five Stairsteps dans les premiers rangs du palmarès, dit-elle, feignant l'indifférence.

– Tu la joues, celle-là, ou tu pratiques seulement ta mémoire?

Sitôt la question formulée, Elliot se souvint avec délices de la soirée où elle s'était mise au piano pour lui et où il l'avait embrassée pour finir par atteindre le point de non-retour.

– Non, pas celle-là.

Emma sentit de nouveau les lèvres chaudes du sergent sur sa nuque alors qu'elle était au piano, et revit ses yeux plantés dans les siens alors qu'elle le retenait prisonnier, le dos contre le mur de l'entrée de son appartement.

Il se passa un certain temps avant que l'un d'eux se risque à continuer.

– Pourquoi cette question ?

– Je l'ai entendue tout à l'heure, à la radio.

Sitôt entrés, ils virent une femme à la chevelure de jais et au teint hâlé devenu translucide par manque de circulation sanguine, la tête renversée sur le dossier d'un fauteuil, les yeux révulsés. Emma préféra en rester éloignée, la vue d'un cadavre provoquant toujours chez elle la même angoisse. Pendant qu'Elliot s'en approchait, elle admira la décoration imprégnée de la culture espagnole. Posant les yeux sur chaque meuble et chaque bibelot, elle tenta de jauger leur propriétaire. Tout y était féminin à l'excès, des rideaux jusqu'aux broderies. Une poupée catalane était même assise sagement sur une chaise en osier.

– Ç'a l'air d'une strangulation, dit Elliot avec aplomb. Elle a visiblement essayé de se défendre, supposa-t-il en regardant les mains laissées à l'abandon sur les coussins. Elle s'est blessée en le faisant.

Il désigna les ongles mal cassés où du sang avait séché, ce qui jurait avec la manucure fraîche. Emma n'y jeta qu'un œil distrait avant de se tourner vers les techniciens.

– On sait à qui on a affaire ?

– Carmen Lopez, visiblement employée d'une galerie d'art, répondit Michel Tougas, l'expert en scène de crime.

– Autre chose ?

– La porte n'a pas été forcée, répondit Michel Tougas.

– Elle connaissait son agresseur. C'est usuel.

– Il doit bien y avoir un cellulaire quelque part, marmonna Elliot.

Il passa ses mains gantées de latex entre les coussins du fauteuil, jusqu'à ce qu'elles touchent un objet dur.

– Le voici, dit-il en le brandissant. Et le dernier numéro composé est… celui d'un certain ou d'une certaine Lau.

Il nota le numéro dans son propre téléphone avant de confier le premier à ses collègues.

Pendant qu'elle s'attardait aux papiers qui traînaient sur une table, Emma se mit à fredonner la chanson *O-o-h Child*. Bon joueur, Elliot entra dans la danse en faisant des «mmm», la bouche fermée.

Après de longues secondes de chant improvisé, leurs regards se croisèrent, et l'intensité qu'Emma vit dans celui d'Elliot n'aurait trompé personne, pas même elle.

– On dirait qu'elle travaillait en comptabilité, finit-il par dire en se raclant la gorge.

Le charme était rompu. Il le fallait, d'ailleurs; l'enquête devait prendre toute la place.

– L'en-tête «On aura tout vu!» se répète un peu partout, dit Emma en consultant Internet de son téléphone. C'est une galerie spécialisée dans l'exposition de photos, à Saint-Lambert.

– Qui a découvert le corps? demanda Elliot à Tougas.

– Son patron inquiet de ne pas la voir au travail, ce matin.

– Où est-il?

– Parti. Devait ouvrir son commerce.

– Tu as pu prélever des empreintes sur le corps?

– C'est fait, sergent!

– On sait si elle a de la famille? enchaîna Emma en regardant la poupée de chiffon calée sur les coussins de la chaise.

– D'après le patron, elle est seule ici. Le reste de sa famille vit en Espagne.

– On s'est occupé du voisinage?

– Les gars de la patrouille sont là-dessus.

Emma resta debout au milieu de la pièce et regarda de loin la femme drôlement amochée. Le visage bouffi, la bouche ouverte sur une langue bleue, la traînée de salive séchée et les yeux tournés vers l'Éternel lui rappelèrent la première victime du Cruciverbiste.

Un bracelet orné de saphirs abandonné sur la table du salon l'intrigua. Il était placé tellement en évidence que cela semblait intentionnel. Emma le tourna dans sa main gantée et estima qu'il n'était plus très jeune, une gravure intérieure ayant presque disparu. Après avoir photographié le bijou, elle essaya de déchiffrer l'inscription avec la fonction zoom de son iPhone. Sans succès. Le bracelet se retrouva au fond d'un sac destiné au laboratoire.

À ce moment-là, Jeanne Léonard, pathologiste, arriva, armée de son portuna.

– Bonjour, la compagnie! Vous travaillez ensemble, maintenant?! lança-t-elle, étonnée, quand elle vit Elliot. Alors, qu'avons-nous? enchaîna-t-elle en faisant un clin d'œil à Emma.

Jeanne n'y allait jamais par quatre chemins; cela faisait partie de son charme. Elle s'agenouilla près du corps et tâta un poignet.

– Dommage…, souffla-t-elle.

Malgré les années, la pathologiste ne s'habituait toujours pas à la mort qu'elle disait «imposée». Après analyse des lividités, elle l'estima d'ailleurs à une vingtaine d'heures, soit la veille, en début de soirée.

– Ça n'a pas pu être une corde ou une ceinture, continua-t-elle, le cou n'est pas assez abîmé. Peut-être un foulard, une cravate ou un autre bout de tissu. Si c'était à mains nues, les marques seraient différentes.

Sur ce, les policiers revinrent de chez les voisins.

– On n'a pas pu voir tout le monde, certains sont partis travailler, commença l'un d'eux. Ceux à qui on a parlé n'ont rien vu et ne la côtoyaient pas. Apparemment, c'était une femme qui recevait rarement, sauf un homme à intervalles réguliers.

– D'accord, merci, messieurs, dit Emma. Il faudra revenir…, ajouta-t-elle.

– Il y avait deux brosses à dents usagées dans la salle de bains, dit Tougas. On analysera l'ADN là-dessus.

Après le temps passé à scruter les lieux, à synthétiser les éléments et à discuter avec les autres membres de l'équipe, Emma et Elliot conclurent que leur boulot était fait. Ils laissèrent donc les techniciens terminer le leur.

Arrivé sur le pas de la porte, Elliot se désola que la neige tombée durant la nuit ait recouvert les empreintes de pas de la veille. Emma s'attarda plutôt sur le corps athlétique qui s'éloignait.

Ω

Sitôt que les détectives eurent franchi le seuil de la galerie On aura tout vu!, un homme à l'air préoccupé s'avança vers eux en tendant une main aux doigts longs et fins.

– Pierre Dubeau. Je suis le propriétaire.

– Lieutenante-détective Emma Clarke, et voici mon adjoint, le sergent-détective Elliot Carrière.

Si Emma avait regardé Elliot au moment où elle avait prononcé le mot «adjoint», elle aurait compris qu'il ne l'avait pas apprécié. En joignant les rangs de la SQ, le sergent-détective avait dû subir une rétrogradation, lui qui était le patron à la municipale.

Elle devina plutôt qu'au moment de saisir la main tendue, Elliot n'avait pu s'empêcher d'imaginer ces mêmes doigts empoignant le cou frêle. Elle nota aussi que cette main ne présentait aucune blessure faite par des ongles ensanglantés, et qu'elle était d'une moiteur désagréable.

– Nos condoléances, commença Emma.

L'homme baissa la tête en guise de remerciement.

– Nous aurions quelques questions au sujet de Carmen Lopez…, continua Elliot.

– Je sais, je sais, l'interrompit Dubeau, balayant l'air d'une main théâtrale et affichant un air non moins dramatique. Mon assistante, je sais… C'est épouvantable…, se plaignit-il en roulant des yeux.

– Et que savez-vous au juste? demanda Emma.

Le galeriste leva un sourcil interrogatif, semblant se demander ce qu'ils ne savaient pas encore, puis il se lança dans un monologue pour le moins décousu :

– Elle était mon assistante, comme je viens de vous le dire. Assistante, comptable, conseillère… Elle habitait…

Il refit un geste affecté.

– Elle habitait…, insista Emma.

– Seule… oui, seule. Elle n'avait pas d'ennemis. Du moins… je crois. Personne ne fait l'unanimité, n'est-ce pas? Avait-elle un amant? Je crois… Oui, je le crois. Qui était-il? Je ne le sais pas. En fait, c'est faux, je crois le savoir…

– Vous croyez…, dit Elliot.

– J'ai d'excellentes intuitions, sergent! se justifia l'homme, le bout de l'index posé sur sa tempe. Je suis reconnu pour ça. Voyez vous-même, s'enorgueillit-il en tournant sur lui-même et en embrassant du regard les photos qui ornaient les murs. Je les ai tous flairés, ces artistes! Et ils ne m'ont pas déçu, je vous le garantis! Le bon nez. Le flair, comme on dit!

– D'accord, intervint Elliot. Allons-y par étapes. Inquiet de ne pas voir votre assistante arriver à la galerie, vous avez foncé chez elle, où vous l'avez trouvée.

– Elle n'est jamais en retard, foi de galeriste!

– Vous avez touché à quelque chose là-bas?

– La poignée de la porte, je crois… sans doute…

– Sans doute? reprit Elliot.

Pierre Dubeau fusilla le policier du regard.

– Il a bien fallu que j'entre! Mais attendez… je crois… je portais des gants.

– Vous croyez encore ou vous en êtes certain? dit Elliot.

– C'est l'hiver, vous avez remarqué? répliqua l'homme.

– Vous l'avez touchée, elle? Sans gants, bien sûr…

Le galeriste laissa passer un moment avant que son visage se métamorphose.

– La toucher! Vous insinuez que…

Il fallait détendre l'homme un peu trop enflammé. Emma prit les devants:

– On n'insinue rien du tout, monsieur Dubeau. Il faut simplement savoir si vous avez laissé vos empreintes. En prenant son pouls, par exemple.

– Vous ne l'auriez pas fait, vous? s'offusqua l'homme.

– Tout le monde n'a pas le cran de le faire, précisa Emma.

– Sur le poignet ou dans le cou? demanda Elliot.

– Les deux… je crois… Je voulais être certain…

– Vous avez ensuite appelé le 911. Comme tout le monde l'aurait fait, cette fois.

Pierre Dubeau confirma d'un signe de tête.

– Quand l'aviez-vous vue, avant ce matin?

– Hier. Elle est venue travailler comme d'habitude.

– Donc, tout était normal?

Le galeriste opina de la tête.

Emma nota dans son calepin.

– Donc, elle avait un amant et vous croyez savoir de qui il s'agit. Alors…

L'homme fit volte-face, planta son regard dans celui d'Elliot et déclara avec emphase:

– L'immense Laurent Miller! Le parfait Laurent Miller! L'illustre avocat qui défend des moins que rien! Vous le connaissez, l'impitoyable juriste? Impitoyable devant la cour comme dans toute sa vie d'homme, d'amant, d'époux… Époux d'une de mes…

Il s'interrompit.

– Des moins que rien ? demanda Emma, soudain intéressée.

Elle savait qui était cet avocat qui faisait la une des journaux, plus souvent qu'à son tour, mais elle voulait laisser le galeriste s'exprimer.

– Il défend l'indéfendable. Des criminels. Vous imaginez ! Ah, mais ça ne regarde pas votre enquête !

– En effet, dit Elliot sur un ton autoritaire.

– Les criminels ont aussi le droit d'être défendus, intervint Emma.

Le galeriste posa sur elle un regard étrange et ne commenta pas.

– Vous vouliez parler de sa femme ? enchaîna-t-elle.

– La pauvre ! Elle ne sait pas. Elle est portraitiste, je vous l'ai dit ? Elle ne sait pas… Non, je crois que mon artiste ne sait pas à qui elle est mariée. Il n'en est pas à sa première frasque. Les liaisons se font et se défont. Mais, ça, vous le savez, non ?

Emma sentit le regard d'Elliot peser sur sa nuque.

– Il s'amuse avec elles et ensuite, pfft, il les balance comme de vieux mouchoirs !

Le geste avait accompagné la parole.

– Quelquefois, avec la renommée, on s'octroie des droits de vie ou de mort… Enfin, si j'avais su comment tout ça allait finir… Je crois que…

– Vous n'allez pas un peu vite en affaires en accusant d'emblée le « grand » avocat, comme vous dites ? demanda Elliot.

Le galeriste leva les yeux au ciel et afficha un air impatient.

– Si sa maîtresse l'avait contrarié, je crois que… qu'il aurait été capable de tout, le bonhomme !

– Vous le connaissez si bien que ça ?

– Une main de fer dans un gant de velours ! C'est pour ça qu'elles flanchent toutes. Pour le gant de velours qui cache si bien la main de fer. Enfin, je crois…

– Vous ne répondez pas à la question, insista Elliot.

– Il fréquentait la galerie. Chaque fois qu'il venait ici, il respirait tout l'air de la pièce et se pavanait toujours comme si la place lui appartenait. Il courtisait les belles femmes et elles se laissaient prendre au jeu. Un jour, il s'en est pris à un client parce que, supposément, il avait été un peu trop insistant avec Carmen. L'air qu'il a affiché alors ne mentait pas. Il aurait fait n'importe quoi pour que l'intrus prenne la porte. Ce que celui-ci a fini par faire, d'ailleurs…

– Que s'est-il passé ensuite? demanda Elliot.

– Je l'ai pris à part et lui ai expliqué certaines choses. Il fallait qu'il sache que c'était moi, le patron. Que c'était donc à moi de faire régner l'ordre ici. Il est parti et n'est jamais revenu.

Les détectives le regardèrent en silence.

– Je vous l'ai dit, il ne faut pas le contrarier. Autant j'ai le flair pour les artistes, autant je l'ai pour deviner les types dans son genre. Je méprise les hommes qui se croient tout permis.

– Il y avait d'autres personnes dans l'entourage de la victime qui auraient pu vouloir du mal à…

– Ah, arrêtez de chercher des poux! s'indigna Dubeau. Je vous le sers sur un plateau d'argent et vous vous permettez de faire des chichis?! Non, personne d'autre n'aurait pu vouloir faire de mal à Carmen…

Son regard flamboyant s'était éteint quand il avait prononcé le prénom de son assistante.

– Ah, quel dommage…

Pour se permettre d'observer le galeriste, Emma avait jusqu'ici laissé l'avantage à Elliot pour poser les questions. Elle nota que Dubeau était champion dans les changements de ton. Il passait de l'emphase à l'apathie avec une vitesse désarmante.

– Comment avez-vous connu sa femme? demanda Emma.

– Elle venait seule pour admirer les photos et échanger quelques mots. Les Miller demeurent à deux pas d'ici. J'ai su plus tard qu'elle était sa femme. Je l'ai plainte, si vous saviez…

Un silence s'attarda.

– Elle exposera ses œuvres dès la semaine prochaine, se lamenta le galeriste comme si le simple fait de la connaître le faisait souffrir.

– Madame Miller avait donc rencontré votre assistante? reprit Elliot.

– À quelques occasions…

L'homme parut soudain perplexe.

– Par contre, Adèle… madame Miller, se corrigea-t-il, ignorait la liaison entre son mari et…

– On aura compris, dit Elliot. Votre assistante avait affaire à plusieurs de vos artistes?

– Elle était plutôt spécialiste en comptabilité. Toutefois, elle s'occupait de certains nouveaux artistes, comme Adèle Granger, par exemple.

– Croyez-vous… Savez-vous, se reprit Emma, si l'un des nouveaux a eu un différend avec elle?

– Jamais de la vie, c'était une soie, cette fille, répondit-il en caressant sa chevelure de ses doigts blancs.

– Vous pouvez nous donner les noms de ces nouveaux?

Le galeriste les regarda, surpris.

– Seulement pour corroborer vos dires.

Il sembla d'abord indécis, puis obtempéra.

– De ce temps-ci, il n'y en a que deux, à part Adèle Granger.

Il griffonna les coordonnées sur un bout de papier qu'il tendit ensuite à Emma.

– Jasmin Côté et Coralie Deslauriers, lut celle-ci.

– Merci pour votre temps et vos précieux renseignements, monsieur Dubeau. Ce sera tout pour aujourd'hui.

Emma se leva. Elliot la suivit.

– Même s'il s'offusque facilement, il nous a au moins mis sur des pistes intéressantes, déclara Elliot après avoir refermé la porte de la galerie.

– On le tiendra à l'œil. En attendant, cap sur le bureau de l'«immense» avocat!

De retour dans son véhicule, Emma dicta sur son téléphone:
«Dubeau, galeriste et patron de Carmen Lopez, qui l'a trouvée et qui a pris son pouls à deux reprises pour s'assurer qu'elle était bel et bien morte. On verra s'il y a d'autres empreintes du gars, ailleurs dans la maison. C'est un bonhomme *weirdo* qui condamne Laurent Miller, probable amant de la victime, mari d'une cliente photographe et avocat renommé.»

En route pour le bureau de Miller, elle pensa qu'une affaire de triangle amoureux ayant mal tourné était envisageable. Elle avait donc hâte de rencontrer l'avocat ainsi que sa femme. Par ailleurs, elle ne pouvait s'empêcher de se questionner sur le galeriste. Aurait-il pu avoir une raison de vouloir la mort de son assistante?

Emma jeta un œil dans le rétroviseur et vit le véhicule banalisé d'Elliot qui la suivait. Elle revit la scène pour le moins surréaliste du duo improvisé avec lui, un peu plus tôt. À Londres, elle s'était décidée à fouiller sa vie pour découvrir, sans grande surprise, qu'il était marié et avait une fille adolescente. Était-ce chose courante chez lui de sauter sur une occasion qu'il ne pouvait refuser? Ou avait-elle été *le* cas particulier? Perdue dans ses pensées, elle n'avait pas réalisé qu'elle était rendue à destination. Elle se gara et sortit du mastodonte.

La réceptionniste était assise derrière un bureau élégant posé au milieu d'une pièce si vaste qu'elle semblait avaler la table de travail pourtant volumineuse.

– Que puis-je faire pour vous? demanda-t-elle entre deux appels.
– Nous venons voir maître Laurent Miller, dit Emma.

Les pommettes de la jeune femme, rosies par un fard, blanchirent lorsqu'elle vit le badge.

Laurent Miller se leva de derrière son bureau. Bien qu'Emma l'eût imaginé de taille plus imposante, l'homme forçait néanmoins le respect par l'air confiant qu'il affichait. Il tendit une main ferme et pria les policiers de s'asseoir.

— Alors, que me vaut l'honneur de votre visite ?

— Nous venons vous parler de Carmen Lopez, commença Elliot.

— Et pourquoi, je vous prie ?

— Elle a été assassinée, hier soir, affirma Emma. Nous sommes désolés.

L'avocat, paraissant abasourdi, garda le silence avant de finalement exploser :

— Qu'est-ce que vous dites ? Ce n'est pas possible !

Puis il se radoucit.

— Carmen… Pourquoi ? Et surtout, comment ?

— La cause du décès n'est pas encore confirmée.

Il se leva pour arpenter son bureau, les mains nouées derrière le dos.

— Quand l'avez-vous vue pour la dernière fois ?

La voix d'Elliot sembla l'assommer. Il s'arrêta, déglutit lentement et fixa un point invisible derrière les enquêteurs.

— Mardi… mardi soir.

— Vous entreteniez une relation particulière avec elle ?

L'homme se rassit dans son fauteuil, l'air choqué.

— Vous pouvez être plus clair ? se ressaisit-il.

— Avez-vous côtoyé Carmen Lopez de quelque manière que ce soit ? précisa Elliot.

L'avocat eut un mouvement d'impatience à peine perceptible avant de lisser sa chevelure déjà poussée vers l'arrière, d'où aucune mèche ne s'échappait.

— Elle était l'assistante du galeriste chez qui ma femme devait exposer sa collection de photos. Je la voyais donc à l'occasion.

Il s'était repris malgré la bombe jetée dans son bureau. Les regards des policiers l'incitèrent à continuer.

– Ça pose problème?

– On voit que vous avez l'habitude de poser les questions plutôt que d'y répondre, déclara Elliot.

– C'est mon métier.

– Des rumeurs circulent…

– Je n'ai que faire des rumeurs, sergent, l'interrompit Miller.

Sa réputation était évidemment en jeu. Il devait tenter de la préserver.

– Bon, assez tourné autour du pot, trancha Elliot. Elle était votre maîtresse depuis longtemps?

Le regard de Miller s'arrêta sur Emma plutôt que sur Elliot, puis il répondit de la façon la plus naturelle qui soit:

– Pas très.

OK, ils auraient affaire à un homme pas très bavard, pensa Emma qui ne pouvait s'empêcher de se demander si son faciès était vrai ou emprunté. Chez certains, porter un masque devenait tout aussi naturel que de s'habiller le matin.

– Si vous développiez?

– À peu près un an.

Depuis un moment, Miller caressait un des boutons de manchette de sa chemise. Il baissa les yeux comme pour en estimer la valeur.

– Il s'est passé quelque chose de fâcheux entre vous? enchaîna Emma sans attendre.

L'avocat posa son menton sur ses doigts entrelacés et parut réfléchir.

– Je ne crois pas, non.

– Vous ne croyez pas?

– Vous vous étiez disputés? intervint Emma.

– Pas le moins du monde, lui assura Laurent Miller tout en balayant, d'un geste manifestement agacé, une mousse imaginaire sur son veston.

Sans avoir à le regarder, Emma se doutait qu'Elliot s'impatientait. L'intervention de ce dernier lui donna raison.

— Vous êtes certain de ça?

— Elle était douce et terriblement séduisante. Comment se disputer avec elle…

— Où étiez-vous, hier soir?

Laurent Miller décroisa les jambes pour les croiser de l'autre côté et tourna lentement la tête vers la fenêtre.

— Je n'ai pas… tué Carmen. Je n'avais aucune raison de le faire, déclara-t-il, un trémolo dans la voix et le visage soudain empreint d'une grande tristesse.

Les policiers se regardèrent en silence.

— Alors, où étiez-vous? répéta Emma.

— J'ai soupé avec un ami. Ensuite, je suis venu ici pour préparer mon procès de ce matin.

Le ton s'était tout à coup fait péremptoire, comme pour éloigner toute question plus inquisitrice.

— Comment s'appelle cet ami? demanda Elliot.

L'avocat ouvrit un tiroir pour en sortir une carte professionnelle.

— Jean Robert, relationniste, lut Emma. Des témoins, pour votre travail de préparation?

— Il était 22 h passées.

Ce qui laissait supposer que plus personne ne travaillait à cette heure-là.

— Et avant votre souper?

— Je revenais de Québec.

— Vous avez fait quoi, là-bas? lança Elliot.

— Des recherches spécifiques pour un procès.

— Où ça?

— Dans le Vieux-Québec.

— Seul? demanda Emma.

— Je suis plutôt passé incognito.

— Et au retour?

– J'étais sur l'autoroute 20, sans personne sur le siège passager pour faire la conversation.

– Donc, personne pour corroborer vos dires, dit Elliot.

– Non, dit l'avocat en haussant les épaules.

Comme Emma s'y était attendue, il prêchait par l'exemple en matière d'interrogatoire en parlant par monosyllabes.

– Vous vous êtes arrêté en chemin ? reprit-elle.

– J'ai mis de l'essence à Drummondville.

– Vous avez le reçu ?

Laurent Miller sortit le papier de son portefeuille et le tendit à Emma qui nota la date et l'heure dans son calepin.

– Ensuite ?

– J'ai filé jusqu'ici. J'avais juste le temps de déposer ma mallette avant d'aller souper. Je ne voulais pas la laisser dans la voiture, vous comprenez ?

– Il était quelle heure, à ce moment-là ?

– Dix-sept heures quarante-cinq.

– Vous êtes précis.

– J'ai remarqué l'heure quand j'ai croisé un associé qui d'ordinaire quitte le bureau beaucoup plus tôt.

– Il est ici ? demanda Elliot.

Après que Laurent Miller eut touché le bouton main-libre du téléphone et qu'Elliot se fut présenté et eut posé sa question, la voix de l'associé en question résonna dans la pièce :

– J'ai en effet rencontré Laurent un peu avant 18 h, hier.

Emma le remercia.

– Vous soupiez dans les environs ? continua-t-elle.

– Au Beaver Hall, à deux pas d'ici.

– Vous auriez eu le temps de faire l'aller-retour à Longueuil, suggéra Elliot.

– Je n'avais aucune raison d'y aller, rétorqua l'avocat, le regard planté dans celui du policier. Et puis, avec le trafic de l'heure de pointe et la neige qui tombait depuis un moment, je ne me serais pas risqué, ajouta-t-il en se levant et en contournant son bureau, comme s'il signifiait leur congé aux détectives.

Emma rangea son carnet pendant qu'Elliot mettait ses gants, montrant qu'il n'avait pas l'intention de serrer la main de l'avocat.

– Je n'en reviens pas encore, dit celui-ci en regardant Emma droit dans les yeux. Soyez certains que je vais collaborer à l'enquête.

– Une bonne façon de le faire, c'est de nous permettre d'obtenir un échantillon de votre ADN, déclara Emma en sortant un coton-tige et un petit pot.

Un silence s'attarda dans la pièce. Miller ne broncha pas d'abord, puis il obtempéra.

– Où habitez-vous ? demanda Elliot dès qu'Emma eut prélevé un peu de salive de l'avocat.

– Saint-Lambert, Rive-Sud.

– Nous ne vous retiendrons pas plus longtemps. Pour l'instant, ajouta Elliot qui se leva, suivi de sa lieutenante. Ah, une dernière chose : vous avez parlé à Carmen Lopez hier après-midi ? Votre numéro est le dernier affiché sur son cellulaire.

– Ah bon… Je ne lui ai pas parlé.

– Elle a tenté de vous joindre à trois reprises.

La dernière image qu'Emma capta de Miller fut le regard indéfinissable qu'il posa sur eux au moment où elle se retournait avant de passer la porte.

Après le départ des enquêteurs, Laurent Miller se versa un cognac et se planta devant la fenêtre, d'où il voyait le palais de justice dans toute sa splendeur. Il resta là à le contempler durant de longues minutes, réchauffant son verre dans le creux de sa main, puis il en vida le contenu d'un trait.

– Ah, Carmen… Carmen…, dit-il tout haut en essuyant la larme qui avait roulé sur sa joue.

À peine dix minutes plus tard, la réceptionniste l'informait que deux autres policiers, en uniforme ceux-là, désiraient le voir.

Il apprit alors que la voiture qui avait capoté sur la 132 était celle de sa femme.

– Nous sommes désolés, monsieur Miller, elle a sombré dans le coma aussitôt après l'accident.

Ω

Le relationniste Jean Robert tendit une main franche et confirma qu'il avait bien soupé avec son ami.

– Il m'a rejoint vers 18 h 30 et est resté jusqu'à environ 21 h. Ensuite, il est parti pour préparer son procès.

– Il ne vous a pas paru agité ou inquiet?

– C'était à cause du procès. D'après ce qu'il m'a dit, c'était un coriace!

– Il vous a parlé de Carmen Lopez?

Emma était curieuse de savoir si Miller était un homme ouvert ou plutôt secret.

– Pourquoi me demander ça? demanda Robert en balayant l'air de la main.

– Elle est morte, hier soir, annonça Emma. Assassinée.

L'homme resta bouche bée.

Ω

Elliot ne cachait pas son scepticisme.

– Difficile à cerner, Miller. Même s'il a semblé ébranlé, il répond du tac au tac.

– Faut dire qu'il est aguerri en tant qu'avocat. Sa confiance et sa maîtrise de lui-même sont impressionnantes.

– N'empêche, il était nerveux quand il a soupé avec son chum relationniste.

– N'empêche, il peut être innocent, précisa Emma.

– C'est vrai qu'il neigeait hier, mais ce n'est pas long, aller à Longueuil de son bureau. Il faudra que la patho cible l'heure de la mort de manière plus précise.

Elliot raccompagna Emma jusqu'à sa voiture.

– Il semble vouloir collaborer, ajouta Elliot.

– Un rôle est si vite joué. On verra.

Elliot scruta Emma comme s'il la voyait pour la première fois.

– Je sens qu'on va former un bon *team*, lança-t-il, l'air confiant, avec un sourire à faire fondre un glacier.

– On va essayer de ne pas décevoir l'inspecteur-chef, fut tout ce qu'Emma réussit à dire.

De retour dans sa voiture, elle dicta :

« Dubois avait en partie raison : Miller était l'amant de Lopez. Pas de témoin pour la route entre Québec et Montréal, mais un associé l'a croisé un peu avant 18 h, à son bureau. Ah oui, il s'est arrêté à Drummondville pour mettre de l'essence. Son ami Jean Robert a aussi confirmé avoir soupé avec lui. Miller est en contrôle ou paraît l'être. »

Le téléphone vibra dans sa main.

– Salut, Renaud.

– Ça va avec ton nouveau complice ?

Son collègue sergent-détective allait droit au but, comme toujours. En plus de la raillerie, Emma sentit un brin d'amertume.

– Je n'en aurai jamais de meilleur que toi ! dit-elle pour le rassurer.

Elle devait avouer qu'avec Renaud, tout devenait simple, naturel et surtout drôle. Tandis qu'avec Elliot… Édouard Dubois avait décidé que Renaud travaillerait plus à l'interne pour un moment. À la pointe de nostalgie qui transperçait dans sa voix, cela ne semblait pas le ravir.

– Laissons à notre chef le temps de revenir de sa colère, ajouta-t-elle. Après, ce sera une autre histoire.

– Ouain… Ton enquête avance ?

– Je dois dire qu'on a interrogé des types intéressants. D'abord le patron de la victime, un galeriste. Un homme au discours décousu.

Aussi, Laurent Miller, l'amant confirmé de l'Espagnole. Celui-là a l'air plutôt en contrôle.

– Laurent Miller, l'avocat ?!

– Celui qu'on connaît à travers les médias.

– Étrange… La victime du capotage sur la 132. C'est justement sa femme.

– Sa femme ! Il va être ébranlé, le grand avocat.

– Nos hommes sont allés le prévenir. Le chef dit que ça risque de faire pas mal de bruit, étant donné sa notoriété.

Miller est drôlement éprouvé, songea Emma qui, malgré cette pensée, ne put s'empêcher de faire le lien avec le meurtre.

Elle appela Elliot tandis qu'elle roulait en direction de l'avenue de Gaspé.

– Coïncidence ? dit Elliot.

– Ne sautons pas trop vite aux conclusions. La 132 longe toute la Rive-Sud, elle pouvait arriver de n'importe où.

Emma tourna dans la ruelle, gara l'immense véhicule à la place de sa moto et monta l'escalier en comptant les sempiternelles dix-huit marches. Elle poussa un *ouf* en refermant la porte. Elle se débarrassa de son perfecto, ouvrit le frigo et déboucha la bouteille de vin blanc. La première gorgée lui fit du bien. Elle repassa les interrogatoires en lisant son carnet de notes, et écouta sa voix sur son cellulaire. Pierre Dubeau, le galeriste, ou Laurent Miller, l'amant, avait-il un rapport avec la mort de Carmen ? À moins que… Elle ouvrit son iPad et se pencha de nouveau sur l'histoire de l'accident de voiture. On savait maintenant qu'il s'agissait de la femme de Miller, et que cela s'était produit au courant de la soirée fatidique, sur la route 132, entre Longueuil et Saint-Lambert. L'idée que cette femme eût pu revenir de chez la victime la titillait.

L'histoire de triangle amoureux n'est peut-être pas bête…, songea-t-elle en demeurant tout de même perplexe. Elle reprit son carnet de notes. *Miller a mis de l'essence à 16 h 09…* Elle ouvrit Google Map. *Entre Drummondville et Longueuil, il y a quatre-vingt-neuf kilomètres et demi et on met une heure neuf pour les parcourir. Google calcule avec la vitesse permise, soit cent kilomètres/heure. Jeanne a estimé la mort à la veille, en début de soirée. Miller dit qu'il est arrivé à son bureau à 17 h 45. Aurait-il eu le temps de faire un détour par Longueuil en revenant de Québec?*

Elle rappela Elliot.

— Le temps de s'arrêter aux millions d'arrêts dans le dédale de rues, il n'a pas pu arriver chez Carmen Lopez avant 17 h 30, réfléchit Elliot. Et il était à son bureau à 17 h 45. Ça ne lui donne pas le temps de la tuer, de remonter dans sa voiture et…

— À moins que…, intervint Emma.

— À moins que, comme tout bon conducteur qui se croit le meilleur sur une chaussée enneigée, il n'ait roulé à cent vingt ou cent trente kilomètres/heure, en dépassant tout le monde par la gauche.

— Tu lis dans mes pensées. J'ai googlé pour obtenir un calcul juste. Si c'était le cas, il aurait fait le trajet en quarante-cinq ou cinquante minutes. À ce moment-là, tout devient possible.

Elle raccrocha, retourna au clavier et tapa «Laurent Miller» dans le moteur de recherche. Il était écrit qu'il travaillait depuis quinze ans dans ce bureau d'avocats – cinq en tant que jeune avocat appelé à faire ses preuves, puis dix en tant qu'associé. Certains articles parlaient de conférences qu'il avait données au fil des ans, devant des universitaires ou des confrères, tandis que d'autres le confirmaient comme spécialiste des causes impliquant de dangereux criminels. Mais ce n'était pas ce qu'elle espérait trouver. Comme un quelconque problème personnel avec la loi, par exemple.

$$\Omega$$

Laurent Miller sentait Jean Robert secoué au bout du fil. Celui-ci lui racontait qu'il avait reçu la visite des policiers et qu'il avait été abasourdi d'apprendre la terrible nouvelle.

— Tu sais qui peut avoir fait ça? demanda-t-il d'un ton inquiet.

– Je ne sais pas, mon ami. C'est le travail des enquêteurs de le découvrir.

– Ils ne peuvent quand même pas te soupçonner !

– Surtout que je ne suis pas coupable. Tu sais ce qu'elle était pour moi, dit-il d'une voix éteinte.

Ω

À demi convaincu de sa démarche, Laurent Miller se présenta à l'hôpital. L'infirmière le guida vers une chambre tout au bout du couloir encombré de machines attendant de servir pour l'un ou l'autre des patients alités derrière les portes anonymes. Il croisa aussi des chariots jonchés de bocaux et de serviettes, des infirmières et des préposés pressés.

– Parlez-lui. Votre voix fera peut-être la différence, murmura la dame en bleu avant de s'éclipser.

Laurent Miller entra sans faire de bruit, même si rien ne pouvait troubler le sommeil d'Adèle Granger. Il se tint debout près du lit, n'esquissant aucun geste vers celle qui partageait sa vie depuis une vingtaine d'années. Ses yeux inventorièrent les appareils et les multiples tubes et aiguilles qui, de toute évidence, retenaient sa femme à la vie malgré son cerveau qui, lui, l'entendait autrement. Pour le reste, tout blanc : la tête qui reposait sur l'oreiller, enveloppée d'un bandage, la couverture qui recouvrait le corps inerte. Seule la jaquette, d'un bleu délavé à force de lavages effrénés, détonnait dans le lit de mort. Il fut surpris de ne pas noter de blessures apparentes, sauf l'épaule droite recouverte d'un plâtre – aussi blanc que le reste – et le dessus des mains taché d'ecchymoses dues à l'acharnement des aiguilles à fouiller leur peau. Il comprit qu'uniquement la tête et une épaule avaient accusé le choc.

L'avocat fixa la bouche qui avait prononcé des menaces de divorce et de dépossession il n'y avait pas si longtemps et qui maintenant était muselée. Il avait failli en omettant de lui proposer de signer un renoncement au patrimoine familial lorsqu'il en était encore temps. Il avait cru Adèle différente. Or, elle s'était muée en une femme avide et capricieuse. Comme toutes les autres, désireuses de le priver de sa liberté, songea-t-il.

Les yeux secs, Miller resta là à regarder le corps inerte durant encore quelques minutes. Puis, sans avoir touché sa femme ni lui avoir adressé un mot, il tourna les talons.

ADÈLE

PLUS TÔT - DÉBUT FÉVRIER

À défaut de parler à une amie, je m'en remets à toi…

Je suis cocue… C'est la deuxième fois. Je ne voulais pas l'imaginer… encore moins l'écrire. Je l'avais prévenu… je ne pardonnerais plus.

Laurent a fait l'erreur d'oublier son *alter ego* à la maison. Son téléphone. Il a fallu qu'elle appelle justement ce jour-là. Elle a parlé toute seule pendant les minutes qu'il m'a fallu pour comprendre. Juste comprendre… Depuis ce monologue sulfureux, les jours se succèdent, inlassables, lourds, cruels…

Enfin, j'ai décidé d'épier Laurent. Je le suis partout et je découvre sa vie sans moi… Une vie que je ne connais pas… Il est routinier… à faire rougir un vieil ascète. Et surtout, il se rend chez elle les deux mêmes soirs. Ceux où il me ment…

En temps et lieu

« *Femme d'origine hispanique étranglée à son domicile de Longueuil* »

Sous ce titre de *L'Intégral*, on relatait certains détails de la vie de l'Espagnole dont le visage apparaissait au début de l'article : elle était l'assistante du galeriste Pierre Dubeau ; elle vivait seule, mais un homme lui rendait visite à intervalles réguliers.

Après avoir reconnu la femme de la photo, Anne Lenoir lut chaque mot avec intérêt, certaine qu'on parlait ici de l'homme agressif qu'elle avait vu au restaurant.

– Un sadique qui a fini par passer à l'acte…, enragea-t-elle.

Elle saisit la première bille de son pendule qui frappa sa voisine, provoquant la levée de la toute dernière qui revint frapper l'avant-dernière pendant que celles du centre frémissaient à peine. Fixant le ballet des billes, elle se laissa submerger par ses souvenirs, se revoyant huit ans plus tôt, étendue sur une table dure et glaciale, jambes levées et ouvertes devant un homme en blouse blanche, tout aussi froid. Elle réentendit le cliquetis des instruments, la voix lointaine de l'infirmière qui, lui semblait-il, réussissait à peine à parvenir jusqu'à elle. Elle se remémora la sensation du couperet qui s'était inséré dans son intimité la plus profonde, et qui l'avait fouillée avec trop de vigueur, lui donnant l'impression que son ventre se déchirait comme si l'on en pelait la peau intérieure. Elle se souvint du liquide chaud qui s'était écoulé de ses entrailles en même temps que de la plaie de son âme. Cette âme arrachée en même temps que son cœur.

Tout avait commencé par l'entêtement d'un homme, *son* homme à l'époque, à ne pas vouloir de cet enfant. Il y était allé de tous les arguments. Le premier de tous avait été l'ignorance de sa femme à propos de leur liaison. Qu'il était impératif qu'elle ne se doute de rien. Anne avait résisté malgré des prises de bec de plus en plus fréquentes et dramatiques. Enfin, des menaces graves à peine voilées avaient été prononcées.

Par amour, ou dépendance amoureuse, elle avait cédé, se disant que ce n'était que partie remise. Qu'un jour, il entendrait raison. Or, après lui avoir promis de ne pas la quitter après cette opération «anodine», il l'avait rejetée comme une vieille chaussette. Un chiffon souillé. Un rebut.

Puis il y avait eu le verdict implacable: le deuil qu'elle devrait faire de la possibilité d'enfanter. À la suite de l'intervention, une infection virulente avait fermé cette porte à jamais. Les médecins avaient été formels. La rancœur s'était emparée de son cœur et de ses tripes. Quelque chose en elle s'était alors brisé. Et avait provoqué le début de sa descente aux enfers.

Elle s'était dit que la justice devrait au moins punir ce monstre. Or, deux avocats, tout aussi véreux, selon elle, l'avaient évincée, arguant que ce serait sa parole contre celle du manipulateur.

Anne ressentit pour la millième fois le sentiment d'impuissance devant l'impossible qui lui était arrivé. Les pleurs d'enfant envahirent de nouveau sa tête. Espérant les faire taire, elle prit le joint de marijuana qu'elle avait roulé plus tôt, craqua une allumette et fuma en se balançant d'avant en arrière et en caressant son ventre comme si le petit être s'y trouvait toujours.

Désorientée, elle repensa à la femme hispanique qui avait reçu l'ultimatum de son amant durant leur dispute au restaurant. Les mises en garde de ce dernier avaient été sans équivoque. Anne avait bien décrypté les paroles entendues ce jour-là. Cet homme dont parlait aussi le journal pouvait très bien être capable d'intimidation. Comme les autres avant lui, songea-t-elle. Si cette femme avait cédé aux menaces en se faisant avorter, elle serait morte de toute façon. Il valait mieux qu'elle ne fût plus de ce monde. Elle n'aurait pas à vivre avec un tel manque, un tel néant qui lui aurait broyé les entrailles, se désola-t-elle. Puis, la mort dans l'âme, elle pensa à l'embryon mort avec elle.

Ω

« *La victime du capotage sur la 132 est l'épouse du célèbre avocat Laurent Miller* »

D'entrefilet, l'événement était passé en première page.

Captivée par la nouvelle, Emma relut les circonstances dramatiques de l'accident. Perplexe, elle se cala sur sa chaise et réentendit la pathologiste : « Tout s'est fait au début de la soirée d'hier. »

Comment ne pas faire le parallèle ? se dit-elle.

La détective repensa aussi aux mots du galeriste : « […] madame Miller ignorait la liaison entre son mari et… »

Et si au contraire Adèle Granger, alias madame Miller, savait ? songea-t-elle.

Au bas de l'article, elle lut : « Madame Granger est encore dans le coma, ce qui risque de compliquer la tâche des enquêteurs. » Ce fait ramena de son passé des images troublantes. La chambre aseptisée. Le lit inconfortable. La lumière crue. Ses idées embrouillées.

Ω

Le café Alibi était le refuge des policiers. Elliot y était attablé, *L'Intégral* ouvert devant lui.

— Le nom est sorti du chapeau, dit Emma, debout devant lui.

— Assieds-toi. Tu prends un café ? À mon avis, la possibilité du triangle amoureux qui tourne mal n'est pas exclue, lança Elliot.

Le cappuccino atterrit devant Emma avant qu'elle ait eu le temps de le commander. Voyant les lèvres charnues lécher la cuillère remplie de mousse, Elliot passa une langue gourmande sur les siennes.

— Adèle Granger pouvait très bien revenir de chez Carmen Lopez, se reprit-il. Si on repense au bracelet… il peut appartenir à la maîtresse ou à…

— … la légitime, compléta Emma.

— Laurent Miller n'est peut-être qu'une victime, finalement.

— Tout se peut.

— C'est contrariant que la femme soit dans le coma. Il n'y aura pas moyen de lui soutirer quoi que ce soit avant peut-être un bon bout de temps.

— Sa voiture…, dit seulement Emma.

— Je m'occupe du mandat.

— En attendant, Jasmin Côté, l'un des artistes de Dubeau, nous attend.

Ω

L'homme, assis dans un fauteuil roulant, semblait y être confiné depuis longtemps. Son abdomen flasque ne trompait pas. Il affichait la cinquantaine avancée et sa main droite était atrophiée. Emma et Elliot échangèrent un coup d'œil.

Jasmin Côté les invita à s'asseoir au salon, où il n'y avait place que pour deux personnes.

— Vous avez eu un accident? demanda Emma, compatissante.

— Une maladie dégénérative. Sclérose en plaques.

La détective fit une moue désolée.

— Vous pouvez conduire? enchaîna Elliot.

— Non, mais ça va bien. Grâce à un bon ami qui me conduit, je peux photographier mes chers oiseaux. Regardez les murs.

L'homme était de toute évidence fier de ses performances et il était vrai que les clichés valaient d'être exposés.

– Vous pouvez nous parler de Carmen Lopez ? demanda Emma.

– Ah ! la charmante dame. Que c'est dommage, cette histoire… Je n'y crois pas encore. Chaque fois que j'allais à la galerie, elle prenait le temps d'échanger avec moi. Cela dit, ce n'est pas parce que je suis en fauteuil, elle était comme ça avec tout le monde.

– Il n'y a jamais eu de différend entre vous ?

– Au grand jamais ! Impossible avec elle.

– Et Pierre Dubeau ?

– Je ne lui ai parlé qu'une seule fois. Il m'a ensuite confié aux bons soins de Carmen… pardon, madame Lopez.

Les policiers discutèrent encore un moment avec lui et prirent congé.

– Dubeau aurait pu nous dire qu'il était… handicapé, s'impatienta Elliot.

– C'est tout de même bien qu'on l'ait constaté *de visu*.

– Comment veux-tu commettre un meurtre dans un état pareil ?

Visiblement ébranlée, Emma enchaîna :

– C'est terrible, une maladie comme celle-là peut arriver à n'importe qui. Il faut vivre le moment présent.

– Encore faut-il le vouloir…

L'allusion était à peine voilée. Elliot n'en ratait pas une.

– Avant d'aller voir la deuxième artiste, on devrait retourner dans le voisinage de la victime, proposa-t-elle. Quelqu'un a peut-être autre chose à dire…

Le voisin immédiat de la maison aux volets rouges semblait aux prises avec un problème de souffleuse.

– On peut vous aider ? demanda Elliot.

– Non, non, ça va, j'étais mécanicien. Je devrais y arriver.

Pendant qu'Elliot se penchait tout de même sur la machine, Emma ne perdit pas de temps :

– Vous savez que votre voisine…

– Dommage, une si jolie dame…

– Carmen Lopez, vous la connaissiez ?

– Elle était discrète, même si elle ne passait pas inaperçue.

Ses yeux parlaient pour lui. L'homme était bon juge, Carmen Lopez avait dû attirer les regards.

– Vous lui aviez déjà parlé ?

– Je l'ai saluée, tout au plus. Elle n'était là que depuis le début de l'hiver. On ne sort pas beaucoup en janvier, février. Trop froid.

– Vous étiez chez vous, le soir où c'est arrivé, soit le 7 mars ?

– Je me souviens de cette soirée-là. La neige tombait doucement, c'était magique. Je me berçais en lisant dans le salon, juste là, à côté de la fenêtre, dit-il en désignant sa propriété.

– Vous avez vu quelque chose ?

– J'ai bien vu une petite auto partir sur les chapeaux de roue, mais…

Elliot lâcha la souffleuse, leva la tête et intervint :

– Vers quelle heure ?

– Vous me posez une colle, là. Depuis que je suis retraité, j'ai renoncé à me soucier de l'heure. Cela dit, il n'était pas très tard. À peu près l'heure du souper, mais je n'en suis pas certain.

– Vous avez pu voir la marque, la couleur ? reprit Emma.

L'homme se gratta la tête par-dessus sa tuque.

– J'ai bien vu que c'était une Fiat ; vous savez, le nouveau modèle ? J'ai toujours été mécano, que voulez-vous… Il faisait noir, mais grâce au réverbère, j'ai pu voir qu'elle était pâle. Sûrement pas blanche, plutôt une de ces nouvelles couleurs, vous savez ?…

– Vous l'aviez déjà vue ?

– Pas que je me rappelle.

Elliot désigna la souffleuse.

– D'après moi, c'est un boulon mal serré.

– Dites donc, les policiers ont aussi d'autres talents !

Voyant la mine déconfite d'Elliot, il rectifia :

– Je blaguais, voyons. C'est mon genre, dit-il en lui faisant un clin d'œil.

– Au fait, quel est votre nom ? demanda Emma.

– Maurice Richard, comme le joueur de hockey, dit-il, la fierté faisant briller ses yeux.

– Eh bien, Maurice Richard, souhaitons que tu nous aies autant aidés que le numéro neuf l'aura fait avec le Canadien! lança Elliot, de retour dans la Charger.
– Et que tu l'aies aussi aidé avec son engin, railla Emma. Je ne t'imaginais pas mécano.
– J'ai le même modèle que Maurice, à la maison.
– Ah, d'accord.
Ils restèrent silencieux un instant.
– Tu penses la même chose que moi?
– La voiture de la femme de Miller?
Elliot prit son téléphone et composa un numéro.
– Elliot Carrière, ici. Vous pouvez me passer la patrouille.
– Ça ne prouve rien, mais enfin…
– Fiat… bleu pâle… Merci, mon ami.
– Souhaitons que le mandat ne tarde pas trop…, dit Emma.

Ω

Coralie Deslauriers n'avait pas la trentaine, était enjouée et les accueillit dans un fouillis. Son ordinateur était enfoui sous des piles de papiers et des centaines de photos en noir et blanc. De la vaisselle à peine rincée débordait de l'évier et un reste de pâtes avait séché dans un bol. La jeune femme offrit aux enquêteurs une boisson qu'ils refusèrent.
Emma jeta un œil sur les photos éparpillées sur le bureau et conclut rapidement que la fille avait un talent fou. Elle semblait capter des scènes de la vie urbaine et le résultat était concluant.
– Vos photos sont magnifiques.
– Vous trouvez? Merci.
– Vous exposerez à la galerie On aura tout vu!?

– J'ai rencontré quelqu'un là-bas, à deux ou trois reprises. Ça promet.

– Vous parlez de Carmen Lopez ?

– Elle est l'assistante du proprio. Très gentille et professionnelle, d'ailleurs. Mais pourquoi vous me demandez ça ?

Emma et Elliot échangèrent un coup d'œil.

– Vous ne lisez pas les journaux ?

– Entre les études, le travail et la photo, je n'ai pas le temps pour autre chose, dit-elle en désignant le bureau encombré.

– Nous sommes désolés de vous l'apprendre alors… Carmen Lopez est décédée. En fait, elle a été assassinée.

Coralie se laissa tomber sur une chaise et regarda les détectives, l'air ahuri.

– Je suis… je suis sidérée. C'est terrible ! Et maintenant, qui s'occupera de mon travail ?

Les détectives constatèrent rapidement qu'elle n'était pour rien dans l'histoire.

Ω

Alors qu'Emma était en route pour le bureau de la psychologue, son téléphone vibra.

– Bonjour, papa. Comment vas-tu ?

– *Good, good.* Tu t'en sors avec ton inspecteur-chef ?

– Il est encore plus misogyne que toi, le taquina-t-elle.

– *Come on, Emma* ! Assez plaisanté. On n'a pas encore retrouvé le petit garçon. L'enquête piétine.

– C'est toujours épouvantable, la recherche d'un enfant. Comment sont les parents ?

– Terrorisés, on peut les comprendre. Cependant, on ne peut pas exclure qu'un ou l'autre puisse avoir quelque chose à voir avec sa disparition.

Elle arriva chez la psychologue avec cinq minutes d'avance. Un vrai tour de force. Elle salua l'assistante et s'assit en attendant son tour. De quoi allait-elle parler aujourd'hui ? Quelles questions embarrassantes Estelle Sauvé allait-elle lui poser ? La thérapeute l'avait vite parachutée dans le vif du sujet. La première séance lui avait presque fait regretter d'y être allée. Elle en avait souffert durant des jours. Elle s'était même demandé si elle allait y retourner. Mais elle l'avait fait. Et voilà qu'elle était de nouveau assise dans cette salle d'attente.

Un homme entre deux âges passa la porte, qu'elle savait hermétique à tout bruit venant de l'extérieur. Pour l'intimité, disait la thérapeute. Pendant que le patient payait sa séance au comptoir, Emma compta les trente-deux losanges imprimés sur son débardeur, puis se leva et, le cœur serré, franchit le seuil du bureau.

– Alors, comment a été votre semaine ?

Madame Estelle – ainsi nommée par son ami Simon, ce qui lui allait parfaitement, d'ailleurs – était assise dans un fauteuil, en face d'elle. Ses jambes croisées étaient si longues qu'elle aurait pu y faire un double nœud si elle l'avait voulu. Ses mains aux ongles manucurés posées sur les accoudoirs incitaient toujours Emma à cacher les siennes sous ses cuisses. Elles ne recevraient jamais pareil traitement, la pratique du piano exigeant des ongles coupés court.

– L'enquête sur laquelle je bosse se déroule bien. Je ne peux pas en parler ouvertement, par contre. La maîtresse d'un avocat renommé a été assassinée.

Voilà, parler de l'affaire en cours l'empêchait de nager dans d'autres eaux plus ténébreuses.

Estelle Sauvé décroisa les jambes pour croiser les chevilles.

– J'ai lu ça dans les journaux. À votre avis, ça peut être une histoire de triangle amoureux ?

– C'est une possibilité. Il est trop tôt pour le dire.

– Malheureusement, il y en a trop de nos jours.

– Trop de liaisons qui finissent par faire du mal…, dit Emma, le regard vague.

– C'est une allusion à l'une de vos propres liaisons ?

Emma développait une relation amour-haine avec cette femme qui s'acharnait à scruter sa vie et son âme comme on gratte un fond de tiroir. Si quelqu'un lui avait dit qu'elle le faisait pour son bien, elle aurait dû reconnaître qu'il avait probablement raison. La thérapeute était là pour l'aider à faire sortir le méchant, comme on dit. Elle avait par contre l'impression que celle-ci lui extirpait des informations à la manière d'une sangsue qui ne lâche pas sa proie.

– Il ne s'agit pas de liaison.

Estelle Sauvé se contenta de la regarder.

– C'est un collègue de travail. Mon partenaire d'enquête.

Le regard appuyé de madame Estelle l'obligea à poursuivre.

– Que voulez-vous savoir ?

– Vous semblez sur la défensive, Emma.

La policière repoussa sans douceur une mèche de cheveux avant de lâcher le morceau :

– Il a été mon amant. Voilà !

– Mais il n'est pas question de liaison, c'est ça ? Vous voulez en parler ?

– Pas aujourd'hui, s'entendit-elle répondre du tac au tac.

La psychologue laissa planer un silence qu'elle devait trouver nécessaire.

– Très bien, on y reviendra quand vous serez prête. Allons ailleurs.

Le silence s'abattit de nouveau et la thérapeute ne fit rien pour le briser. Au contraire. Emma compta jusqu'à vingt-deux. Vingt-deux secondes qui semblaient interminables lorsqu'on attendait en s'efforçant de regarder ailleurs. Emma constatait qu'à peu près le même nombre de secondes revenait souvent lorsque Estelle Sauvé la laissait réfléchir ou quand elle la voyait se ronger les sangs. Comme si elle s'en délectait. La détective calculait qu'elle était tout de même la plus forte, car madame Estelle reprenait le cours de la conversation dans quatre-vingt-quinze pour cent des cas. Sauf aujourd'hui.

– C'est peut-être un étranger qui a fait le coup. Et puis non, c'est rare que ce soit le cas. En règle générale, la victime connaît son agresseur.

Emma avait parlé comme si elle réfléchissait tout haut. Puis elle eut envie de déstabiliser cette femme qui semblait si sûre d'elle.

– Vous avez déjà eu peur de quelqu'un? D'un étranger ou d'une personne que vous connaissiez?

Plutôt que de répondre à sa question, madame Estelle prit le temps qu'il fallait avant de revenir avec une brique en plein front.

– Si on revenait au sujet que nous avons à peine effleuré la semaine dernière? Vous m'aviez alors parlé de votre sœur.

Le cœur d'Emma s'arrêta presque de battre et elle réussit tant bien que mal à retenir les larmes qui lui montaient aux yeux. Cette femme savait, elle, comment la déstabiliser. Elle revit le petit corps qui avait flotté à la surface de l'eau durant d'interminables secondes, avant que sa mère revienne enfin à la plage avec les boissons fraîches. Elle s'en souvenait parfaitement, cela lui avait paru une éternité. Depuis ce jour de juillet 1983, l'image l'obsédait. Elle avait entrouvert cette porte douloureuse au cours de la dernière séance et elle s'en était voulu. En même temps, n'était-elle pas là pour enfin vider son sac et réhabiliter sa conscience?

– Prenez votre temps, Emma. Il y a des choses plus difficiles à dire que d'autres.

Emma soupira lourdement en repoussant encore une fois sa mèche de cheveux récalcitrante.

– Je savais nager alors qu'elle avait peur de l'eau. On avait beau être jumelles, on n'avait pas les mêmes talents.

– Vous voulez me parler d'elle?

Ω

Dès que Laurent Miller s'assit dans sa voiture, son iPad tinta. La mention «Dernière heure» clignotait en rouge :

« Laurent Miller, avocat renommé, dans la mire des enquêteurs »

D'abord sonné, l'avocat se mit à suer, puis attrapa son téléphone.

– Jamais les enquêteurs ne m'ont dit que j'étais dans leur mire !

– Carmen était tout de même ta maîtresse. Tu savais que tu jouais à un jeu dangereux. Ce n'est pas surprenant que ça arrive. Tu sais comment sont les policiers, ils veulent sans doute te faire peur. Tu le sais par habitude…

– Tu as pensé à mon image ?! À ma réputation ?!

Jean Robert y alla du conseil du relationniste :

– Si on organisait une conférence de presse pour calmer les esprits ?

Ω

Anne Lenoir ne pouvait détacher son regard du titre de la une. Elle but une gorgée du café infect qui sortait tout droit de sa cafetière achetée sur Kijiji.

– Avocat, en plus ! J'en dois une à cette «race»…, fulmina-t-elle, tout haut.

Elle revit le regard menaçant, les gestes non équivoques, le verre de vin vidé d'un trait lors de l'épisode troublant du restaurant. Réentendit les paroles autoritaires et blessantes, et se remémora la noblesse de la femme qui avait osé le défier en disant : «Je ne peux pas.»

– Le pervers ! cria-t-elle toute seule dans son appartement. Un jour, quelqu'un te le fera payer !

La sensation d'un serpent se faufilant de son ventre à sa gorge lui fit poser les mains sur celle-ci. Il ne lui restait qu'à maîtriser ce reptile imaginaire pour qu'enfin il crache son venin.

Elle saisit les deux premières billes de son pendule et les regarda cogner ses sosies. Les deux dernières se soulevèrent pour revenir frapper celle du centre qui tentait de rester immobile, comme un bon soldat. Hypnotisée par le mouvement qui ne s'arrêterait que par la résistance de l'air, à moins qu'elle ne décide d'y poser la main prématurément, elle eut un long frisson.

$$\Omega$$

Le titre la sidéra. Emma se fit un deuxième cappuccino avec des gestes rituels, mais rageurs, cette fois. Qui avait laissé couler ça?! Qui s'était permis de parler aux médias?! À part elle-même, seuls Elliot et l'ami de l'avocat savaient que celui-ci était l'amant de la victime. Alors, bien sûr, Miller était aussi dans leur mire!

– On ne peut jamais mener notre enquête comme on l'entend! explosa-t-elle. C'est à nous de nous occuper des médias.

Le visage du galeriste s'imposa. C'était lui qui les avait mis sur la piste de Miller.

– On doute de tout le monde qui gravitait autour d'elle. Vous êtes donc aussi dans notre mire, monsieur Dubeau, marmonna-t-elle.

Elle attrapa son téléphone.

– Bonjour, Elliot. Tu as lu l'article?

– Le fichu galeriste!

– Tu lis dans mes pensées.

ADÈLE

Tu veux savoir où j'en suis? J'ai affronté Laurent après m'être préparée comme on le fait pour la répétition d'une scène de théâtre… À voix haute, au milieu de la pièce. Comme une détraquée à qui on aurait demandé de parler toute seule, histoire de voir ce que ça donnerait. Tu devines? Il s'est défilé… a osé inventer qu'elle le harcelait, mais que, pour lui, elle était simplement l'assistante du galeriste. Discours digne du plus grand mythomane pour qui mentir a si peu d'importance.

Sachant que je n'obtiendrais pas gain de cause en le contre-disant, j'ai préféré lui jeter à la figure qu'il aurait dû la choisir encore plus jeune. Mais que si ç'avait été le cas, la nymphette en question n'aurait jamais voulu de lui.

Au final, de manière toute naturelle, il a tourné les talons et j'ai vu ses épaules s'éloigner. La fureur est alors montée comme une vague jusqu'à ma gorge, s'est insinuée jusqu'à mon cerveau, sans possibilité de retour en arrière.

Question de temps

Emma prit la route de la Rive-Sud et roula jusqu'à la fourrière municipale où se trouvaient les restes de la voiture d'Adèle Granger. Après qu'elle se fut présentée, le préposé l'amena au fond de la cour.

La Fiat bleu ciel n'était plus que l'ombre d'elle-même. Un tas de ferraille. *Défigurée*, pensa-t-elle. Qu'en était-il de la femme?

Une Fiat pâle a dit le voisin, Maurice… Voyons ça, se dit-elle.

De la neige mêlée à de la terre formait une gadoue déprimante sur les sièges déchirés. Le levier de vitesses était tordu, le volant, cassé en deux, et du verre avait éclaté partout. Armée de son téléphone en fonction lampe de poche, Emma éclaira tous les recoins de ce qui restait de l'habitacle. Elle tâta de la main le dessous des sièges, espérant y trouver *le* bout de tissu révélateur. Elle jura en se coupant le pouce avec un morceau de verre. Au lieu du tissu, elle dut procéder avec délicatesse pour réussir à extirper, sans la déchirer, une feuille de papier coincée dans le métal tordu. Après l'avoir défroissée, elle reconnut le visage de Carmen Lopez, malgré les ravages faits par un logiciel.

Finalement, c'est elle qui est défigurée, songea-t-elle.

L'hypothèse était donc plausible. La légitime revenait peut-être de chez l'illégitime lorsque l'accident s'était produit.

Elle l'a tout de même pas mal abîmée, se dit-elle en fixant l'image.

Le pouce dans la bouche pour étancher le sang, Emma fit demi-tour.

Alors qu'elle passait en coup de vent dans le couloir du QG, Elliot lui emboîta le pas jusqu'à son bureau.

– C'est une Fiat bleu ciel. Notre intuition était bonne. Et regarde ce que j'y ai trouvé.

Elle exhiba la photo saccagée.

– Adèle Granger n'est pas photographe? lança-t-il, excité. Une femme jalouse qui massacre la photo de la maîtresse avec Photoshop pour ensuite se rendre chez elle et…

– … et la tuer…, acheva Emma.

– Ce n'est pas négligeable.

Le téléphone d'Emma vibra sur le bureau.

– Oui, Tougas.

– L'ADN prélevé sur la brosse à dents ramassée dans la salle de bains de la victime concorde avec celui provenant de la salive de Laurent Miller.

Normal, il était son amant, songea Emma.

– Hé! le point de presse va commencer, dit Elliot en allumant le téléviseur.

Ω

Laurent Miller se présenta au lutrin installé dans le hall de la Place Ville-Marie, où se trouvait le bureau de Jean Robert. Les caméras le mitraillèrent tandis que les journalistes affamés essayèrent de lui soutirer toute information pouvant le mettre encore plus dans l'eau chaude.

– Quel lien entreteniez-vous la victime? lança un premier.

– Elle était votre maîtresse? renchérit un deuxième.

– C'est de l'histoire ancienne.

– Il nie…, commenta Emma.

– Elle ne l'était plus?

Miller ne répondit pas.

– Pourquoi auriez-vous voulu vous en débarrasser? demanda encore celui du *Journalier*.

– Oui, pourquoi…, commenta Emma.

– La question serait plutôt : pourquoi aurais-je eu envie de le faire ? Et je réponds : pour aucune raison.

Les questions fusaient comme les balles sortant d'une mitraillette. Miller tenta de calmer la meute de loups agglutinés devant lui en niant sa culpabilité.

Jean Robert jugea que l'avocat s'en était bien tiré.

– La voiture de Miller nous attend, dit Emma en se tournant vers Elliot.

Elliot remplit les formulaires. Un premier mandat permettrait d'avoir accès au véhicule du mari, et l'autre servirait à fouiller l'ordinateur de la femme comateuse, qui ne pouvait pas communiquer avec qui que ce soit. Peut-être des secrets cachés dans l'appareil pourraient-ils le faire à sa place. Comme la photo abîmée.

Le sergent fit les démarches nécessaires auprès du juge qui ne l'entendit pas de la même manière.

– Voyons, voyons, il faut attendre avant de poser un tel geste, décréta l'homme de loi, de toute évidence contrarié. On ne peut jamais savoir combien de temps durera un coma. Non, non, donnons-nous un délai raisonnable. Disons, une semaine ou deux, et ensuite on avisera.

– Ça me semble long, répliqua Elliot qui avait sursauté en entendant ces mots.

– Lorsqu'une personne ne peut donner son consentement, je ne peux agir comme un écervelé, sergent. Une voiture accidentée est une chose ; des données personnelles dans un ordinateur en sont une autre. Il faut se donner bonne conscience avant d'aller trop rapidement. Quant au fait de fouiller la voiture de Laurent Miller, je dois y réfléchir. Je conserve vos requêtes et vous en reparle en temps et lieu.

Le ton s'était voulu autoritaire et sans appel. Elliot dut se contenter de tourner les talons et de fulminer contre le magistrat qu'on appelait, à tort ou à raison, « le Dictateur ».

– Bonne conscience, *my eye*! ragea-t-il en se défoulant sur le bouton de l'ascenseur.

Pour tromper l'attente, le sergent appela l'hôpital où une infirmière l'informa que l'état de la femme accidentée ne s'était pas amélioré et que les médecins étaient toujours dans le néant. Certaines personnes pouvaient rester dans le coma pendant quelques heures seulement, alors que d'autres y demeuraient emprisonnées durant de longs mois, expliqua la dame.

– C'est ça, attendons aussi le OK de la junte médicale! répliqua-t-il tout haut, dans sa voiture.

Pendant qu'Elliot tentait de convaincre le juge, Emma passait en mode enquête. Elle saisit son cellulaire :

« Bilan du dossier. La maîtresse d'un avocat en vue est assassinée. Probablement étranglée. Son patron galeriste la trouve dans la matinée. Laurent Miller, l'amant avéré, passe la journée seul à Québec, s'arrête à une station-service sur le chemin du retour, revient à son bureau vers 17 h 45, où il croise un associé, et soupe avec un ami à partir de 18 h 30. Il n'a donc de véritable alibi qu'à partir du moment où il rencontre son confrère. La femme de l'amant est dans le coma à la suite d'un accident de voiture qui s'est produit le soir du meurtre, sur le chemin qui la ramenait chez elle, possiblement après être allée chez la victime. D'après Maurice Richard, voisin immédiat de la victime, une Fiat pâle est passée rapidement dans la rue, le soir du meurtre. La voiture accidentée : une Fiat bleu ciel dans laquelle une photo de la maîtresse, trafiquée par un logiciel, est trouvée froissée.

Sommes-nous devant une histoire de jalousie? Pierre Dubeau semble s'être empressé d'informer les journalistes à propos de la liaison de Miller et Lopez. Essaie-t-il de cacher quelque chose et de mettre ça sur le dos de l'avocat parce qu'il ne le porte pas dans son cœur ? Le mari et le galeriste ont été interrogés. Ne reste que la femme comateuse qui, on l'espère, se réveillera bientôt. »

Emma regarda du coin de l'œil le mémoire d'Édouard Dubois, intitulé *Éthique à la Sûreté du Québec*, qui traînait sur son bureau. Elle n'avait réussi qu'à le regarder en diagonale. Elle se mit à le feuilleter et, dès la deuxième page, ses yeux s'attardèrent sur une grossière faute d'orthographe. Écœurée, elle le referma. OK, elle avait commis une faute, mais le repentir avait ses limites. La punition imposée aussi. En colère, elle se demanda jusqu'à quand durerait le petit jeu de l'inspecteur-chef.

En route pour le QG, Elliot informa Emma que le juge n'avait pas été coopératif.

– Il a parlé de délai ?

– Une semaine ou deux pour l'ordi. Pour ce qui est de Miller, c'est indéterminé. Il joue peut-être à protéger le « grand » avocat.

– Il se rendra à l'évidence avant longtemps. Il sait très bien qu'il ne peut pas nuire à l'enquête.

Le sergent brava ensuite le froid pour marcher jusqu'au café Alibi, où il commanda une Guinness. Lorsqu'il enquêtait sur une affaire difficile, il aimait se retrouver seul pour mettre ses idées en place. Dans cet endroit fréquenté par des policiers et des ambulanciers, il n'avait besoin de parler à personne. On lui fichait la paix, se doutant qu'il était là pour réfléchir. L'alcool coulant dans sa gorge lui fit du bien. Dans la partie « notes » de son téléphone, il inscrivit les principaux éléments de l'enquête, puis conclut qu'ils n'avaient pas grand-chose à se mettre sous la dent, à part la photo massacrée et *peut-être* la voiture d'Adèle Granger aperçue le soir du drame par un voisin. Rien ne se passait jamais comme dans les films. Des indices, un coupable, la résolution de l'enquête en criant ciseaux, songea-t-il.

Pour se changer les idées, il texta Élodie. Sa fille et ses coéquipières de soccer devaient affronter un adversaire de taille, ce matin-là. Le téléphone en permanence à portée de la main, elle répondit dans la seconde : « stais chil ! on a gagner ☺ » Sa fille, en adolescente de son époque, maîtrisait mal la langue malgré les efforts que faisait sa mère pour lui en enseigner les bases. Attendri, mais aussi découragé, Elliot sourit avec lassitude.

Ω

Il était temps de visiter Arthur Burn. Sachant son capitaine orgueilleux, Emma n'avait pas osé aller le voir depuis son AVC. Acceptait-il son état ? Renaud lui avait dit qu'il était paralysé et ne parlait pas. Devrait-elle le faire pour deux ?

Chelsea, sa femme, ouvrit la porte. Emma la trouva pâle, les traits tirés. Elles se firent la bise et, du regard, la visiteuse lui demanda comment il allait. L'expression triste de Chelsea lui donna la réponse. Celle-ci la guida vers un séjour ensoleillé, meublé de bibliothèques et de fauteuils confortables. Dans l'un de ceux-là, le dos droit comme un « i », Burn regardait par la fenêtre le boisé qui bordait le terrain arrière.

Lorsqu'il vit Emma, ses yeux brillèrent. Ce grand homme, bien que parfois bourru, avait en réalité un cœur d'or. Depuis qu'elle côtoyait l'intraitable inspecteur-chef, elle pouvait le proclamer haut et fort. Elle s'assit à ses côtés et l'imita en laissant errer son regard vers l'extérieur.

Au bout des quarante secondes qu'elle égrena, toujours dans la même position, elle entreprit de raconter l'enquête en cours, comme si de rien n'était, supposant que c'était ce que Burn avait envie d'entendre. Et non se faire presser de questions à propos de son état. Il l'écouta sans broncher. Seules quelques expirations bruyantes trahissaient son état d'esprit. Elle le sentait intéressé par tout, surtout par les indices trouvés. Lorsqu'elle se tut, il posa sa main valide sur la sienne. Elle tourna la tête vers lui et vit une larme rouler sur sa joue. Émue, elle sentit ses yeux se remplir d'eau.

– Je reviendrai, lui assura-t-elle en partant. Quand vous voudrez bien de moi.

Son regard exprima tout ce que sa bouche ne pouvait dire. En français comme en anglais. Anglais de souche, son capitaine lui avait toujours parlé dans la langue de Shakespeare, trop heureux d'avoir quelqu'un avec qui il pouvait se laisser aller sans le moindre soupçon de jugement.

Laps de temps

Elliot reçut un texto d'Emma lui demandant de la rejoindre à Longueuil. Il prit ses clés, enfila son manteau et sortit dans l'air froid du matin. La Chevrolet banalisée eut du mal à démarrer. Il jura entre ses dents. Après un mois de février glacial, mars en serait-il le sosie ? Pendant que le chauffage peinait à réchauffer l'habitacle, il se remémora la chaleur du corps d'Emma.

Emma arriva à destination avant Elliot. Cette deuxième visite des lieux du crime était nécessaire, comme chaque fois. Les volets rouges tranchaient sur le revêtement en clins blancs de la maison, qui se fondait dans la neige environnante.

Comme toutes les opérations permettant de relever les empreintes étaient terminées, la détective put enfin mettre les pieds partout où elle le voulait. En comptant ses pas – vingt-quatre exactement –, elle erra dans chaque pièce, à la recherche de quelque chose qui aurait pu échapper à l'équipe. Loin d'être inconsciente de son TOC, elle l'assumait tout à fait. Elle aurait même dit que cela la rassurait de mettre un chiffre sur tout, tout le temps.

Emma s'attarda à la table où s'entassaient des documents avec l'en-tête de la galerie d'art. En en fouillant les tiroirs, elle vit bien quelques papiers, mais rien qui retînt son attention plus que ça, à part une carte écornée d'une clinique d'avortement.

Elle s'immobilisa ensuite au milieu de la pièce, posa les doigts sur la rose blanche tatouée sur sa nuque et se concentra, les yeux fermés. C'était son rituel. Était-ce l'œuvre d'un homme ou d'une femme ? On songeait à une histoire de crime passionnel. Alors qu'elle évoquait cette possibilité, le visage d'Elliot se présenta à son esprit. Elle le chassa du revers de la main comme s'il pouvait ainsi disparaître, et se força à revenir à la scène.

Et s'il en était autrement ? Si une tierce personne s'amusait à semer la zizanie autour du couple ? Le meurtre avait eu lieu en mars. La victime portait-elle un foulard pour se tenir au chaud ? Était-ce avec ce même foulard qu'on l'avait étranglée ? Ou l'avait-on apporté exprès ? Un homme aurait aussi pu se servir de sa cravate. Emma repensa à la photo saccagée de la maîtresse trouvée dans la voiture de la légitime. La strangulation pouvait être l'œuvre aussi bien d'un homme que d'une femme sous l'effet de l'adrénaline, songea-t-elle. Elle ouvrit les yeux et regarda autour d'elle.

— Murs, parlez-moi, dit-elle tout haut, au moment où Elliot passait le seuil en lui lançant un regard interrogatif.

— C'est ton côté… obscur ?

— Ça dépend du point de vue.

— On a autre chose à se mettre sous la dent ?

— J'ai bien vu une carte de la clinique d'avortement Morgentaler. Mais ça ne veut rien dire, elle est bien abîmée.

— Ça peut en effet dater de bien avant aujourd'hui.

— Une chose me chicote. Pourquoi Pierre Dubeau portait-il des gants lorsqu'il a trouvé son assistante ? Il faisait doux, ce matin-là. Je me souviens d'avoir roulé la fenêtre ouverte, en venant ici.

— Bonne question. On n'a qu'à le lui demander.

Pensif, Elliot passa une main sur son menton recouvert d'une barbe de deux jours, ce qui lui donnait un air à la fois aristocratique et délinquant. Il désigna ensuite le mur derrière Emma.

— Ils te parlent vraiment ?

– C'est parfois surprenant, répondit-elle avant de se diriger vers la porte. Tu as raison, dommage qu'il y ait eu une neige fraîche la nuit du meurtre. Des traces de pas nous auraient bien aidés.

Ω

Jeanne Léonard soupira profondément devant l'abdomen ouvert de la femme hispanique étendue sur la table en métal.

– Que de dommages…, marmonna la pathologiste rattachée au Laboratoire de sciences judiciaires et de médecine légale. Elle essuya rageusement la larme qui avait coulé sur sa joue.

La mort d'un enfant, même si celui-ci n'était qu'en gestation, la mettait toujours hors d'elle. Elle attrapa son téléphone.

– Emma, deux vies ont été volées. C'est comme si j'en voulais à tous les mâles de la terre, fulmina-t-elle. Même si je sais que ce n'est pas correct de penser…

– Enceinte…, articula Emma d'une petite voix.

Elle revit la carte professionnelle cachée dans le tiroir.

– On parle de combien de mois ?

– D'à peine quelques semaines, soupira Jeanne. Travailler avec Elliot, c'était ton choix ? poursuivit-elle, sautant du coq à l'âne.

– C'est la faute de l'inspecteur-chef, répondit Emma, l'esprit ailleurs.

– Et Renaud ?

– Il est confiné à l'intérieur.

– Tu te sens bien là-dedans ?

– C'est, disons… spécial. Laissons faire le temps.

– Tu me tiens au courant ?

– Hmm, hmm. Tu peux me donner une heure un peu plus précise…

Jeanne ne la laissa pas terminer sa question.

– Entre 17 h et 18 h 30, ce serait réaliste.

Sous le regard ahuri d'Elliot, Emma raccrocha, se précipita à l'intérieur de la maison et rouvrit le tiroir de la table de travail. Elle saisit la carte entrevue plus tôt et la glissa dans un Ziploc.

Ω

Pierre Dubeau reviendrait au plus tard dans quinze minutes, selon la jeune femme qui les accueillit.

Emma prit un moment pour admirer les œuvres accrochées aux murs. Certaines valaient le coup, tandis que d'autres la laissaient froide, comme dans toute exposition. Elle se dit que les photos d'Adèle Granger n'avaient pas eu le temps de se rendre jusqu'ici, avant que le malheur ne la frappe.

Puis, elle en profita pour questionner l'employée.

– Vous travaillez pour monsieur Dubeau depuis longtemps?

– Pas tout à fait un an.

– Vous êtes bien ici?

– Monsieur Dubeau me traite bien.

– Votre patron et son assistante s'entendaient bien?

– En général.

– C'est-à-dire?

– Monsieur Dubeau a un caractère fort et Carmen ne se laissait pas faire. J'ai donc déjà entendu des éclats de voix.

– C'était fréquent? demanda Elliot.

– À ma connaissance, ça s'est produit trois ou quatre fois.

– Dernièrement? intervint Emma.

– La dernière fois, c'était il y a environ une semaine.

– Vous avez entendu la conversation?

– La porte est capitonnée, voyez, dit-elle en la désignant. Les transactions avec la clientèle requièrent ça. Je n'ai entendu que le ton qui montait.

Sur ces mots, la porte s'ouvrit à la volée, laissant entrer le galeriste échevelé par le vent d'hiver. Il donna des directives à son employée en lui confiant son manteau. Sous l'œil pénétrant de la fille, qui lui fit signe de replacer ses mèches folles, il s'exécuta puis se tourna vers les enquêteurs.

— Je vous dirais bien que je suis ravi de vous revoir, mais on m'a appris à dire la vérité, lança-t-il.

— Une question nous turlupine, commença Elliot sans se laisser démonter.

La soudaine inquiétude de l'homme n'échappa pas à Emma.

— Vous avez parlé des motivations de Laurent Miller. Qu'en est-il des vôtres ?

— Quelles motivations ?! s'indigna-t-il. Je crois que… que vous allez trop loin, alors que je crois vous avoir donné toutes les raisons logiques ou machiavéliques de l'avocat de vouloir en finir avec sa maîtresse.

— Vous croyez beaucoup. Il faut que, nous aussi, on vous croie, précisa Emma.

— Vous avez parlé aux médias ? continua Elliot.

Déconcerté, le galeriste les entraîna à l'écart.

— Pourquoi l'aurais-je fait ?

— Pour votre appréciation de Miller, dit Elliot, sarcastique.

Emma crut percevoir de la satisfaction dans le sourire en coin qu'il afficha.

— Vous savez, monsieur Dubeau, vous n'avez pas à vous charger des médias, commença-t-elle, c'est notre affaire. Bien sûr, rien ne nous permet de vous museler, mais si vous nous laissiez faire notre travail…

Le galeriste prit un air désolé et s'assit sur le coin de son bureau.

— Écoutez, mon assistante m'était indispensable. Je ne pouvais pas me passer d'elle, vous comprenez ?

— Assez pour avoir une aventure avec elle ? suggéra Elliot, qui s'était campé sur ses deux pieds.

Dubeau le regarda d'un œil noir, puis se radoucit de façon radicale.

– D'accord, d'accord, vous faites votre job, abdiqua-t-il en levant les mains. Mais je vous jure, je n'ai rien à voir là-dedans, Carmen n'était que mon assistante.

Il avait un faciès complexe à lire, se dit Emma. Il passait d'un extrême à l'autre, à la vitesse de l'éclair. Difficile de dire s'il était sincère ou non.

– Madame Lopez était bonne assistante ?

– Parfaite, je vous l'ai dit.

– Vous n'aviez pas de différend ? continua Emma.

– Elle était trop douce pour ça, répondit-il spontanément.

– La gentille fille à la réception nous a mentionné avoir déjà entendu des éclats de voix…

– Voyons, voyons, ça arrive à tout le monde de ne pas s'entendre, s'agita-t-il. C'était à propos du travail, rien de plus. Il n'y a pas de quoi fouetter un chat ! dit-il en faisant un grand geste du bras.

– Vous vous emportez facilement ?

L'homme, de toute évidence contrarié, rebattit l'air avec la main.

– Carmen tenait les cordons de la bourse plutôt serré. J'ai tendance à ne pas m'en faire avec les finances. Voilà le pourquoi de nos disputes ! Vous êtes satisfaits ?

Emma et Elliot marchaient vers la porte lorsque Emma s'arrêta et se retourna.

– Le matin où vous vous êtes rendu chez votre assistante, la température était plutôt clémente. Pourquoi porter des gants ?

Dubeau sembla d'abord déstabilisé, puis se reprit rapidement :

– Je souffre de la maladie de Raynaud. Ce qui veut dire que l'extrémité de mes doigts devient blanche et engourdie lorsque le temps est frais et humide. Un climat comme ce matin-là était mortel pour mes pauvres mains.

– Tu penses qu'il invente cette histoire de maladie ? demanda Elliot en sortant de la galerie.

– Tout est possible.

– On verra à la longue s'il est aussi innocent qu'il le prétend.

De retour au QG, Emma frappa à contrecœur à la porte du bureau d'Édouard Dubois. Comme il était au téléphone, il lui fit signe d'entrer et, bien qu'il l'invitât à s'asseoir, elle resta debout. Il lui tourna le dos et parla tout bas, visiblement pour qu'elle n'entende pas la conversation. Elle put tout de même saisir des mots qui ne la surprirent pas : «... ce n'est qu'une femme, après tout.» *Bien sûr, toutes les mêmes, ces «faibles éléments» de la nature...*, se dit-elle, furieuse.

Pour éviter d'en entendre plus, elle compta mentalement les secondes jusqu'à la trente-cinquième, mais il n'avait pas encore terminé. Elle dénombra alors les lattes du store qui barrait la fenêtre. Il y en avait cinquante-deux. Puis elle recommença avec les secondes jusqu'à vingt-neuf. Enfin, il raccrocha.

– Alors, Clarke, comment ça se passe ?

Alors qu'elle commençait à lui raconter l'enquête, elle vit tout de suite qu'il l'écoutait d'une oreille distraite, l'esprit ailleurs. En réalité, tout ce qu'il voulait d'elle, c'étaient des rapports fréquents pour garder le contrôle. *Espèce de macho !* grogna-t-elle intérieurement. Elle réalisa de nouveau que Burn, son capitaine jusque-là, était une perle.

– Alors, ce Millard et sa femme...

Il sembla à Emma que le dernier mot avait été prononcé avec dédain.

– Miller, le coupa-t-elle. Laurent Miller.

– ... pourraient l'un comme l'autre être coupables ? enchaîna-t-il sans broncher.

Son impression ne l'avait pas trompée, il n'avait rien écouté. Ni les noms ni ses suppositions. Le langage non verbal, c'était son truc. Son monologue terminé, Emma prit la porte qu'elle aurait volontiers fracassée contre le mur, et brandit un majeur entre ses seins.

Après sa journée éreintante, Emma s'assit à son piano en poussant un long soupir et déposa la carte professionnelle prise chez la victime devant la partition de Chopin. Clinique Morgentaler. Carmen Lopez désirait-elle se faire avorter? Des sentiments enfouis au plus profond de sa conscience remontèrent à la surface et la firent frissonner. Elle renonça à aller courir, même si elle aurait dû le faire. Elle préféra laisser couler le flot d'émotions à travers Chopin et sa *Berceuse en D-Flat Op. 57*. Puis, machinalement, ses doigts improvisèrent l'air de *O-o-h Child*.

Ω

Alors qu'il s'apprêtait à quitter son bureau, le téléphone de Laurent Miller sonna.

— Vas-y, je t'écoute.

Pendant que l'interlocuteur s'expliquait, l'avocat prit le temps de s'asseoir.

— Si je comprends bien, tu as peur? répliqua Miller.

Regardant par la fenêtre, il eut tout à coup conscience de l'immensité du palais de justice qui trônait de l'autre côté de la rue.

— Je suis d'avis que tu devrais fermer ton ordinateur durant quelques jours, dit Miller. En fait, mon avis vient de se transformer en décision, tu dois le fermer. Ça ne peut que nous nuire si tu n'arrêtes pas pendant un moment.

L'avocat raccrocha, saisit le coupe-papier qui traînait sur sa table et le fit tourner entre ses doigts.

ADÈLE

Mes émotions se bousculent. L'anéantissement fait place à une colère sourde. Je rêve de lui arracher les yeux… pour qu'elle ne le voie plus. Ou de lui planter un couteau en plein cœur… pour le voir saigner de l'amour qu'elle lui porte. Ou l'étouffer… pour qu'elle n'entende plus ses mots d'amour. La faire souffrir… comme moi je souffre. Mes nerfs n'en peuvent plus. La colère ne me quittera plus… Je ne peux plus la réfréner.

Temps fragmenté

O-o-h Child, l'air dont il avait fait la sonnerie de son portable, résonna dans le bureau d'Elliot.

– Même si l'inscription sur le bracelet est pas mal effacée, on a réussi à lire : « A.G.M. »

Le spécialiste en écriture semblait fier de sa trouvaille.

– Beau travail ! dit Elliot. Reste à connaître l'identité de la propriétaire.

Il raccrocha et effleura le nom d'Emma sur son téléphone.

Ils s'étaient donné rendez-vous au bureau de l'avocat. Emma vit Elliot approcher à grandes enjambées.

– Tu es déjà là, dit-il avec un grand sourire.

– Je propose de ne pas parler de ce qu'a dit le voisin à propos de la voiture. Si Miller est notre coupable, il risque de l'utiliser pour se disculper. Tenons-nous-en aux autres points.

– À vos ordres, lieutenante ! Ce sera un joker caché dans notre poche arrière.

La réceptionniste les invita à s'asseoir quelques instants. L'assistante de l'avocat apparut enfin, les hauts talons de ses escarpins claquant sur le plancher, et les pria de la suivre.

Laurent Miller se leva à demi de sa chaise, donnant l'impression qu'il n'avait aucune véritable intention de le faire.

– Bonjour à vous, commença Elliot. Il y a un nouvel élément qui méritait qu'on vous revoie.

Emma sentit un malaise percer l'indifférence de l'avocat.

– Un bracelet avait été trouvé chez Carmen Lopez.

– Un bracelet ?

– Le laboratoire a décrypté une inscription gravée à l'intérieur, déclara Elliot.

– A.G.M., continua Emma. Ça vous dit quelque chose ?

– Les initiales de ma défunte mère, répondit l'avocat en affichant un air triste.

– Désolée. Et son nom complet ?

– Angèle Garneau Miller.

Emma regarda l'homme droit dans les yeux et fit glisser la photo du bijou vers lui.

– Vous l'avez donc trouvé là-bas ? s'énerva-t-il juste assez pour faire saillir une veine à sa tempe gauche.

– Sur la table du salon, précisa Emma.

– Votre mère et votre femme ont les mêmes initiales, intervint Elliot.

– J'ai choisi ma femme en fonction de ça, sergent, ironisa Miller qui en menait visiblement moins large qu'il ne l'aurait voulu.

– Comme votre mère ne s'est sans doute jamais présentée chez Carmen Lopez, reprit Emma, vous aviez forcément offert ce bracelet à l'une des deux dames, votre femme ou votre maîtresse. Laquelle ?

Laurent Miller s'affaissa sur sa chaise et tourna la tête vers la fenêtre. Il avait l'air de peser trois tonnes.

– À Adèle… qui s'en sépare rarement, d'ailleurs, ajouta-t-il.

– Normal qu'un mari offre à sa femme un bracelet ayant appartenu à sa mère, suggéra Emma.

– Comme elles ont les mêmes initiales, j'ai pensé que c'était une raison de plus de le lui offrir.

– La question qui tue… Que faisait-il chez votre maîtresse ? dit Emma.

Miller replaça sa tête dans le bon angle et dévisagea la policière pendant un moment assez long pour réussir à fabriquer une réponse, sembla-t-il à cette dernière.

– Peut-être étaient-elles amies sans me l'avoir dit. Avec les femmes, vous savez…

Ses yeux n'avaient pas quitté ceux d'Emma en prononçant ces mots.

– Je dirais plutôt que, avec les femmes, les choses ont tendance à être plus claires, répliqua celle-ci en lançant une œillade à son collègue.

Elliot évita son regard. Des images encore fraîches, malgré le temps, s'acharnaient à lui rappeler des événements qu'il ne voulait surtout pas oublier.

– Adèle a sans doute voulu confronter Carmen quand elle a su, articula Miller tout bas, comme s'il se parlait à lui-même. Elle aura perdu son bracelet à ce moment-là. C'est la seule explication plausible.

L'espace d'une seconde, Emma douta de sa sincérité et regarda Elliot du coin de l'œil.

– Ce n'est pas possible…, se désola l'avocat. Elles se seraient disputées et ç'aurait dégénéré?

Il fit une pause en regardant ses mains aux ongles impeccables.

– Il faudra le demander à Adèle.

– Quand elle pourra répondre, ajouta Elliot, agacé.

– À quelle occasion lui avez-vous offert ce bracelet?

– Un anniversaire de naissance ou de mariage, je ne sais plus très bien, répondit-il en levant les yeux au ciel. Peut-être aussi comme ça, sans qu'il ait été besoin d'événement particulier. Je suis d'un naturel généreux, ma femme le confirmera.

– Hmm, hmm, dit Emma en notant quelques mots dans son carnet. Croyez-vous Adèle… votre femme… capable d'assassiner quelqu'un?

L'avocat s'accouda, joignit les mains et tapa le bout de ses doigts à un rythme régulier pendant que son regard passait d'un enquêteur à l'autre. Mains qu'Emma imagina pouvant aussi bien avoir serré le tissu qui avait servi à la strangulation.

– J'ai eu beaucoup de surprises dans ma carrière, mais… qu'Adèle ait pu aller jusque-là…

Bien qu'il tentât de défendre sa femme avec des paroles compatissantes, une certaine indifférence n'échappait pas à la détective en Emma. La méfiance faisait partie de son métier et de son ADN. Elle scruta le visage qui ne voulait rien dire, mais qui avait peut-être tout à révéler. Aurait-elle pu dire qu'il cachait quelque chose ? Ce qui était certain, c'est que son sixième sens prenait encore une fois le dessus. La physionomie et la gestuelle lui parlaient depuis qu'elle avait côtoyé, à l'époque de son adolescence, des mannequins aux visages si hermétiques à toute émotion qu'on aurait pu les croire en cire. Or, revenues dans les salles d'habillage, ces filles se laissaient aller tant aux larmes qu'aux récriminations et à la colère. Il ne fallait donc jamais se fier aux apparences.

Emma décida qu'il valait mieux prendre son temps avec cet homme qui, sous un air impassible, ne désirait peut-être que se défiler.

– Vous saviez que votre maîtresse était enceinte ? lança-t-elle, espérant revoir son faciès craquer. Effectivement, Miller afficha un air désolé.

– Un bébé…, songea Miller tout haut.

– Qui devait être le vôtre…, le coupa Elliot.

C'est alors que l'assistante ouvrit brusquement la porte et, trop énervée pour s'excuser, annonça qu'un des associés s'était écroulé dans son bureau et que les secours arrivaient. Laurent Miller contourna sa table de travail en vitesse et balbutia quelque chose, qu'Emma ne saisit pas, avant de passer la porte. Désireux de prêter main-forte, les policiers coururent aussi vers le lieu du drame, mais s'arrêtèrent en voyant les ambulanciers s'y précipiter.

– Certains meurent de façon naturelle, dit Elliot.

– Analogie intéressante… Par contre, il n'est peut-être pas mort, lui.

Ils patientèrent dans le couloir jusqu'à ce que Miller réapparaisse.

– Vous êtes encore là ? demanda celui-ci, surpris.

– On aimerait revenir sur l'histoire du bébé, dit Emma.

L'avocat soupira.

– Il n'était pas de moi. J'ai pris des précautions pour que ça n'arrive pas.

– Quel genre de précautions ? demanda Emma.

Miller la regarda d'un œil coquin.

– Des relations protégées, vous savez ce que c'est ?

Ils demeurèrent silencieux jusqu'à ce que les portes de l'ascenseur s'ouvrent. Comme si ni l'un ni l'autre ne désirait entamer la discussion après le malaise qui avait plané dans le bureau de l'avocat. Vraisemblablement, chacun préférait s'abandonner à ses réflexions personnelles plutôt que de brusquer l'autre avec des paroles irréversibles.

– Coupable ou non coupable, le monsieur ? demanda Elliot.

– Je cherche le mobile.

– Quant à la femme trompée, elle en a un à coup sûr. Il est possible qu'elle soit allée s'expliquer avec la maîtresse, comme il l'a suggéré.

– C'est le propre d'une femme d'agir comme ça, non ? dit Emma, juste assez cinglante pour le désarçonner.

– Tu avais raison, commença Elliot, espérant faire diversion, il aurait sûrement sauté sur l'occasion de montrer patte blanche s'il avait su pour l'auto.

– Il a tout de suite conclu que les deux femmes s'étaient disputées et que ç'avait dégénéré.

– Donc, en plus de la photo saccagée, on a un bracelet avec une inscription qui, selon Miller, appartenait à sa mère décédée.

Même s'il affirme l'avoir offert à sa femme sous prétexte qu'elles ont les mêmes initiales, déclara-t-il en levant les yeux, se pourrait-il qu'il l'ait donné plutôt à sa maîtresse? Adèle Granger ne peut pas confirmer et la morte ne peut plus témoigner.

– Et la victime était enceinte au moment du meurtre. Sous son air ébranlé se cache peut-être le «grand» avocat qui a l'expérience des interrogatoires. Il peut savoir quoi répondre et quelle émotion afficher, avança Emma.

– Après moi, c'est toi qui es sceptique par rapport à lui. Je pense plutôt que sa femme a pu agir par jalousie. La conversation a peut-être mal tourné. Alors, Adèle Granger perd la tête et étrangle la maîtresse. On aurait ici un meurtre non prémédité.

– Par contre, Laurent Miller a pu être poussé au pied du mur par sa maîtresse pour qu'il laisse sa femme.

– Il panique à l'idée de l'enfant à venir et décide de la tuer pour effacer toute trace d'adultère.

– C'est macabre, mais possible. Ce qui donnerait, cette fois, un meurtre prémédité.

Cela dit, sous l'effet d'une surdose d'adrénaline, un meurtre par strangulation peut aussi bien être l'œuvre d'une femme que celle d'un homme, conclut Emma en ouvrant la portière.

Alors qu'ils arrivaient au QG, on les avisa que l'autorisation de fouiller la voiture de Laurent Miller était entrée. Le juge avait indiqué qu'il voyait la pertinence d'un tel geste.

– Je te l'avais dit, le juge ne pouvait pas empêcher l'enquête de progresser, dit Emma.

Ils retournèrent aussitôt au bureau de l'avocat. Celui-ci les accueillit froidement.

– Votre confrère s'en sortira? demanda Elliot.

– Vous n'êtes sûrement pas venus ici pour vous enquérir de sa santé, dit Miller en les toisant.

Emma soutint son regard et lui présenta le mandat.

– J'imagine que vous n'avez pas besoin de moi pour faire votre travail, lança l'avocat en leur tendant la clé de sa voiture.

Marchant vers l'ascenseur, Elliot se tourna vers Emma.

– On dirait qu'il avait prévu le coup.

Ils descendirent au garage où Elliot appuya sur le bouton de la clé de contact de la BMW. Des phares clignotèrent parmi les voitures se trouvant sur la gauche. Arrivés au véhicule, Emma s'installa du côté passager et Elliot s'assit derrière le volant. Elle fouilla la boîte à gants tandis qu'il glissait sa main sous le siège du conducteur. La détective passa ensuite à la banquette arrière et pointa son téléphone transformé en lampe de poche un peu partout dans l'habitacle, mais rien ne retint son attention.

– On parle de propreté, ici, dit Elliot en émettant un sifflement.

– C'est même trop beau pour être vrai…

Dès que les détectives eurent passé la porte, Laurent Miller afficha un demi-sourire. Il avait prévu le coup en vidant sa voiture comme s'il allait l'échanger pour une nouvelle le jour même. Ne restait que les livrets d'entretien, un constat à l'amiable et, pour éviter d'éveiller des soupçons, l'ouvre-porte de garage automatique.

Ω

Plus tard dans l'après-midi, le juge autorisa aussi la fouille de l'ordinateur. Celui-ci précisa à Elliot qu'il avait été convaincu par les indices qui pointaient en direction de la femme. Toujours plongée dans le coma, Adèle Granger restait, évidemment, muette comme une carpe. Des documents permettraient peut-être d'en savoir un peu plus sur sa vie.

Elliot sonna à la porte de la résidence de Saint-Lambert. Laurent Miller lui ouvrit au bout d'une bonne minute.

– Votre journée n'a pas été trop stressante? demanda le policier.

L'avocat afficha un drôle de sourire.

– Vous voir plus d'une fois le même jour, c'est ça qui est stressant.

– Que voulez-vous, quand il le faut…

– Vous vous êtes permis d'inspecter ma voiture.

– Vous comprendrez que c'était nécessaire. Nous devons tout explorer. Tant dans votre fief que dans celui de votre femme.

Elliot se tourna vers l'ordinateur posé sur le comptoir de la cuisine.

– Elle travaille toujours ici, déclara Miller, la voix soudain émue. Elle en a fait son espace personnel. Il y a là-dedans tout son travail de photographe.

– Vous connaissez le mot de passe ?

– Elle est secrète, vous savez, dit-il en hochant la tête de gauche à droite. Et puis, c'est un objet si personnel…

– De toute manière, ne vous tracassez pas, on en viendra à bout, conclut Elliot en tournant les talons.

– Il n'a pas fait de chichis, au contraire, dit-il à Emma après l'avoir rejointe au QG.

– Il accumule des points, lança-t-elle en s'emparant de l'ordinateur.

– Il nous reste aussi à fouiller chez lui.

– Qui sait ce qu'on y découvrira…

Elle trouva Renaud adossé au comptoir de la cuisinette, *G.I. Jœ* imprimé sur la poitrine, les yeux rivés sur son téléphone.

– Personne en danger de mort ?

Son collègue leva la tête.

– Nan… je suis sur Facebook.

– Méfie-toi, on ne sait jamais ce qui peut arriver avec les médias sociaux. Si tu as envie de sortir de ton monde parallèle, j'ai un autre joujou amusant, dit-elle en posant le portable sur la table.

Comme elle s'y attendait, une lueur brilla dans le regard du sergent.

– Ça vient d'où ?

– C'est celui de l'épouse de l'avocat, dans l'affaire Lopez.

– Qu'est-ce qu'on cherche?

– Un mot de passe qui cache quelque chose. Du moins, on l'espère.

Renaud se frotta les mains en prenant un air démoniaque.

– Des heures de plaisir! Et Tardif dans tout ça?

Leur analyste était occupé depuis plusieurs semaines avec un cas qui lui demandait tout son savoir. Cela faisait le bonheur d'Emma, car elle savait Renaud plus expert en informatique que lui.

– Il a d'autres chats à fouetter. Et puis j'ai besoin que ce soit rapide.

Excité comme un enfant, Renaud empoigna l'ordinateur qui recelait peut-être des secrets, le cala sous son bras et passa la porte.

On entrait dans ses cordes, ici. Difficile de ne pas accepter ce genre de demande. Il s'en délectait à l'avance. Il s'enferma autant dans l'espace virtuel que dans sa bulle, et brancha l'ordinateur sur le réseau indépendant de celui de la SQ pour ne pas contaminer ce dernier, au cas où de méchants virus tenteraient de le faire. Il ouvrit le logiciel John The Ripper sous Linux et, fébrile, tapa son mot de passe.

Quant à Emma, elle prit la route en direction d'Ahuntsic, dans le nord de la ville. Elle avait promis à son capitaine de revenir et avait envie de le revoir. Chelsea vint lui ouvrir, le sourire aux lèvres, cette fois. Chemin faisant vers la véranda, elle avoua timidement que son mari avait repris du mieux après leur conversation. D'aucuns auraient pu ne voir là qu'un monologue, mais, étant donné son état, le simple fait d'avoir posé sa main sur celle d'Emma avait constitué un semblant de dialogue. Emma avait d'ailleurs ressenti longtemps son effet.

Elle raconta la suite de l'enquête, les suspicions qui commençaient à prendre forme aussi. Les yeux de Burn se plissèrent jusqu'à ne devenir qu'une fente lorsqu'elle décrivit l'attitude, aussi affable qu'indifférente, de Laurent Miller. Sa main se posa de nouveau sur la sienne. Cette fois, Emma la serra et sentit que ça allait devenir un code entre eux.

Elle roula ensuite jusqu'à l'hôpital et se dirigea vers le poste de garde où elle montra son badge.

— Une question. Le mari de madame Granger est-il venu visiter sa femme?

— Je ne l'ai vu qu'une fois, mais comme je ne travaille pas le soir, je vais vérifier le registre des visiteurs pour vous, répondit l'infirmière. Miller, c'est bien ça?

Pendant que l'infirmière pianotait sur son clavier, Emma lorgna du côté de la porte de la chambre, sécurisée en permanence par un «pitbull» prêt à mordre si on le défiait.

— Pourquoi n'est-elle pas aux soins intensifs?

— Parce qu'on n'a pas assez de place en bas.

— Vous notez les allées et venues?

— On a cette directive lorsqu'il y a coma. Désolée, il n'y a pas d'autres entrées. Il n'est donc venu qu'une fois.

— Monsieur Miller est autorisé à voir sa femme quand il le désire?

— Avec l'autorisation du neurologue.

— Il appelle de temps en temps?

— Pas à ma connaissance.

L'avocat ne semble pas très empressé auprès de sa femme victime d'un grave traumatisme, songea-t-elle en tournant les talons avant de se raviser.

— Vous avez conservé les vêtements que madame Granger portait lorsqu'elle est arrivée?

— Ils doivent être dans la penderie de sa chambre.

— Je peux les voir?

L'infirmière se leva en poussant un soupir et se dirigea vers la chambre d'Adèle Granger. Elle revint au bout de quatre-vingt-une secondes, qu'Emma avait comptées, et déposa un sac sur le comptoir. La détective y trouva un pantalon, un chandail et des vêtements d'hiver, mais aucun foulard.

— On n'a rien trouvé sur les lieux du crime, rien dans la voiture accidentée, rien dans la BMW de Miller, et rien ici, non plus, marmonna-t-elle sous le regard perplexe de l'infirmière.

Marchant vers l'escalier, elle composa le numéro d'Elliot.

— Elle l'a peut-être jeté en chemin ou il est tombé de l'auto au moment de l'impact. Les agents ont pu le ramasser avec les débris de la voiture.

— Je m'occupe de vérifier ça.

Elle raccrocha et composa le numéro de son père, à Londres.

— Comment vas-tu ?

— *Good, good.* Et toi ?

En plus d'être bel homme, son père avait un accent français qui devait le rendre irrésistible auprès des femmes, songea Emma.

— Moi, ça va. C'est Burn. Il est mal en point. Il ne parle pas et la moitié de son corps n'obéit plus.

— Il est fait fort, tu me l'as toujours dit. Il se remettra, tu verras. L'important, c'est qu'il n'ait pas perdu ses facultés cérébrales. Ce qu'on lui souhaite. Et puis, ton enquête ?

— On a pu récupérer l'ordi de la femme accidentée. Renaud va tenter de décrypter le mot de passe. On parle beaucoup de la femme à cause des indices trouvés, mais tu connais ma propension à douter jusqu'au bout. Le mari, qui est d'ailleurs criminaliste, ne m'inspire pas trop confiance. On a fouillé en vain sa voiture. Chez vous ?

— Toujours rien. Si le garçon a été enlevé, on souhaite presque qu'on demande une rançon aux parents.

Ω

Pierre Dubeau se décida enfin à se rendre à l'hôpital. Comme il n'y avait personne au poste de garde, il avança à pas feutrés dans le couloir calme, triste et aseptisé, mais tout de même éclairé de façon indécente, malgré l'heure tardive. Tout ça pour permettre au personnel de vaquer à ses occupations. En dépit du mal qu'il se donnait pour effleurer le dallage, il avait l'impression que le moindre de ses pas faisait un vacarme qui allait réveiller tout l'étage. Il argumenta lorsque le gardien à la porte lui en interdit l'accès. Ce fut peine perdue, on ne passait pas, ordre du médecin. Il dut rebrousser chemin.

ADÈLE

Elle est sortie de la galerie et s'est dirigée vers le centre-ville, puis elle est entrée dans un immeuble. Je l'ai suivie en me faisant discrète. Quand elle est disparue dans l'ascenseur, je suis entrée… Elle s'est arrêtée au neuvième étage. Je me suis engouffrée dans le deuxième ascenseur et suis montée à mon tour… Lorsque la porte s'est ouverte sur le palier, mes yeux ont buté sur des mots intimidants : «Clinique Morgentaler»…

Un enfant… moi qui n'ai jamais pu en avoir… Je croyais que ça arrangeait mon cher mari… Le «sans enfant» le ravissait… le mettait à l'abri. Je l'ai même soupçonné de m'avoir épousée pour avoir cette paix… Et là… il lui en fait un!? Et elle n'en veut pas!?

J'ai couru jusqu'à ma voiture et m'y suis enfermée. J'étais choquée. Incapable de penser, les yeux fixés sur l'horloge du tableau de bord. Je suis restée là à attendre je ne sais quoi. Le temps m'a paru une éternité avant qu'elle réapparaisse. Mais en fait, j'ai réalisé que ce temps avait été beaucoup trop court pour que l'intervention puisse avoir eu lieu…

Mon cœur saigne…

Prendre le temps

– Hé, Renaud, tu as trouvé quelque chose ? lança Emma en déposant son perfecto sur la petite table à côté de celle où son collègue, sourcils froncés et gobelets de café vides autour de lui, semblait à bout de patience.

– Tu dois avoir hâte de sortir ta moto, dit-il d'une voix lasse en reluquant le blouson en cuir.

– Le décompte est commencé. D'autant plus qu'on annonce une chaleur inhabituelle dans quelques jours. Alors ?

– Toujours rien. Je ne sais pas si la dame est une maniaque de la discrétion, mais son mot de passe doit avoir autant de minuscules que de majuscules, avec en plus des signes de ponctuation, parce que le logiciel n'y arrive pas.

– Tu y consacres tes nuits, j'espère ?

– Tu ris, mais presque. Je les passe à prier le satané programme pour qu'il découvre le pot aux roses, mais crime ! il fait le sourd.

Son collègue avait beau être un expert, les mots de passe pouvaient demeurer cachés pendant un bon bout de temps avant d'être découverts.

– Espérons, dit-elle à voix haute en marchant vers son bureau.

– Emma ! entendit-elle dans son dos.

Elliot tentait de la rattraper.

– Les gars n'ont rien trouvé sur le bord de la route, ce soir-là. On m'a assuré qu'ils ont ratissé le secteur.

– Par contre, il faisait déjà noir à cette heure-là. Et il neigeait.

– On y va?

Ils sortirent du stationnement et se dirigèrent vers la Rive-Sud. Sur le bord de la route 132, ils purent retracer des signes encore visibles du capotage. Ils se garèrent, mirent les feux de détresse et explorèrent le fossé. Sans succès. Ils retournèrent à la Charger et durent rouler lentement sur l'accotement pour laisser passer une longue file de voitures qui suivaient un corbillard. Assise du côté passager, Emma continuait de scruter le bord de la route sans grand espoir. Son œil capta soudain quelque chose.

– Arrête-toi!

Elle sortit, dévala le fossé, peu profond à cet endroit, et constata qu'il n'y avait là qu'un tas de neige noircie.

Ω

Anne Lenoir relisait chaque ligne des articles qui parlaient du meurtre de l'Espagnole. On ne pouvait pas dire que les journalistes révélaient beaucoup de détails, comme elle l'aurait espéré. En fait, autant dire qu'ils y allaient au compte-gouttes.

Ses yeux s'attardèrent à un nom, Emma Clarke. Détective principale chargée de l'enquête. Pensive, Anne se rappela que la policière avait résolu une affaire impliquant un fanatique religieux qui s'était amusé à ses dépens avec une grille de mots croisés.

Elle ouvrit le tiroir de sa petite table et en sortit un joint de marijuana. Elle l'alluma et en tira une bonne bouffée pendant qu'une idée germait dans son esprit.

Ω

C'était le branle-bas de combat à l'étage de la chambre d'Adèle Granger. La patiente muselée par le coma revenait enfin à la vie. Ses yeux s'ouvraient et se refermaient aussitôt, comme si l'effort était incommensurable. La nouvelle se rendit jusqu'au QG. Était-il préférable de la laisser se réveiller un peu plus pour qu'il lui soit possible de répondre aux questions des policiers, ou ceux-ci devaient-ils se précipiter à l'hôpital? Emma se posait la question lorsque Elliot l'appela.

– Il faut être les premiers sur la ligne de front, trancha-t-il. Les journalistes vont faire la file à sa porte.

– Tu as raison, allons-y.

Comme Emma s'y attendait, il n'était cependant pas encore question de voir la patiente. Son cerveau avait subi un choc important. Un repos était nécessaire avant de trop le solliciter, disaient les médecins.

Ω

Emma voyait maintenant la psychologue deux fois par semaine. Estelle Sauvé le lui avait suggéré. Emma avait accepté. À contrecœur, mais elle avait accepté.

– Votre enquête progresse bien?

– Même si tout incrimine la femme trompée, je garde un œil sur le mari.

– Ah oui, pourquoi?

– Une impression… Comme s'il cachait quelque chose.

– Vous êtes d'un naturel méfiant?

Ce n'était pas l'enquête qui intéressait la thérapeute, mais bien les réactions de sa cliente par rapport à celle-ci.

– Mon travail l'exige. Mon père me répétait aussi que je l'étais, réfléchit-elle. Méfiante et rebelle, contrairement à ma sœur…

Elle se mordit la lèvre. Il était trop tard pour reculer, les paroles étaient dites.

– Vous vous comparez souvent à elle?

Ça y était, il fallait continuer.

– Elle était la plus sage de nous deux. Aux yeux de ma mère, j'étais une peste, et le drame n'a fait que la conforter dans son jugement, avoua-t-elle, les yeux humides.

Estelle Sauvé, bien installée dans son fauteuil, mains jointes sous le menton, était attentive à ses paroles. Emma sentait qu'elle ne la jugeait pas. Jamais, jusqu'à maintenant, elle n'avait vu de réprobation dans son regard ou un signe d'impatience qu'elle-même aurait sans doute eu du mal à contenir si elle avait été à sa place.

– Et vous, comment vous sentiez-vous par rapport à ça?

Le cuir du divan frémit sous les mouvements d'Emma qui essayait de trouver une position plus confortable, si cela se pouvait.

– Je m'ennuie de Rose…, lâcha-t-elle tout de go.

Enfin, elle l'avait dit à quelqu'un. Elle poussa un *ouf* silencieux avant de continuer:

– Comment serait-elle aujourd'hui? Je me pose si souvent la question…

– Étiez-vous identiques?

La question la surprit. Dans sa psyché, Rose était son sosie, même si elle savait que les traits de sa sœur tenaient nettement plus des Britanniques que des Africains. Son teint plus pâle et sa chevelure moins bouclée ne trompaient pas.

– Nous étions si différentes…

– Si j'ai bien compris, continua la psychologue, vous n'avez pas réussi à la sauver?

Le regard d'Emma se perdit au-delà de la fenêtre et elle répondit simplement:

– Non.

– Vous croyez que c'est votre faute? Une enfant si jeune… Vous aviez…

– Sept ans. Je n'ai pas pu… Je n'ai pas su la sauver.

– Emma, vous n'aviez que sept ans. À peine l'âge de raison.

– J'étais tétanisée, vous comprenez ça! déclara Emma dans un accès de colère. Je me souviens très bien de ce qui s'est passé dans ma tête, à ce moment-là.

– Vous aviez de bien petites épaules pour leur imposer un si lourd fardeau.

Le silence s'installa et parut vouloir perdurer. Emma le brisa tout de même en changeant de sujet.

– La femme assassinée était enceinte.

– Dommage… Ça vous fragilise en tant que femme?

– Ça ne vous fait pas le même effet, vous? demanda Emma de manière un peu trop brusque – assez pour qu'elle le regrette. Désolée…

– Ça vous interpelle, Emma?

Estelle Sauvé voulait aller dans son tréfonds. Eh bien, Emma y plongerait. La regardant droit dans les yeux, elle avoua:

– J'ai perdu un enfant. J'ai déjà fait une fausse couche.

Sitôt Emma sortie de chez la psy, son téléphone vibra.

– Ça y est, le logiciel a parlé! s'exclama Renaud. On peut dire que la madame l'a fait travailler, celui-là!

On peut dire aussi que tu as le don de me changer les idées, toi! se dit-elle.

Elle compta les trente-deux marches escaladées deux par deux, puis passa la porte de l'antre de Renaud.

– Ah! Emma. Quatre dossiers sont cachés derrière des mots de passe. Et à voir leurs noms, «DOUBLE FACE», «PERDRE LA FACE», «FAIRE FACE» et «À VISAGE DÉCOUVERT», ça risque d'être le *fun* de découvrir ce qu'il y a derrière.

– Pas mal pour une portraitiste! On me poursuit avec les histoires de mots. Ta machine n'en vient pas à bout?

– Elle a réussi à décrypter le mot de passe principal de l'ordi, mais chacun des dossiers a le sien. À voir le principal: «PortraitdefaceG+vérité/MENSONGE», ça promet pour les autres.

Emma fixa la formule transcrite sur un Post-it.

– Elle a tout fait pour que personne ne découvre ça.

– Soit elle connaît bien l'informatique qui dit que plus un mot de passe est complexe, et surtout long, plus il est difficile à découvrir, soit elle s'amuse en faisant des jeux de mots.

– Elle est photographe et s'appelle Granger, ce qui peut expliquer la première portion. Pour ce qui est de la deuxième…, réfléchit Emma à voix haute.

Son téléphone vibra.

– Ici Jo, de la fourrière. J'ai eu le OK pour transférer la Fiat bleue au garage de la SQ. Quand le *loader* l'a soulevée, y a un tissu qui est tombé. Y est pas mal magané, par exemple. Je sais pas si ça vous intéresse.

Emma l'aurait embrassé.

– J'arrive, merci.

Elle attrapa un sac en plastique, se précipita dans l'escalier et appela Elliot pour l'informer.

Ça semblait être un foulard. Imbibé de boue. Encouragée, Emma le glissa dans le sac et fit demi-tour.

De retour au QG, elle se rendit au laboratoire où elle vit Tougas penché sur un microscope. Il leva les yeux et aperçut le tissu baignant dans le liquide gluant au fond du sac.

– Tu sais que l'eau et l'humidité sont les ennemies jurées de l'ADN.

– Il faut courir le risque, dit Emma, excitée.

– Je ferai tout ce que je peux, mais je ne garantis rien.

Elle retourna auprès de Renaud.

– On en était où?

– Au premier mot de passe. Pis, le tissu?

– Ça semble être un foulard, mais il a passé du temps dans la gadoue, sous la voiture…

– Tougas fera ce qu'il faut.

L'esprit ailleurs, Emma écouta distraitement les explications de Renaud à propos de la complexité que pouvait représenter la recherche de mots de passe.

Deux heures plus tard, son téléphone vibra.

– On a analysé le foulard, dit Tougas, et on n'a rien vu à part de la boue et un peu de gravier. Quant à l'analyse d'ADN, ça risque d'être compliqué étant donné son état. Par contre, le motif est surprenant. Tu veux le voir?

Emma se précipita à l'étage du laboratoire. Étonnée en voyant l'imprimé du foulard, elle en prit une photo avec son iPhone.

Des têtes de mort. C'est assez macabre! Par contre, rien ne dit qu'il a servi à la strangulation. C'était peut-être simplement un foulard qu'elle a porté parce qu'il faisait froid, songea-t-elle.

De retour à son bureau, elle fouilla sur Internet pour trouver des foulards avec des motifs semblables. Elle dénicha une création d'un grand couturier qui présentait exactement le même imprimé. Elle composa le numéro du poste de Tougas.

– On peut voir la marque du foulard?

– Attends… Il n'y a aucune étiquette.

– Peut-être une imitation…, dit-elle tout bas.

Deux boutiques de Montréal ainsi qu'un bon nombre de sites d'achat en ligne affichaient le bout de tissu à un prix fou. Emma prit ses clés et sortit. Une visite aux commerces s'imposait, même si le foulard en question risquait d'avoir été acheté en ligne. Les commerçants l'informèrent que c'était l'accessoire mode de l'année. Qu'on se l'arrachait à un point tel qu'il était en rupture de stock.

Visiblement, tous les goûts sont dans la nature…, songea Emma en se demandant comment un tel accessoire pouvait faire autant d'adeptes.

ADÈLE

Mon cœur flanche… mes nerfs lâchent… ma raison m'abandonne… Comment fait-on pour vivre avec ça? Je te le demande. Tu ne le sais pas? Alors, je vais te le dire. Ce n'est pas humain… C'est ça, c'est inhumain. Ça m'obsède… me tue à petit feu. Ça me donne envie de hurler comme un animal pris au piège. Ça me donne envie de mordre à la manière d'un pitbull… dont les crocs arracheraient non seulement sa peau… mais aussi le bébé dans son ventre. Je ne m'appartiens plus… Mes décisions et mes actes ne m'appartiennent plus…

Temps précipité

Dès son arrivée au QG, Emma se dirigea vers le service informatique. Renaud, assis à califourchon sur une chaise, jubilait.

– On vient juste de trouver celui du dossier « DOUBLE FACE ». J'aurais parié que madame Granger aurait utilisé quelque chose comme « 1,2,3, go ». Je l'ai sous-estimée. « Un homme AVERTI en vaut 2 ». Pas mal, hein ?

– C'est une menace ?… dit Emma tout bas.

– Comme je le disais, les phrases complètes et longues sont toujours plus difficiles à décrypter. Peut-être que, sans le savoir, elle a tout compliqué. Si ça continue et que la petite machine ne vient pas à bout des autres mots, je vais devoir me servir de la bombe. La machine à 8 cœurs, 16 *thread*, 64…

– En abrégé, s'il te plaît, dit Emma en levant une main.

– Quoi, tu ne connais pas Bertha ? la nargua-t-il.

Ils scrutèrent une centaine de photos montrant Laurent Miller se rendant soit au resto, soit au gym, soit chez Carmen Lopez. Sur quelques-unes seulement, l'Espagnole apparaissait rentrant chez elle ou sortant de la galerie d'art.

– Faut dire qu'elle a du talent, la madame, déclara Renaud.

– Elle le suivait partout…

Soudain, une photo retint son attention.

– Hé, tu peux grossir celle-là ?

– Tout pour te plaire, capitaine !

– Le labo devra aller dans le détail pour ça, dit-elle en pointant l'index sur le poignet de la maîtresse.

– Le labo fait toujours des miracles, non ?

– Si ce sont des saphirs… Pour le reste, tu ne lâches pas, Renaud ?

– Ma chum d'insomnie continue sa job, mais pas assez vite, soupira-t-il. Je passe tout de suite à l'offensive avec Bertha. Je sens qu'avec elle, ça ne traînera pas.

De retour dans son bureau, Emma composa le numéro d'Elliot.

– Sur une photo, Carmen Lopez porte un bracelet similaire à celui trouvé sur la scène. C'est intrigant. J'ai hâte d'entendre le labo là-dessus. Si c'est vrai que l'avocat a offert le bijou à sa femme, comment peut-il se retrouver au bras de sa maîtresse ? Cherche-t-il à faire inculper sa femme pour se faire innocenter, lui ?

– Tout se peut, pour reprendre ton expression.

Après avoir raccroché, Emma se pencha sur ses notes, marqua certains passages d'un astérisque et revit le nom des dossiers ainsi que les mots de passe trouvés jusqu'à présent. Elle cogita pendant un bon moment en faisant cliquer son crayon, le regard dirigé vers la fenêtre. Puis, sentant une présence, elle se retourna. L'inspecteur-chef, appuyé contre le cadre de la porte, la regardait d'un air inquisiteur.

– Alors, Clarke ?

– On fait travailler l'ordinateur de la femme de Miller. Je commence à penser qu'il y a là-dedans des choses pas mal intéressantes, s'enthousiasma Emma, espérant l'émouvoir.

S'il voyait que le dossier avançait, pensa-t-elle alors, peut-être déguerpirait-il et la laisserait-il continuer comme elle l'entendait.

– Et si, moi, je vous demandais de bosser plus fort et surtout… plus vite. Mon mémoire n'attendra pas indéfiniment.

Ils se défièrent du regard. Les lèvres d'Emma se scellèrent malgré l'envie de lui lancer, en repensant au titre de ce fameux document : « Éthique à la SQ, *my eye!* ».

Renaud arriva à ce moment-là.

– On a autre chose, Emma! lança-t-il avant d'apercevoir Dubois. Oh, pardon, je dérange?

– Pas du tout. Notre chef me disait justement qu'il nous laissait travailler. Vous voulez vous joindre à nous, monsieur Dubois? dit-elle sans le lâcher des yeux jusqu'à ce qu'elle atteigne la porte.

Il s'écarta pour la laisser passer, mais préféra visiblement prendre le couloir dans la direction opposée.

– Tu m'as sauvé la vie, toi, dit Emma à Renaud.

Il leva la main. Ils topèrent.

– Le mot de passe pour «À VISAGE DÉCOUVERT», c'est «une image vaut mille mots».

– Tiens, il n'y a pas de majuscules dans celui-là, nota Emma en le voyant sur l'écran.

– D'après moi, il concerne son travail de photographe. Toutes les photos sont classées par dates et événements. Tu peux t'amuser à les regarder une par une, si tu veux. Moi, je n'ai pas la patience.

– Tu peux les mettre sur une clé USB? Je vais faire ça dans mon bureau.

– À vos ordres, capitaine!

Sur le bout de sa chaise, Emma passa en revue le travail d'Adèle Granger. Travail essentiellement composé de portraits, bien entendu. Bien que l'exercice s'avérât vain pour l'enquête, elle apprécia néanmoins chaque physionomie où elle put déceler différents sentiments comme la naïveté, la surprise, la peine, la joie ou même la colère. C'était comme si tous ces gens captés par caméra lui ouvraient leur cœur.

La photographe expliquait dans le texte écrit en première page de son portfolio: «Faire parler les visages représente un défi de tous les instants.» On pouvait clairement affirmer qu'ici, le défi avait été relevé. Chaque expression prise sur le vif transparaissait sur les clichés. Emma savait qu'il suffisait d'une fraction de seconde pour qu'une moue, un tic ou même l'absence de toute manifestation de sentiment livre, à son insu, un message, aussi fugace fût-il.

Elle ressentit un urgent besoin de rencontrer cette femme au talent indéniable qui avait l'art de capter les émotions. Adèle Granger avait beau s'être réveillée, Emma savait d'expérience que même si un léger sursaut de vie donnait un peu d'espoir, il en fallait peu pour retomber dans les limbes.

Elle appela l'hôpital pour s'enquérir de l'état d'Adèle Granger. Après un temps d'attente interminable , et aucune réponse, Emma raccrocha, excédée.

Peu de temps après, Renaud débarqua de nouveau dans son bureau.

– Bertha est en forme! Elle vient de trouver le mot pour «PERDRE LA FACE»: «On rencontre peu d'EX ÆQUO contents de l'être». C'est pas mal bien dit! Viens donc voir ce qu'il y a dedans.

Emma bondit de sa chaise et suivit Renaud. Carmen Lopez, amochée, était affichée sur l'écran.

– C'est la même photo…, constata-t-elle en s'assoyant sur le bras de la chaise qui traînait là. On comprend le titre du dossier. Perdre la face… Comme je le pensais, ça vient d'Adèle qui s'est amusée à abîmer le portrait de la victime avec un logiciel. Personne ne l'a donc mise dans sa voiture pour faire peser les soupçons sur elle. «Ex æquo»… écrit en majuscules, en plus. Elle la voyait autant comme sa rivale que comme son égale. Et de toute évidence, elle n'aimait pas être seconde. Je la comprends, ajouta-t-elle, tout bas.

– Qu'est-ce que t'as dit?

– Rien, rien. Je me parlais.

– Ça commence à chauffer pour la madame, reprit Renaud. Elle ne se contente pas de massacrer la face de la maîtresse, elle l'imprime et on retrouve la photo dans son auto accidentée, le soir même du meurtre. Ouche!

– Il reste un dernier dossier à découvrir, non ?

– « FAIRE FACE ». On ne sait pas trop de quoi il va parler, celui-là.

Elliot, qui venait de se pointer dans l'encadrement de la porte, lança :

– Je pense comme Renaud : madame Granger commence sérieusement à nager dans l'eau chaude, pour ne pas dire bouillante.

– Il serait temps de s'imposer à l'hôpital, qu'en dis-tu ?

La porte de la chambre d'Adèle Granger semblait verrouillée à double tour, et un cerbère en gardait toujours l'entrée. Les médecins s'obstinaient à en refuser l'accès aux enquêteurs, la patiente n'étant pas en état d'être interrogée. Le cerveau prendrait un certain temps à se remettre du choc terrible qu'il avait subi, martelaient-ils.

Elliot était en furie. Emma n'était guère mieux, mais elle prit sur elle pour le calmer.

– Elle ne pourra pas nous échapper, Elliot. Elle est clouée dans ce lit pour un bout.

– En attendant, allons surprendre Miller.

L'avocat était sur le pas de la porte, en compagnie de deux policiers habillés en civil.

– C'est gentil de nous recevoir, ironisa Elliot.

– On ne m'a pas laissé le choix…

– Vos bureaux respectifs et votre chambre nous intéressent particulièrement, intervint Emma.

Laurent Miller les guida vers lesdites pièces.

– Le comptoir de la cuisine est le bureau d'Adèle, en fait. Et le mien est ici, dit-il en ouvrant une porte.

Elliot s'occupa du bureau pendant qu'Emma observait les cravates alignées sur un support, dans la garde-robe de la chambre principale. Celles-ci semblaient sorties tout droit du nettoyeur, aucun pli ne trahissant une manipulation récente. Ce qui laissa la détective perplexe. Elle inspecta ensuite les tiroirs des commodes, mais n'y trouva rien de révélateur.

Elliot insista auprès de l'avocat pour qu'il ouvre le coffre-fort dissimulé derrière un tableau. *Comme dans les bons vieux films,* songea-t-il. Il n'y vit qu'un testament, des certificats d'actions, et de l'argent comptant.

— Il y a là une somme importante.

— Je suis d'un naturel prudent, dit Miller qui le surveillait du seuil de la porte. Une débandade bancaire est si vite arrivée, plaida-t-il.

— Monsieur Miller! l'appela Emma de la chambre. Vous envoyez vos cravates chez le nettoyeur chaque fois que vous les portez?

— C'est ma mère qui m'a appris… Blague à part, c'est une lubie d'Adèle, répondit Miller qui leva les mains en haussant les épaules.

— Vous avez déjà vu ce foulard? enchaîna Emma en exhibant la photo du foulard prise avec son téléphone.

— J'avais dit à Adèle que cette nouvelle mode était discutable.

— Je n'ai pas vu d'autres foulards dans les tiroirs.

— Elle n'en porte jamais. C'est pourquoi j'ai trouvé étrange qu'elle achète celui-là, précisa Miller.

Les deux autres policiers vinrent rejoindre Emma et Elliot.

— Rien à signaler dans les autres pièces, dit l'un d'eux.

— Alors, elle n'est pas friande de foulards, et celui-là était coincé sous sa voiture accidentée…, dit Emma en ouvrant la portière de la Charger.

Temps partagé

Le téléphone vibra sur la table de nuit. Emma s'en empara d'une main maladroite.

– Lieutenante ou capitaine ou même juste… Clarke, tiens, se moqua Renaud.

– Tu ne joueras pas au misogyne, toi aussi, répliqua Emma, la voix encore enrouée par le sommeil.

Elle éloigna son téléphone de sa joue afin d'y voir l'heure : 4 h 10.

– Tu n'es pas au QG toutes les nuits, j'espère…

– Je dors d'un œil pendant que Bertha, elle, travaille. Il y a vingt minutes, Tarzan m'a réveillé en s'époumonant pour me dire que la machine avait parlé.

– On ne fait pas mieux que le cri de Tarzan comme sonnerie de téléphone.

– Génial pour ne pas passer à côté… Bref, j'ai sauté dans mes *runnings* et ma jeep. Et je suis là. Écoute, on dirait bien que l'engin supersonique est sur son erre d'aller. Le mot de passe pour « FAIRE FACE » est « Le DESTIN donne d'étranges RDV ». J'ai l'impression que ce qu'il y a dedans risque de pas mal t'intéresser.

– Tu me fais languir, espèce de *hacker*, dit Emma, animée par la curiosité.

– Nan… « *hacker* » est péjoratif. Disons « *white hat* » et, là, je suis flatté. Je pense que je vais me recycler en analyste. Sans blague, ça vaut la peine que tu te pointes.

– Tu peux appeler Elliot ?

Les sens plus alertes, Emma monta les marches du QG deux par deux, en les comptant, avant d'entrer en coup de vent dans le service informatique.

– Alors, Watson ?

– Ça ! dit-il en pointant l'écran du doigt.

Emma lut la première phrase :

« À défaut de parler à une amie, je m'en remets à toi… »

Puis…

« Je suis cocue… C'est la deuxième fois. Je ne voulais pas l'imaginer… encore moins l'écrire. Je l'avais prévenu… Je ne pardonnerais plus. »

– Son journal…, dit-elle tout bas. Renaud, tu es un as.

– De rien, capitaine ! décocha-t-il, tout fier de lui tendre une deuxième clé USB – ce qui fit relever la manche de son t-shirt et révéler la bouille impossible de Popeye tatouée sur son biceps.

Emma en eut le fou rire.

– J'ai mangé mes épinards, ça aide ! blagua-t-il.

– Et le mot de passe est ? demanda Elliot en entrant dans la pièce, essoufflé d'avoir monté trop vite l'escalier.

– « Le DESTIN », en majuscules, « donne d'étranges RDV », aussi en majuscules, répondit Emma.

– Elle n'en perd pas une, Elliot ! lança Renaud en ouvrant les bras.

– Tu as du café ? s'informa Elliot en le visant avec l'index.

Coude à coude, les deux policiers lisaient le journal d'Adèle. Cette proximité les mettait devant un dilemme, le malaise ou l'aise totale.

« […] il se rend chez elle les deux mêmes soirs. »

— Elle a retracé l'horaire de leurs rendez-vous, dit Elliot.

« […] le "sans enfant" […] le mettait à l'abri […] il lui en fait un !? Et elle n'en veut pas !? » « … temps trop court pour que l'intervention… »

— Elle a réalisé que Carmen ne s'était pas fait avorter.

— Et Jeanne l'a confirmé, ajouta Elliot.

— Carmen a renoncé à la dernière minute. Je peux la comprendre…

— Raison de plus de vouloir se débarrasser d'elle… et du bébé.

« […] dont les crocs arracheraient… aussi le bébé dans son ventre… »

— C'est triste, se désola Emma à voix haute.

« La colère ne me quittera plus […] ou lui planter un couteau en plein cœur. Ou l'étouffer… »

— L'étouffer…, articulèrent-ils simultanément.

— Eh bien, on peut dire qu'elle ne voulait pas laisser passer ça, reprit Elliot en reculant sur sa chaise et en se passant une main dans les cheveux.

— Attends, regarde la dernière phrase.

« Une de nous deux doit disparaître… »

Ils eurent le même réflexe de se tourner l'un vers l'autre.

— Le mot de passe…, commença Emma, « Le DESTIN donne d'étranges RDV », que doit-on en penser ?

— Que si le rendez-vous a eu lieu, ç'a été chez Carmen, dit Elliot avec aplomb.

— Tout se peut. OK, Laurent oublie son téléphone chez lui et Adèle subit le monologue sulfureux de Carmen Lopez qui appelle ce matin-là. Elle épie ensuite son mari et voit qu'il se rend chez sa maîtresse deux fois par semaine. En furie, elle lui dit qu'elle sait tout et lui se défend en affirmant que Carmen n'est que l'assistante de Dubeau et qu'elle le harcèle. Adèle menace son mari de divorcer et de le déposséder.

— Ils sont mariés depuis longtemps ?

– Je ne sais pas. Pourquoi ? répondit Emma.

– Ils avaient jusqu'au 31 décembre 1990 pour signer une renonciation au patrimoine familial. Si c'est le cas, il a dû regretter de ne pas l'avoir fait.

– Parce que, toi, tu le regrettes ?

Elliot parut mal à l'aise, comme s'il venait de faire une gaffe.

– Je me suis marié dix ans après ça, alors…

– Ah, d'accord. Je continue… Laurent Miller ne voulait pas d'enfant et, là, sa maîtresse est enceinte, et l'est toujours au moment du crime. Adèle suit Carmen jusque chez Morgentaler. Selon le journal, Adèle n'a visiblement pas cru que Carmen se soit fait avorter. Soit le rendez-vous lui a paru trop court pour ça, soit elle s'est dit que la maîtresse ne voulait tout simplement pas se débarrasser du bébé de son mari. Ce qui l'a assez enragée pour penser à lui faire mal, éventuellement en l'étouffant. De là, l'idée que l'une d'elles doit disparaître.

Le silence s'installa.

– Ça me jette à terre, finit par dire Elliot. On a tout sur un plateau d'argent.

– Et si c'étaient les écrits d'une femme blessée et non meurtrière ?…

– Tu es trop clémente, Emma.

L'horloge de l'ordinateur indiquait 6 h 15.

– Trop tard pour retourner se coucher, dit la détective en s'ébouriffant les cheveux. On devrait refaire du café.

– Ouaip.

– Tout semble inculper Adèle Granger…, déclara-t-elle avant de se lever et de se rendre dans la cuisinette.

Pendant qu'elle comptait les cuillerées de café, elle reprit toute l'affaire dans sa tête. Perdue dans ses pensées, elle n'entendit pas les pas derrière elle. Une main chaude toucha sa nuque. Elle pencha la tête vers l'avant pour mieux savourer le moment. Elle se tourna ensuite, regarda Elliot dans les yeux, puis approcha ses lèvres jusqu'à frôler les siennes. Le baiser dura de longues secondes… qu'elle ne réussit pas à compter.

Temps suspendu

L'infirmière les arrêta au poste de garde. La patiente avait replongé dans le coma depuis quelques heures. Les médecins interdisaient donc aux enquêteurs d'entrer dans la chambre, insistait-elle.

Elliot faisait les cent pas devant le comptoir, pendant qu'Emma tentait de rester calme malgré ses doigts qui tambourinaient sur ledit comptoir.

— On peut voir le médecin qui s'occupe d'elle? demanda Elliot en faisant à l'infirmière un sourire enjôleur.

La femme entre deux âges le regarda par-dessus ses lunettes et ne se laissa pas attendrir par sa soudaine affabilité. Au même moment, les détectives virent le spécialiste qu'ils avaient déjà croisé se diriger vers eux, le nez dans un dossier. Une épinglette sur sa blouse blanche indiquait qu'il s'appelait Léveillé.

Amusant pour un neurologue qui traite des gens dans le coma…, se dit Emma.

— Ah! docteur, c'est vrai, l'histoire du coma? demanda Elliot.

Le médecin, visiblement fatigué, passa une main dans ses cheveux et poussa un soupir défaitiste.

— Il n'est pas aussi noir que la première fois, par contre.

— Vous pouvez être plus clair?

— La première fois, il était plus profond.

— Elle a donc des chances de se réveiller? enchaîna le policier, nerveux.

Le neurologue balança la tête de gauche à droite et se repassa la main dans les cheveux.

– Tout peut arriver avec un coma, même d'importants trous de mémoire. Surtout si on parle de mémoire à court terme.

Emma se revit, quelques années plus tôt, reliée elle aussi à une dizaine de tubes, et se remémora le drame qui lui avait laissé des fragments de balle impossibles à retirer, car trop près du cervelet, et une cicatrice sous l'oreille gauche.

Planquée derrière sa voiture de police avec un collègue en uniforme, leurs armes pointées vers le forcené, elle avait entendu des voix ordonnant à ce dernier de déposer son revolver et de se rendre. Ainsi que son cœur frappant trop fort contre sa poitrine.

Puis le son explosif, reconnaissable entre tous, impossible à oublier. Le projectile qui avait sifflé trop près de son oreille. Son corps qui s'était renversé. Son âme qui avait voulu s'envoler. La présence du policier penché sur elle et la tiédeur du bitume d'une fin de printemps avaient été les seules sensations qu'elle avait pu enregistrer alors.

Ensuite, plus rien. Rien que cet état de grâce sans lourdeur, sans douleur. Le nirvana.

Elle avait plus tard émergé d'un long sommeil. Avait-il duré un jour, une semaine, un mois? Elle n'aurait su le dire. Une lumière vive, cruelle et irréelle avait agressé ses yeux à peine ouverts, laissant entrevoir un décor blanc, trop parfait, comme aseptisé. Il ne s'agissait donc pas d'une morgue où la lumière était minimale. L'air était aussi trop chaud pour qu'elle fût étendue dans un frigo.

Pour déterminer où elle se trouvait, elle avait tâté la surface sur laquelle elle était allongée. Sans être moelleux, le matelas était plus confortable qu'une table en acier. Pas une salle d'autopsie, donc. Puis elle avait essayé de lever une main. Son but: contrecarrer l'étrange sensation d'un corps étranger introduit au fond de sa gorge. En vain. Elle avait conclu qu'elle était intubée et qu'un respirateur devait, de surcroît, faire office de poumons. Elle avait avalé sa salive de peine et de misère en se demandant ce qui lui était arrivé.

Elle ne voyait rien d'autre qu'un plafond grisâtre, qui avait tendance à se rapprocher dangereusement de son corps presque impossible à bouger. L'avait-on délibérément laissée dans ce long sommeil pour mieux la faire renaître ? Mais où ? Dans quel univers ? S'était-elle réincarnée ? se demandait-elle sans vraiment y croire.

Elle avait ensuite tenté de mettre de l'ordre dans son cerveau qui, visiblement, trempait dans la mélasse. À part l'instant éphémère où quelque chose avait sifflé près de son oreille, elle ne se souvenait de rien. Ni pourquoi ni comment elle s'était retrouvée dans ce lit. Après les découvertes tactiles et visuelles, des sons feutrés s'étaient enfin frayé un chemin jusqu'à son cerveau. Des voix rassurantes et respectueuses dans le décor surréel.

— Il faut malheureusement laisser le temps au temps.

Avec la même intonation et les mêmes mots entendus à l'époque, c'est la réflexion du neurologue qui la fit revenir dans le couloir anonyme de l'hôpital, aux côtés d'Elliot. Ce dernier se tourna vers elle, l'air dépité.

— Allons-nous-en, dit-elle en l'entraînant vers l'ascenseur.

Assise du côté passager, Emma demeura silencieuse pendant un moment, le regard perdu sur la route qui s'étendait devant eux. Elliot se décida à parler :

— Même si elle semble coupable, ce n'est pas drôle qu'elle soit dans cet état-là.

— J'ai vécu la même chose.

— C'est là que tu étais…

— La balle d'un homme cantonné dans un immeuble délabré m'a atteinte sous l'oreille.

— Hmm, hmm… la gauche, s'enhardit-il.

Emma savait qu'il pensait à l'épisode du piano de l'année précédente, mais elle ne le releva pas.

– J'ai été amnésique pendant un bout de temps. C'est d'ailleurs ce qui m'inquiète pour elle comme pour nous.

Le téléphone d'Elliot chanta les notes de *O-o-h Child*. Pris en flagrant délit de sentimentalisme, il se contenta de hausser les épaules devant l'air surpris d'Emma.

– L'ADN trouvé sur le bracelet n'est pas celui de la victime, dit la voix dans le main-libre. Ni celui du patron qui a pris le pouls. Je vous confirme d'ailleurs qu'aucune autre empreinte du bonhomme n'a été trouvée dans la maison. On a donc besoin d'autres prélèvements pour continuer nos recherches.

– Comme ça, tu as pu tirer de l'ADN des empreintes que le patron a laissées sur la peau de la victime ? demanda Emma.

– Comme ça peut prendre un certain temps pour s'assurer qu'il n'y a effectivement pas de pouls, il a eu le temps de laisser sa marque.

Emma repensa à la main désagréable qu'elle avait dû serrer lorsqu'ils avaient interrogé le galeriste.

– Inutile alors de te demander si tu as des nouvelles de la photo du bijou trouvé dans l'ordi… mais je le demande quand même, dit Emma.

– Le bracelet est aussi orné de saphirs, mais ce n'est pas le même que celui trouvé sur la scène, précisa Michel Tougas.

– Merde !

Perplexe, Elliot la regarda de biais.

– J'aurais espéré… Ah, puis non, laisse tomber…

– Que Miller ait menti ?

– Il est donc possible que ce soit celui d'Adèle Granger, comme il l'a affirmé, réfléchit Emma tout haut.

– Ça viendrait s'ajouter aux autres éléments… La culpabilité de la femme ne se démentirait pas, déclara Elliot, l'air grave.

Le silence plana un instant dans l'habitacle, puis Emma enchaîna :

– Et le foulard ?

– Il est très détrempé. On travaille encore dessus, mais n'espérez pas de miracle, dit Tougas.

Ω

Carmen Lopez avait-elle vraiment voulu avorter ? La carte professionnelle découverte chez elle lui revint en mémoire. En fait, elle ne l'avait pas réellement quittée. Entre deux gorgées de café, avec son majeur droit – le gauche étant occupé à tenter de calmer la migraine qui la torturait –, Emma tapa « clinique Morgentaler ». Il fallait qu'elle sache si Carmen Lopez avait pris une décision avant de mourir.

Rue Berri, les portes s'ouvrirent devant les deux mots gravés sur une plaque en aluminium. Avant qu'Emma n'ait franchi les trois pas la séparant de la porte, ses yeux s'attardèrent sur les numéros affichés à l'intérieur de l'ascenseur. Elle était au neuvième. Elle ne put s'empêcher de faire le parallèle avec les neuf mois de grossesse.

– Quand même…, dit-elle tout haut en poussant la porte de la clinique.

– Clinique Morgentaler. Comment puis-je vous être utile ? récita la réceptionniste, combiné en main.

La détective patienta le temps que la fille raccroche le téléphone et lève les yeux vers elle. Elle sortit son badge. Au bout de cinq minutes, durant lesquelles Emma dénombra les lattes du plancher de bois de l'entrée, une dame lui tendit une main plus chaleureuse et la précéda dans un couloir moins froid qu'elle ne l'avait d'abord imaginé. Elle s'assit ensuite sur une chaise confortable, devant une table de travail en bois blond et l'air avenant de Florence Marcel, nom écrit en lettres droites sur la plaque posée sur son bureau, et déjà lu sur la carte trouvée chez l'Espagnole.

L'infirmière responsable d'écouter ce que les femmes avaient à dire, et plus souvent à confier avant l'intervention, étant absente la journée du rendez-vous de Carmen, madame Marcel confirma avoir elle-même reçu «madame Lopez, la pauvre enfant».

– C'est la norme de procéder comme ça? demanda Emma.

– C'est impératif. Quelquefois, les femmes changent d'avis à la toute dernière minute. On ne les laisse jamais passer la porte avant qu'elles aient vu une infirmière formée pour les conseiller.

La dame, au chignon bas et aux lunettes en demi-lune posées sur un nez droit, prit une pause avant de continuer:

– Elle ne voulait pas mettre un terme à sa grossesse et pleurait à cause de la situation dans laquelle on l'avait mise.

– «On»?

– L'homme qui ne lui donnait pas le choix.

Florence Marcel avait dit cela sur un ton cassant. Comme celui de cet homme devait l'avoir été au moment de mettre Carmen au pied du mur.

– Sinon? insista Emma.

La dame eut un soupir lourd et ne répondit pas.

Le nom de l'avocat fut prononcé. La directrice jura que madame Lopez avait gardé le silence quant au géniteur. Et comme *sa* clinique, comme elle l'appelait, s'enorgueillissait de sa réputation de discrétion absolue, elle ne l'aurait pas révélé si elle l'avait su. Difficile donc de confirmer que Laurent Miller était celui qui avait insisté pour que l'embryon logé dans l'utérus de Carmen Lopez termine sa courte vie dans le néant.

Emma appela l'ascenseur, compta les secondes avant d'atteindre le rez-de-chaussée et sortit sous une pluie battante qui la fit frissonner. Puis, elle songea aux femmes qui se voyaient obligées, par la vie ou par la force, de prendre une décision aussi pénible.

Alors qu'elle enfourchait sa moto, l'enseigne du magasin Archambault lui fit un clin d'œil. Elle courut jusqu'à l'entrée. Fouiner dans les partitions, c'était mérité. Elle choisit celle de l'*Op. 69 n° 2* de Chopin et celle de *O-o-h Child*. Au moins la jouerait-elle juste.

Ω

Emma eut son père au téléphone.

— Ton enquête avance ?

— *You know*, Emma, ce n'est jamais simple. Je travaille avec Scotland Yard et on avance peu. À part les parents, on a interrogé tous les gens qui gravitaient autour de l'enfant. Pour l'instant, on n'a rien de concret.

— Ici, on a trouvé le journal intime de la femme de l'avocat dans son ordinateur. On peut dire qu'il est venimeux. Tous les indices l'incriminent jusqu'à présent. Pour ne rien arranger, elle revient à elle, puis replonge dans le coma aussitôt. On n'avance pas beaucoup non plus.

— Souviens-toi de ton propre coma. Ç'avait été long. Même quand elle en sera revenue, ce n'est pas dit que vous obtiendrez les réponses que vous attendez.

— Je sais. Ah, on a aussi trouvé ce qui pourrait être l'arme du crime, un foulard qui était coincé sous la voiture. Je dis *pourrait* parce que la dame a pu le porter simplement pour se tenir au chaud. Il est imprimé de têtes de mort. Apparemment, c'est la mode ici.

— Ah, oui ! Je crois savoir de quel foulard tu parles. La mode dépasse les frontières. Ici aussi, il est prisé. C'est une création d'Alexander McQueen, surnommé « l'enfant terrible » de la mode, qui l'avait conçu pour son mannequin fétiche, Kate Moss. Après sa mort, sa maison a créé la robe de mariée de Kate Middleton.

— Dans ce cas, la mode est indiscutable ! lança-t-elle.

— Et l'ADN ?

— Il est resté dans la gadoue durant plusieurs jours, et quand on sait que l'humidité est son ennemie jurée...

Ω

Anne Lenoir rejoignit son espace de travail où un acteur l'attendait déjà.

— Salut, Anne! Tu sais que tu dois me déguiser en gangster aujourd'hui?

— Tu feras quoi dans le film?

— Le bras droit du chef mafieux.

— J'ai carte blanche pour te défigurer?

— Le réal a dit qu'il fallait que je sois méconnaissable.

— Tu seras le plus beau des bandits, alors.

— Plus beau qu'au naturel? railla l'artiste.

— Le public aura de la difficulté à te reconnaître, fie-toi sur moi.

Elle sortit le maquillage et les accessoires de son sac, les déposa sur la table, puis commença par se reculer pour analyser le faciès du comédien.

— D'accord, on va commencer avec les sourcils et la dentition.

Pendant qu'elle s'affairait et que l'homme ne pouvait plus parler, elle fit de l'introspection. C'était plus fort qu'elle, le même visage revenait sans cesse la hanter. Elle maquilla l'artiste comme si elle le faisait pour enlaidir l'avocat menaçant entendu au restaurant.

Temps mort

Un prélèvement d'ADN serait-il autorisé vu l'état comateux d'Adèle Granger? S'il s'agissait bien du sien sur le bracelet, il ne manquerait plus rien pour l'inculper. Ce serait l'ultime preuve. Conscient d'être près du but, Elliot Carrière se cala sur sa chaise en ayant le sentiment du devoir accompli.

Son téléphone annonça un texto. Élodie, bien sûr.

«Fais test de franç auj. Ma note… 79! Sa tiens pas conte des faute. La prof a aimer mon idée.»

Même si l'imagination débordante de sa fille séduisait les professeurs, Elliot se désolait de la qualité de son français.

«Mes amis sont jalouse.»

«T'as imaginé quoi, cette fois?»

«Fallais expliqué notre rêve. Quel moto je veut? Ninja 1000. Surpris?»

Au moins, il n'y a pas de faute à «surpris»! se dit Elliot. Et non, je ne le suis pas. Tu tripes un peu trop sur l'irrésistible détective, ma fille. Tel père, telle fille…

Il se tourna vers la fenêtre, fixa l'horizon où le soleil se couchait sur une trop belle journée de mars et se perdit dans ses pensées dont Emma Clarke était la vedette.

Ω

Assise dans son fauteuil, Emma repensait à Miller. La seule chose qui pouvait l'incriminer était la possibilité qu'il se soit arrêté à Longueuil, en revenant de Québec, ou qu'il y ait fait un aller-retour juste avant de souper avec son ami.

Quant à Adèle Granger, tout était là pour l'accuser. La photo saccagée, les propos incendiaires du journal intime, et maintenant vraisemblablement le bracelet… Si Miller avait dit la vérité en affirmant l'avoir offert à sa femme, celle-ci pouvait-elle l'avoir perdu en se bagarrant avec la victime ?

Perplexe, elle finit par s'asseoir au piano et elle fredonna les notes de *O-o-h Child*. La sensation du baiser échangé avec Elliot revint la hanter.

Ω

Adèle Granger ouvrit péniblement les paupières et tenta de lever une main, mais ses doigts engourdis n'obéirent pas. Ses jambes étaient pires encore ; on aurait dit du plomb. La tentative de soulever la tête s'avéra également vaine. Elle se concentra donc sur ses yeux qui perçurent enfin une lueur. Ne discernant pas très bien, elle réussit tout de même à apercevoir des gens qui discutaient de l'autre côté de la vitre. L'alarme, sortie tout droit de la machine où maints fils et tubes de toutes sortes étaient branchés, fit se ruer des dames en bleu dans la chambre. La première s'occupa de l'engin tonitruant pendant que la deuxième se penchait sur la patiente qui revenait à la vie. Deux autres infirmières entrèrent en trombe dans la chambre.

On l'examina, on l'ausculta, on lui parla.

– Comment vous sentez-vous ?

– …

Ce qu'elles étaient étouffantes, toutes là à la palper et à s'activer autour de la fichue machine reliée à son corps ! Étourdie, Adèle referma les yeux.

– Non, non, madame Granger, regardez-moi, ordonna un homme venu se joindre à l'équipe des femmes affairées comme des mouches autour d'elle.

Une lumière aveuglante agressa ses pupilles tandis que l'homme tenait ses yeux ouverts l'un après l'autre.

– Vous avez compris que vous êtes à l'hôpital, n'est-ce pas ?

– … pital, articula-t-elle tout bas.

– Comment vous appelez-vous ?

– …

Les questions fusèrent ainsi pendant d'interminables secondes, puis Adèle n'entendit plus que des mots à demi murmurés…

– … je craignais… choc… brutal… amnésie…

On baissa ensuite l'intensité de la lumière.

– Reposez-vous, madame Granger. Nous reviendrons plus tard.

Ω

Madame Estelle, doigts entrelacés sous le menton, la regarda, puis ne se gêna pas pour investir son âme.

– Vous voulez qu'on revienne sur votre partenaire d'enquête ? Au fait, quel est son prénom ?

Emma repensa au sentiment d'amour-haine qu'elle ressentait envers elle. Elle savait que la thérapeute devait s'introduire dans ses pensées les plus profondes, mais plus elle avançait, plus il lui était difficile de s'épancher. De parler d'elle. Elle avait déjà entendu dire qu'il fallait passer par cette étape de la thérapie pour finir par s'ouvrir un peu plus. Enfin…

– Elliot. J'ai bien peur que cette histoire ne mène nulle part.

– Pourquoi dites-vous ça ?

– J'ai horreur d'être seconde.

– Ah, il est marié… C'est intéressant, ce que vous dites. Lorsqu'on est jumelle, il n'y a pas de première ni de seconde. On est sur le même pied d'égalité, non ? Les parents comme la société nous traitent un peu comme le prolongement de l'autre. Vous le ressentiez comme ça ?

Elle avait tapé dans le mille. Les secondes s'égrenèrent jusqu'à quinze dans sa tête.

– Vous avez peut-être raison. Par contre, après son… départ… je ne suis pas devenue première pour autant.

– C'est ce que vous auriez voulu ?

– Aux yeux de ma mère… il ne lui restait qu'une enfant. Elle aurait dû me protéger. Au lieu de ça, elle…

– Elle vous malmenait ?

– Disons que ma mère s'est beaucoup détachée de moi. Elle est même devenue mannequin pour pouvoir s'éloigner de la maison.

– Elle avait sans doute besoin d'air après cette épreuve.

– Et moi, j'avais besoin d'une mère ! jeta Emma, les dents serrées. D'une maman. Je n'ai jamais eu de maman qui…

La thérapeute laissa les secondes s'écouler, le temps qu'elle se calme.

– C'est compréhensible. Et votre père dans tout ça ? Ou dois-je dire « papa » ?

Emma desserra un peu la mâchoire et réussit à afficher un léger sourire.

– Mon père n'est pas un tendre, mais il est juste. La culture est très importante à ses yeux, il ne lésine pas là-dessus. Lui-même parle très bien français. J'ai donc appris à jouer du piano, mais j'ai trouvé ça dur. Il m'avait dit : « On te fait cadeau de la musique, tu ne seras jamais malheureuse. » Moi qui n'ai jamais eu le bonheur facile… Aujourd'hui, je le remercie, mon piano est devenu un prolongement de moi.

Elle ferma les yeux, puis les rouvrit.

– Cela dit, j'adorais Rose, ne vous méprenez pas ! se défendit-elle. Je n'ai seulement pas réussi à prendre ma véritable place.

– Sauf dans votre travail, Emma.

– En me faisant reprocher de travailler en solitaire, oui ! Pourtant, je vous jure, je sais le faire en équipe.

– Ce ne serait pas un défaut si vous ne le pouviez pas. Tout le monde n'en est pas capable, vous savez. Regardez, moi…, dit la psychologue en ouvrant les mains.

– Ce n'est pas l'opinion de l'inspecteur-chef.

– C'est son droit.

– De me dénigrer ?

– Bien sûr que non. Mais, dites-moi, pourquoi avoir voulu être policière ?

Emma ne fit ni une ni deux.

– Je voulais sauver au moins une vie au cours de la mienne.

– Hmm… c'est noble. Un repentir ?

– C'est possible.

– C'est vrai que votre propre vie est une histoire de pertes de vie.

Madame Estelle s'arrêta un moment sur cette remarque avant d'attaquer l'autre sujet, brûlant, celui-là.

– L'enfant que vous avez perdu…

Emma s'enfonça dans le divan de cuir qui craqua sous son poids, et croisa les bras. Elle connaissait bien le langage non verbal. Et celui-ci était clair : « N'entrez pas trop dans ma bulle. »

– Vous voulez me parler de vos sentiments au moment où c'est arrivé ?

Estelle Sauvé savait aller droit au but tout en demeurant respectueuse.

– Son cœur a arrêté de battre… je n'ai pas su le retenir… je n'ai pas été assez forte…

Les sanglots montaient dans sa gorge et elle ne le voulait pas. La psy lui tendit la boîte de papiers-mouchoirs, l'air de dire : « Vous avez le droit de pleurer, vous savez. »

– Ce n'est pas une question de force, Emma. La plupart du temps, c'est la nature qui décide.

– Le cœur de ma sœur ne battait plus… et je n'ai pas essayé de… je n'ai rien fait pour…

Madame Estelle laissa passer un bon moment avant d'enchaîner :

– Serait-ce possible qu'inconsciemment vous ne vous autorisiez pas à avoir d'enfant pour ne pas remplacer votre sœur ?

La psychologue avait lancé le pavé dans la mare.

– Si vous y réfléchissiez, Emma ?

Ω

Lorsqu'ils apprirent la nouvelle du réveil d'Adèle Granger, Emma et Elliot se précipitèrent à l'hôpital, mais l'accès au chevet de la patiente leur fut interdit. Le pitbull posté à la porte y veillait.

– Comme je le craignais, elle souffre d'amnésie, commença le médecin. Prions pour qu'elle ne soit que partielle.

– Lorsqu'elle est arrivée ici, ses mains étaient-elles blessées ? demanda Emma.

– Attendez voir…, répondit le docteur Léveillé en consultant son dossier. On parle d'égratignures et de contusions. Les gens cherchent souvent à se protéger avec leurs mains, lors d'un accident.

Puis il tourna les talons et enfila le corridor en direction d'une autre chambre où on le réclamait d'urgence.

– Docteur ! cria Elliot. Ne nous oubliez pas.

Le spécialiste se contenta de lever un bras et d'agiter les doigts, comme s'il répondait : « Mais non, mais non. »

– Dommage qu'on n'ait pas pu voir les égratignures, dit Elliot.

– Hmm, hmm… Pourvu qu'elle se souvienne de l'essentiel, souhaita Emma.

– Ce n'est pas gagné.

– Je suis allée à la clinique Morgentaler. Carmen Lopez avait renoncé à avorter, malgré les menaces d'un homme.

– De quel homme on parle ici ?

– La directrice a été d'une discrétion sans faille.

Ce soir-là, plutôt que d'aller courir, Emma enfourcha sa Ninja et fila sur l'autoroute. Le vent sur sa figure lui fit un bien fou. Là, elle repensa à tout. À Adèle Granger qui se réveillait. À l'amnésie qui attaquait son cerveau. Aux indices qui l'incriminaient. À Miller qui était difficile à cerner. À Elliot qui la chavirait. Et par-dessus tout, aux derniers mots prononcés par la psy et qui résonnaient encore dans sa tête, « que vous y réfléchissiez… », « que vous y réfléchissiez… », tandis que l'embryon d'une migraine montait de sa nuque.

Temps incertain

Il était maintenant possible d'approcher Adèle Granger. Mais avec discernement, les prévint l'infirmière au comptoir. Aussitôt qu'Emma vit la femme alitée et pâle, elle songea à la photographe bourrée de talent. Le regard vide qu'Adèle posa sur elle lui fit se demander si elle serait encore capable d'exercer son art comme elle le faisait avant le drame. Elle était plus frêle qu'Emma ne l'avait imaginée. Il faut dire que cela faisait plusieurs jours qu'elle se trouvait dans ce lit d'hôpital, nourrie artificiellement. C'était fou comme l'adrénaline pouvait permettre à une personne, même toute menue, de poser un geste qui demandait beaucoup de force, se dit la détective avant de s'avancer et de jeter un œil sur les mains de la patiente. Elle constata qu'elles n'étaient pas meurtries, outre les contusions dues aux piqûres qu'on avait été obligé de lui faire pour brancher les tubes. Normal, les marques avaient sans doute eu le temps de disparaître.

— Mon collègue et moi sommes détectives à la Sûreté du Québec. Nous aurions des questions à vous poser.

Adèle Granger ne broncha pas.

— Comment vous appelez-vous?

Le silence perdurait.

— Vous vous souvenez de la soirée du 7 mars?

Toujours rien.

— Madame Granger, vous connaissez Carmen Lopez?

Adèle plissa les yeux et articula avec peine :

– Qui ?

Perplexe, Emma tourna la tête vers Elliot et lui fit signe que c'était inutile. Ils firent ce que l'infirmière les avait priés de faire : ils n'insistèrent pas. Ça ne servait à rien, la mémoire n'y était pas. Mais, avant de quitter la chambre, la détective s'empara de la paille qui se trouvait dans le verre d'eau, à côté du lit.

– Meilleure manière d'obtenir son ADN, lança-t-elle en la glissant dans un Ziploc.

Elliot lui fit un clin d'œil.

– J'espère que l'amnésie n'a pas tout gâché.

– Ç'avait duré combien de temps pour toi ? s'inquiéta Elliot.

– Trois mois. En dents de scie.

– Elle peut le faire exprès. Ça s'est déjà vu.

– Si c'est commode pour elle de le faire, oui, elle le peut. On reviendra tous les jours, s'il le faut, décréta-t-elle.

Elliot poussa le bouton de l'ascenseur et Emma songea que chacun évitait le sujet du baiser.

Ω

Laurent Miller descendit à l'étage des restaurants et commanda un déjeuner avant de se rendre à l'hôpital. Sa femme avait fini par ouvrir les yeux. Se doutant de la façon dont elle l'accueillerait, il n'avait pas eu envie de l'affronter tout de suite. Il monta à pied et ouvrit la porte du troisième étage. Une infirmière qui ne l'avait encore jamais vu le salua et lui demanda de décliner son identité.

Une épinglette sur l'uniforme bleu indiquait qu'elle se nommait Louise. Elle vérifia des données sur son écran avant de relever la tête.

– Je dois obtenir l'autorisation, monsieur.

– Enfin… Louise, protesta-t-il doucement, certain que le fait qu'il l'appelle par son prénom la ferait faiblir. La dernière fois, je suis entré sans permission.

Bien qu'il se fabriquât un sourire mielleux révélant une dentition immaculée, l'infirmière ne se laissa pas attendrir, haussant plutôt les épaules.

– Les directives ont changé.

– Je suis son mari, voyons! finit-il par lancer, frustré.

– Désolée, c'est la consigne.

– C'est insensé! s'exclama Miller.

Louise s'éloigna pour revenir au bout de quelques minutes.

– Votre visite sera de courte durée. Le neurologue est formel: pas plus de cinq minutes à la fois. Elle est très fatiguée.

À longues enjambées, Miller parcourut le corridor et tomba sur l'homme qui surveillait la porte de la chambre. De son poste, Louise fit signe à celui-ci que c'était OK. L'avocat lança un regard noir au gardien qui fit un pas de côté.

La tête droite, Adèle regardait le plafond. S'approchant, il vit son regard aussi vide que le lit semblait l'être, tant son corps était devenu minuscule à force de n'être nourri que par intraveineuse. Sa femme ne tourna la tête que lorsqu'il parla.

– Bonjour, Adèle. Comment te sens-tu?

Elle le regarda, l'air absent.

– Tu as eu un grave accident d'auto. Tu t'en souviens?

Elle fit signe que non.

– Et avant l'accident? demanda-t-il, curieux.

Elle continuait à afficher un regard éteint.

– Tu ne te souviens d'absolument rien?

D'éteint, le regard de sa femme devint dur. Pour toute réponse, elle pointa un index vers lui.

– Tu me reconnais?

Elle commença par le dévisager assez longtemps pour qu'il se sente mal à l'aise. Enfin, elle opina en clignant des yeux.

– Alors, tu n'as pas tout perdu, dit-il tout bas.

Il eut envie de tester un peu plus sa mémoire.

– Avons-nous des enfants?

Adèle ne répondit pas.

– Tu ne sais pas?

Elle demeura silencieuse.

– Je regrette nos différends. L'accident m'a fait réfléchir et…

Sur ce, la porte s'ouvrit sur l'infirmière qui l'informa qu'il fallait partir.

– Je n'ai pas terminé! s'enflamma-t-il.

Le regard de la dame en bleu ne lui laissa pas le choix.

– Ça va, ça va, je sors, abdiqua Miller.

Adèle semblait ne pas se souvenir de ce qui s'était passé le soir fatidique. Lorsqu'il arriva dehors, une question fusa. Une personne souffrant d'amnésie pouvait-elle inventer des moments qu'elle n'avait jamais vécus? Il faudrait le demander au neurologue. *Et pourquoi pas tout de suite?* se dit-il.

Il se représenta devant Louise et demanda à voir le médecin. L'infirmière le fit patienter une bonne demi-heure avant que le docteur Léveillé se pointe.

– Ce n'est pas impossible, répondit le spécialiste. Elle vous a parlé de quelque chose? ajouta-t-il, curieux.

– Non, non. C'est une réflexion qui m'est venue comme ça.

– L'amnésie est encore incompréhensible. Tout peut arriver. Avec votre femme, on parle d'amnésie rétrograde. C'est-à-dire qu'elle ne se rappelle pas les événements survenus juste avant le choc, tandis que les pans plus anciens de sa vie n'ont pas disparu de sa mémoire.

– Elle m'a reconnu.

– Voilà. Bien que rarement, il arrive que certaines personnes, exaspérées de ne pas avoir de vie passée, ressentent le besoin de s'en créer une. On peut alors voir des gens tout ce qu'il y a de plus ordinaires s'inventer un parcours tout à fait atypique. Cela dit, on parle ici de gens déjà perturbés avant le choc ou même dépendants à certains médicaments qui font qu'ils déforment la réalité.

– Vous croyez que ça peut être son cas?

– Il est trop tôt pour le dire. Et, franchement, c'est vous qui pourrez me dire si ce qu'elle raconte est conforme à la réalité. Dites-moi, elle prenait des médicaments?

– Depuis longtemps, docteur. Après une dépression majeure.

L'avocat retourna à son bureau pour réviser le dossier qui l'occuperait une partie de la semaine. Cependant, les mots du neurologue l'empêchaient de se concentrer. Ils tournaient en boucle dans sa tête. Il lui faudrait faire parler Adèle. Entendre ce qu'elle avait à dire à propos de la soirée du meurtre. Le visage de Carmen se matérialisa derrière ses yeux, mais il n'eut pas le temps de s'y attarder. On l'appelait sur son cellulaire. Aussitôt qu'il répondit, la voix s'énerva:

– Ça devient dangereux pour moi…

– Allons, allons, ça ne sert à rien de paniquer, dit Miller.

– Je ne sais plus quoi faire…

– Ne laisse personne t'intimider.

Miller sentait bien l'insécurité et l'angoisse chez son interlocuteur qui soufflait de l'autre côté de la ligne.

– Pour gagner, il faut garder en tête que nous sommes invincibles. Tu t'en souviens?

L'avocat raccrocha et, méditatif, fixa sans les voir les objets sur sa table de travail.

Temps perdu

Le mercure matinal affichait déjà quinze degrés. On en annonçait vingt-trois pour l'après-midi. La température atteignait des sommets en plein mois de mars. Emma sauta sur sa moto et se rendit à l'hôpital. Elle arriva en même temps qu'Elliot devant les portes vitrées.

— Espérons que le pitbull sera compréhensif, cette fois, lança-t-il.

Bien campé sur ses pieds, le gardien ne leur manifesta pas plus de joie que la veille. Pour sa part, Elliot le gratifia d'un grand sourire.

Le visage d'Adèle Granger avait repris un peu de couleur. Voyant qu'elle n'était plus sous perfusion, Emma supposa qu'elle avait recommencé à manger de façon normale. Son regard, par contre, semblait toujours aussi lointain.

— Madame Granger, vous nous reconnaissez?

Adèle fit oui de la tête. C'était un début.

— Avez-vous fouillé dans vos souvenirs? l'interrogea Elliot.

Enfin, elle mit fin à son mutisme:

— Je suis… Adèle Granger. Je suis mariée à… Laurent… Miller. Nous n'avons pas… d'enfant, récita-t-elle.

Voyant les larmes dans ses yeux, Emma se rappela son journal. Son incapacité à avoir un enfant.

— Je n'ai aucun… souvenir de quoi… que ce soit… dans les heures qui… ont précédé… l'accident, continua-t-elle.

— Vous connaissiez Carmen Lopez? demanda Emma qui vit sa mâchoire se contracter.

— …

— Qui était-elle? insista la détective.

Adèle Granger la scruta de ses yeux gris.

— Je ne… connais pas.

Emma avait pourtant bien vu le malaise qu'avait suscité sa question.

— Vous en êtes certaine? continua-t-elle.

Semblant lasse, la dame tourna la tête vers la fenêtre. Ils n'avançaient pas, se dit Emma. Ainsi que le neurologue le leur avait expliqué, la mémoire à court terme était susceptible de ne plus fonctionner, et ce, pour un temps indéterminé. À moins que, comme l'avait dit Elliot, elle ne jouât la comédie.

— Vous deviez exposer vos photos à la galerie On aura tout vu!

Adèle hésita longuement, puis haussa les épaules.

— Vous ne vous souvenez pas ou vous nous dites que ce n'est pas important? lança Emma.

— Pas de… souvenir.

La porte de la chambre s'ouvrit. On leur demanda de laisser la patiente se reposer.

Ω

Chacun partit de son côté: Elliot, vers le sud, Emma, vers le nord, en direction d'Ahuntsic. Il y avait au moins une semaine qu'elle n'avait pas vu son capitaine; elle avait tant de choses à lui raconter. Elle laissa le vent caresser son visage jusqu'à la rue Laverdure. Elle stabilisa sa moto à l'aide de la béquille et compta les cinq marches menant au perron. Chelsea, souriante et chaleureuse, sembla soulagée de voir Emma chez elle. Comme le beau temps le permettait, Burn était assis dans le jardin, où une bonne partie de la végétation était encore en dormance. Un bouquet de jonquilles trônait au milieu de la table. Le livre *Zodiac*, relatant l'enquête d'un journaliste qui a réussi à épingler un des pires tueurs en série ayant sévi aux États-Unis, était ouvert devant Burn. Ingénieuse, Chelsea avait fabriqué une sorte de lutrin avec des tiges de bambou qui maintenaient le livre ouvert. Un bloc-notes et un crayon traînaient aussi sur la table.

Emma s'approcha et posa une main sur l'épaule de son capitaine qui leva la tête et lui offrit un sourire décalé. Le côté droit de son visage demeurait inerte, tandis que le gauche semblait faire des efforts surhumains pour compenser. Une vague d'optimisme s'empara d'Emma. De façon maladroite, Burn désigna la chaise à côté de lui afin qu'elle s'assoie.

Encouragée, elle lui raconta toute l'enquête et lui parla de ses soupçons à propos de Laurent Miller, même s'ils étaient probablement injustifiés. Soudain, Emma sursauta. Burn avait émis un son. Il essayait de parler, mais les paroles étaient incompréhensibles. Résilient, il tendit le bras vers le crayon et le papier et, de sa main gauche, écrivit péniblement : «*patience*».

Voilà que son capitaine, d'ordinaire si pressé d'en finir avec une enquête, faisait l'éloge de la lenteur ! Emma avait bien vu l'abdication dans ses yeux au moment où il avait tendu la main vers le crayon. Son état l'obligeait sans doute à prendre son temps, il n'avait pas le choix, pensa-t-elle.

– Vous comprendrez que j'ai Dubois sur le dos !

En guise de réponse, Burn haussa l'épaule et le sourcil gauches.

Ω

Adèle Granger semblait perturbée, mais finit par avouer aux enquêteurs se souvenir de quelque chose.

– On vous écoute, dit Emma, encouragée.

– Je suis… photographe… portraitiste.

– J'ai vu votre travail ; c'est magnifique.

Madame Granger afficha un pâle sourire.

– Vous avez… vu ? Sans doute… à la galerie.

Oups, elle voit l'avenir sans voir le passé, se dit Emma, qui préféra tout de même la laisser continuer au lieu de l'interrompre.

— Carmen… Lopez est… l'assistante du… galeriste où… j'expose mes… photos.

Emma lança un regard de connivence à Elliot. Ce n'était pas le moment de gâcher la sauce. À cause du traumatisme qu'avait subi le cerveau, les idées, lorsqu'elles revenaient, ne le faisaient pas nécessairement dans le bon ordre. Comme l'avait dit le docteur Léveillé, il fallait laisser le temps au temps.

— Carmen Lopez, vous pouvez nous la décrire ? poursuivit Emma.

Adèle baissa les yeux et sembla réfléchir.

— Elle est… Espagnole… jolie… Je pense que… qu'elle… ne déplaît pas au… galeriste.

Elle parlait au présent comme si Carmen Lopez n'était pas décédée. Emma pensa aux mots brutaux du journal intime, alors qu'Adèle se promettait de la faire souffrir. Quand la mémoire reviendrait, le choc serait dévastateur.

— Avez-vous rencontré cette femme ailleurs qu'à la galerie ? demanda Emma.

— Je… devrais ?

Si l'amnésie était véritable, le chemin de la réadaptation risquait d'être long.

— Si on vous aidait un peu, dit Elliot en regardant Emma du coin de l'œil. Vous souvenez-vous d'une altercation avec votre mari ?

Adèle acquiesça. Du regard, Emma et Elliot l'incitèrent à continuer.

— Il y a eu… plusieurs altercations… avec Laurent.

— Mais une récente… à propos d'une femme ? s'enhardit Emma.

Adèle la regarda de ses yeux vides et fit non de la tête.

— Il y a autre chose qui traîne dans votre mémoire ? voulut savoir Elliot qui devenait impatient.

– On a trouvé votre journal dans votre ordinateur. On vous demande d'y songer, déclara Emma. Nous reviendrons demain.

– Il fallait la brusquer un peu, non ? dit Elliot en longeant le couloir.

– Dans les circonstances, je dirais que oui.

– As-tu l'impression qu'elle feint ?

– Il faudrait qu'elle soit assez manipulatrice.

– Elle n'a que ça à faire, étendue dans son lit, se fabriquer une histoire. Elle est coupable, je le sens.

– Tout va dans ce sens-là, Elliot. En même temps, on a d'autres avenues.

– À propos de Miller, tu as peut-être raison. Je dis bien *peut-être*…

– On ne peut rien faire de plus le concernant. Pas pour l'instant, en tout cas. Tout n'est que supposition.

– De toute manière, tant qu'on n'a pas reçu le résultat du test d'ADN d'Adèle Granger, on ne peut rien conclure.

Le soleil était éblouissant et le mercure continuait son escalade.

– Tu parles d'un mois de mars ! s'exclama Elliot en ouvrant la portière de la Charger.

Assise côté passager, Emma resta silencieuse, ruminant les éléments de l'enquête. Repassant ses notes, elle devait reconnaître que tout incriminait Adèle Granger, dont le regard perdu l'avait agacée un moment plus tôt. Le sentiment qui l'avait habitée alors qu'elle-même était alitée dans une chambre aseptisée lui revint en mémoire. Ses médecins avaient aussi, comme Burn, parlé de patience et de temps. Lorsque le cerveau se troublait, il n'y avait rien d'autre à faire, avaient-ils dit. Pour ce qui était de l'amnésie, il fallait une bonne dose de ruse pour arriver à feindre. Adèle devait être déjà rompue au mensonge pour réussir à les berner.

Malgré tout, elle ne pouvait s'empêcher de penser à Miller. Était-il aussi manipulateur et menteur ? Rien ne le laissait supposer, si ce n'est qu'il avait éludé la question de sa liaison avec Carmen

Lopez lors du point de presse. D'après le journal, l'avocat ne voulait pas d'enfant. Il ne pouvait tout de même pas avoir tué pour ça! songea-t-elle. Quant à Pierre Dubeau, il traînait toujours quelque part dans sa tête. Même si elle trouvait le galeriste original, ça ne faisait pas de lui un meurtrier pour autant.

Elliot respectait le silence de sa collègue. La connaissant de mieux en mieux, il savait qu'une intervention de sa part aurait été superflue à ce stade. Adèle Granger était coupable, il le sentait dans ses tripes. Emma faisait-elle une fixation sur Miller simplement parce que son alibi était faible entre le voyage à Québec et le souper avec un ami? À moins que ce ne soit à cause de l'indifférence dont il semblait faire preuve à l'égard de sa femme? La vérité finirait bien par éclater quand Tougas confirmerait que l'ADN trouvé sur le bracelet était effectivement celui d'Adèle Granger.

Ils arrivèrent au QG en même temps qu'Édouard Dubois.

– Alors, Elliot, tout va pour le mieux? dit-il en passant un bras autour des larges épaules du sergent.

Entre gars, c'est toujours plus facile, n'est-ce pas, chef? rumina Emma.

– L'enquête tire à sa fin, je pense bien… euh… on pense bien, se reprit-il en invitant Emma à les rejoindre d'un signe de tête.

Il a récupéré, c'est déjà ça! pensa Emma qui n'avait aucun besoin de l'aval du chef. Elle les devança d'un pas rapide et s'engouffra dans l'immeuble.

À peine cinq minutes plus tard, Elliot se pointait devant sa porte.

– Tu continues d'avoir des doutes sur Miller?

– C'est dur de m'en empêcher, désolée. Si l'ADN trouvé sur le bracelet concorde avec celui d'Adèle Granger, je devrai convenir qu'on ne se trompe pas en faisant inculper Adèle, même s'il est difficile d'imaginer une femme commettre un crime pareil. C'est moins dans notre nature, disons.

Au même moment, Édouard Dubois l'appela.

– Sauf quand tu rêves de faire passer un mauvais quart d'heure au chef, lança Elliot.

Emma contourna son bureau et, la tête haute, passa la porte.

– Carrière semble croire à la culpabilité de la femme, dit Dubois.

– Carrière doit avoir raison, répliqua-t-elle avec sarcasme.

Ils se jaugèrent durant les dix secondes égrenées par Emma, laquelle finit par se reprendre:

– Les indices s'accumulent contre Adèle Granger. Cette femme a dû avoir un moment de folie extrême.

– J'en ai connu plus d'une qui a eu des moments de folie! Quand une femme se met dans la tête de se venger, elle ne fait pas dans la dentelle. J'en sais quelque chose…

Était-il devenu phallocrate après avoir souffert à cause des femmes? Emma n'en croyait rien. À son avis, il l'avait toujours été. Il voulait de toute évidence la faire sortir de ses gonds. Ce qu'elle ne fit pas, se jurant de ne pas lui donner satisfaction. Sans doute frustré du manque de réaction de la lieutenante, alors qu'elle franchissait le seuil du bureau, il lui lança:

– Hé, Clarke! Et mon mémoire?

Emma ferma les yeux et serra les dents avant de tourner le coin et de continuer son chemin comme s'il n'avait rien dit. Elle brandit un majeur, avec moins de discrétion cette fois.

Plutôt que de s'enfermer dans son bureau pour continuer la correction du fichu mémoire, elle choisit d'aller travailler chez elle. Elle ramassa ses affaires et sortit sans que personne la voie. Elle enfourcha sa Ninja et roula vers le nord. Pendant que l'air exceptionnellement doux fouettait son visage, les mots de la psychologue résonnaient dans sa tête: « Si vous y réfléchissiez? » Trop accaparée par l'enquête, avait-elle justement pris le temps de réfléchir à la question coup de poing? S'empêchait-elle vraiment d'avoir un enfant à cause de la perte de Rose? Son inconscient pouvait-il à ce point lui jouer des tours? Sachant qu'il lui faudrait rendre des comptes à madame Estelle, elle devrait se regarder en face.

L'autre mot, celui écrit par Burn, refit aussi surface: « *patience* ».

Ω

– Vous ne pensez pas qu'Emma mériterait un *break*? osa demander Renaud à l'inspecteur-chef après avoir vu de son bureau le geste explicite d'Emma.

Celui-ci eut un mouvement d'humeur qui atteignit les dossiers empilés en face de lui. Des feuilles volèrent et tombèrent aux pieds de Renaud, qui comprit à cet instant qu'il avait trop parlé.

– Écoutez, Lapointe, ce que je décide à propos de Clarke ne regarde que moi. Elle a fait une bourde qui doit être expiée.

Et c'est plus facile de frapper sur le clou quand il s'agit d'une femme, se dit Renaud.

– Vous veniez me voir pour autre chose?

Malgré ses nerfs en boule et le charmant désir de lui flanquer son poing sur la gueule, Renaud continua:

– Loin de moi l'idée d'enlever de la job à Tardif, mais la question informatique m'intéresse. Quand un cas se représentera…

– Je pense que vous avez fait du bon travail avec cette histoire de femme meurtrière, reconnut Dubois.

– Merci, chef.

– Il y a quand même des femmes qui mettent leurs culottes…, dit-il à voix juste assez haute pour que le sergent l'entende.

Renaud avait-il bien compris?

– Ça dépend du genre de culottes, répliqua Renaud, interloqué.

– On pensera à vous pour l'informatique, dit son supérieur en désignant la porte d'un geste de la main.

Avec toujours la même envie de lui casser les dents, Renaud décocha:

– Emma Clarke est une détective hors pair.

Et il sortit, laissant derrière lui Dubois et ses préjugés.

Temps retrouvé

Malgré un soleil qui ne demandait qu'à tout illuminer, la chambre d'Adèle Granger était plongée dans la pénombre. La patiente l'avait demandé, leur dit Louise, l'infirmière. Les deux policiers signèrent le registre et saluèrent le gardien planté à côté de la porte avant de trouver la femme couchée en chien de fusil dans le lit blanc, le regard fixe.

– Bonjour, madame Granger, osa Emma.

Adèle ne bougea pas de sa position repliée, comme si elle voulait contrer toute agression. Les enquêteurs eurent beau essayer de la faire parler, ce fut peine perdue. Une seule chose restait à faire, partir.

– Je crois qu'elle a peur de parler, avança Elliot.

– Ça peut être paniquant si les événements reviennent trop vite à sa mémoire, suggéra Emma qui se souvenait trop bien de l'état dans lequel elle s'était trouvée lorsque son passé était remonté à la surface.

– Comment faire alors ?

– Lui donner encore un peu de temps, proposa Emma. C'est encore frais, tout ça. Quand viendra le temps, on prendra les grands moyens.

Ω

C'était obsédant. Les pleurs d'enfant se faisaient de plus en plus oppressants. Son cerveau se détraquait. Anne Lenoir avait pourtant l'impression d'avoir la tête froide. Personne ne se doutait de ce qu'elle vivait. Depuis des années, elle s'était isolée. Pour se protéger. Le jugement était facile dans un cas comme le sien. Les critiques et les conseils fusaient de toutes parts si elle avait le malheur de se confier. Elle préférait de loin la solitude, armée de la marijuana qui l'aidait à faire taire, pour un moment, les pleurs entêtants. Et les billes du pendule qui, en claquant les unes contre les autres, l'empêchaient de devenir folle. Du moins le pensait-elle.

Ω

Pierre Dubeau se représenta à l'hôpital. Son artiste prenait du mieux, lui avait-on dit. Une question le taraudait depuis l'accident. Une question cruciale.

Adèle Granger était assise dans son lit et semblait songeuse.

– Bonjour, Adèle. Vous me reconnaissez?

La patiente afficha un faible sourire et l'invita à s'asseoir à côté d'elle.

– Mon galeriste…

– Comment vous sentez-vous?

– C'est difficile à dire.

– Votre passé a refait surface?

Elle prit le temps de bien le jauger avant de répondre. Il lui avait toujours semblé honnête et loyal sur le plan des affaires. Qu'en était-il lorsqu'il était question de vie privée?

– Il y a bien des bribes, mais…

– Mais?

– Ça me revient tout doucement.

– C'est bon signe, non?

– C'est ce que dit le neurologue.

– Pour votre collection, j'attendrai le temps qu'il faudra. Je crois que… je crois qu'il m'est impossible de passer à côté d'un si grand talent.

De nouveau, un faible sourire apparut sur les lèvres d'Adèle.

– Vous avez rencontré les détectives ? continua Dubeau.

Le regard de la patiente s'assombrit et ses lèvres se pincèrent.

– Ils ne me laissent pas en paix.

– Ils vous accusent !?

– Pour l'instant, ils posent des questions.

– Je crois que... Oui, je crois devoir aussi vous en poser une. Puis-je vous demander... Vous me pardonnerez... Vous reveniez de chez Carmen lorsque vous avez eu l'accident ?

Adèle tourna la tête du côté de la fenêtre. Le temps s'écoula dans la chambre aseptisée. La confiance se méritait et l'homme assis là en était digne, jugea-t-elle. Elle se retourna enfin et prononça simplement :

– Oui, mais...

– Mais ?...

Adèle Granger ne répondit plus.

Ω

L'appel improbable arriva au milieu de l'après-midi. Adèle Granger demandait à ce que les enquêteurs reviennent à l'hôpital. Emma texta Elliot. Plutôt que de répondre, il se présenta dans la seconde à la porte de son bureau.

– *Attaboy!*

– Allons-y avant qu'elle change d'idée.

– Je t'embarque dans mon coupé sport, dit Elliot, un instant plus tard, en désignant la Charger, ou je te tiens par la taille sur ta moto ?

Emma sourit et marcha vers le mastodonte banalisé.

Cette fois, Adèle Granger était assise bien droite sur son lit, le regard plus clair et l'air décidé.

– Elle était... sa maîtresse, déclara-t-elle.

Les détectives échangèrent un regard plein de promesses.

– J'ai écouté le… monologue. J'ai refusé… d'y croire. J'ai… épié Laurent. Je lui ai demandé des explications et l'ai… menacé de… divorcer.

Emma et Elliot se tournèrent l'un vers l'autre et se permirent un faible sourire.

– Ensuite, comme toute femme l'aurait fait, vous êtes allée chez elle pour discuter, hasarda Emma.

Adèle se tritura les doigts, puis ferma les yeux en fronçant les sourcils comme si elle se concentrait. Pleine d'espoir, Emma égrena les secondes jusqu'à quinze.

– J'y ai… pensé, mais j'ai… renoncé, avoua-t-elle.

– Vous en êtes certaine ?

La femme opina de la tête.

– Il semble que votre voiture ait été aperçue devant chez elle.

Emma crut percevoir une soudaine inquiétude dans les yeux d'Adèle.

– Vous vous souvenez y être allée ? insista Emma.

La patiente baissa la tête, joua avec le tube planté dans son bras, puis fit non de la tête.

– D'autres souvenirs ? Comme de l'avoir suivie, elle aussi ? demanda Elliot.

Elle balança la tête de gauche à droite.

– C'est un… trou noir.

Adèle avait fait des pas de géant depuis la veille. C'était prometteur.

– Au moins, elle sait l'histoire, sauf que l'essentiel lui échappe encore, dit Emma en longeant le couloir encombré de chariots.

Ω

Estelle Sauvé était égale à elle-même, bien mise, les jambes croisées devant elle. Quant à Emma, après avoir enlevé son casque, elle avait les cheveux comme un écheveau difficile à démêler et les lèvres sèches. Elle était en retard et ne trouvait pas de position confortable sur le divan. Bref, elle était énervée.

— Vous me semblez sur les charbons ardents. Je me trompe ?

— Il y a eu un dénouement dans l'enquête. Important, insista Emma. La femme est sortie du coma et commence à parler.

— C'est une bonne nouvelle. Comme ça, vous avancez.

— Son discours est un peu décousu. J'espère qu'on arrivera à quelque chose.

— Avec votre persévérance, vous y arriverez.

Et si Adèle Granger restait avec une mémoire trouée durant de longs mois, rien n'avancerait. L'enquête piétinerait et l'inspecteur-chef s'impatienterait de plus en plus. Emma savait qu'elle devait réussir à la faire parler. Même à avouer son crime.

— Et maintenant, si on parlait de vous, continua la thérapeute. Vous avez réfléchi…

— Je n'ai pas assez réfléchi au fait que je m'empêcherais d'avoir un enfant pour ne pas remplacer ma sœur, la coupa-t-elle.

— Ne vous emportez pas, Emma. Vous avez sans doute besoin d'un peu plus de temps pour débroussailler tout ça.

Comme Emma restait muette, Estelle Sauvé enchaîna :

— Laissez-moi vous aider. Vous avez déjà tenté d'avoir un autre enfant ?

Emma la regarda, l'air de dire : « C'était impensable ! »

— Dans le cas d'un amour, on dit : « Rien de tel qu'un nouvel amour pour guérir d'un autre. » Pour un enfant, c'est en effet difficile de le remplacer. Par contre, ça peut aider à canaliser la peine.

— Je n'étais plus avec la bonne personne pour réessayer. Ensuite, j'ai abdiqué, laissa tomber Emma.

Un silence lourd s'installa. Emma crut qu'il ne finirait jamais. Pour chasser le malaise, elle piqua du nez vers ses Converse.

— C'est un sujet délicat, je sais, dit Estelle Sauvé.

— On peut faire autre chose de sa vie à part avoir un enfant, dit Emma.

– Je vous le concède. Je n'en ai pas eu non plus.

Emma leva les yeux vers Estelle.

– Il faut juste faire la paix avec ça, lui conseilla celle-ci.

Le temps presse

– Ça va, Renaud ?

– Tiens, salut ! J'ai essayé de te défendre l'autre jour.

– Me défendre ?!

– Quand je t'ai vue faire un doigt d'honneur dans le corridor, j'ai pensé que c'était contre Dubois. Je suis allé le voir pour vanter tes qualités de détective incomparable.

– Tu ne changes pas, toi ! dit Emma en lui enfonçant sa casquette sur les yeux. Ne t'inquiète pas, je m'occupe du chef.

– Il fait suer. Il est temps qu'il arrête ses conneries.

– Ne perds pas ton temps, il est irrécupérable.

– Crime…, se désola-t-il. Tu en es rendue où, avec ton affaire ?

– La femme commence à parler, mais son cerveau est encore à moitié à *off*.

Michel Tougas apparut dans l'encadrement de la porte.

– Ah ! Michel. Et puis ? demanda Emma, fébrile.

– L'ADN sur le bracelet est celui d'Adèle Granger, répondit-il en agitant son rapport.

La pierre était lancée. La réalité était là, la frappant de plein fouet. Emma retint son souffle.

– Par contre, on a fait tout ce qu'on a pu pour le foulard. Il est impossible d'en tirer quoi que ce soit.

– Si je comprends bien, on a une bonne et une mauvaise nouvelle, lança Renaud.

Emma attrapa son téléphone.

– Ça y est, Elliot, il faut revoir Adèle Granger. Tout de suite.

Ω

Moins d'une heure plus tard, ils arrivaient à l'hôpital et montaient les trois étages. Du seuil de sa chambre, Emma vit tout de suite qu'Adèle Granger n'avait pas l'air bien. Elle était blême et paraissait sans force au creux de son lit. Deux infirmières se battaient avec la machine dont l'alarme n'arrêtait pas de sonner.

– Vous ne pouvez pas rester ici, dit l'une d'elles en les voyant. On doit la stabiliser.

Déçus, Emma et Elliot obéirent et se dirigèrent vers la salle d'attente.

– C'était notre jour de chance, grogna Elliot en faisant les cent pas.

Emma demeura silencieuse. Peut-être Adèle s'était-elle souvenue de ce qu'elle avait fait et n'avait-elle pas pu le supporter. Si c'était le cas, réussiraient-ils à lui tirer les vers du nez? Pour tromper l'attente, la détective compta tout ce qu'elle put dans la pièce: les chaises, les carreaux du plancher, jusqu'aux lattes des stores.

Une heure passa avant qu'on vienne vers eux.

– Elle peut vous recevoir, mais pas plus de cinq minutes, indiqua Louise, l'infirmière.

– Que s'est-il passé? demanda Emma en la suivant dans le couloir.

– Une chute de pression. Mais là, ça va.

– Elle n'est pas sortie d'ici, marmonna Elliot.

– Ça, vous pouvez le dire! Et quand elle le fera, il faudra s'assurer qu'on pourra s'en occuper. Son mari ou quelqu'un d'autre.

La patiente affichait un air de chien battu.

– Votre mémoire se porte bien? commença Elliot.

Elle fit non de la tête.

– Vous allez mieux? intervint Emma.

Elle acquiesça.

– Carmen Lopez a été assassinée. Vous le saviez ?

Adèle prit si bien l'air ahuri qu'on aurait dit que ses yeux criaient au secours.

– Personne ne vous l'a dit ? Étranglée avec un bout de tissu.

La femme semblait incapable d'articuler le moindre mot.

– Vous ne trouviez pas bizarre que des détectives viennent vous rendre visite à l'hôpital ? dit Elliot.

– …

– Par malheur, on a trouvé votre bracelet sur les lieux du crime, enchaîna le sergent.

Elle agrandit un peu plus les yeux.

– Mon bracelet…

– Celui qui appartenait à votre belle-mère.

– Vous avez donc menti en disant que vous aviez renoncé à aller vous expliquer avec elle, dit Emma.

Adèle ferma les paupières durant cinq bonnes secondes ; Emma les avait comptées.

– Je ne me souviens pas… d'avoir porté ce bracelet.

– C'est curieux, n'est-ce pas ? dit Elliot. On a d'abord trouvé une photo de la victime défigurée par un logiciel et chiffonnée dans votre voiture accidentée, on a aperçu votre voiture dans la rue où habitait la victime le soir du meurtre, et maintenant le bijou abandonné sur les lieux.

– On a aussi lu votre journal où on a trouvé des choses intéressantes, continua Emma. Certaines que vous nous avez dites, par ailleurs. Vous aviez découvert que Carmen était la maîtresse de votre mari. Vous avez épié votre époux et vous l'avez confronté et menacé de divorcer.

Elle se tut afin de mesurer l'effet de ses paroles. Adèle ne broncha pas, mais elle soutint son regard.

– Ce que vous avez omis de nous dire, c'est que vous aviez découvert qu'elle était enceinte après l'avoir suivie jusqu'à la clinique d'avortement. Que votre mari n'a jamais voulu d'enfant et que vous… Mais, dites-nous, nous avons bien compris, vous ne pouviez pas en avoir ?

Adèle demeura muette comme une carpe, les mains crispées sur le drap blanc.

– Vous avez aussi menacé de l'étouffer. Et vous l'avez fait avec le foulard que voici, osa dire Emma en lui montrant la photo sur son téléphone, même si rien ne prouvait qu'il s'agissait de la preuve en question.

Le silence perdura encore un moment, puis Adèle Granger réagit :

– Vous n'avez pas le droit.

– Non seulement Carmen Lopez était la maîtresse de votre mari, mais elle en était enceinte. N'est-ce pas deux excellentes raisons de vous débarrasser d'elle ? avança Elliot.

– Je voulais m'expliquer avec elle. Pas… la tuer, dit-elle dans un souffle. Et puis… j'ai décidé de ne pas y aller.

La voix s'était faite sourde, comme si les mots pesaient lourd dans sa bouche.

– Vous mentez. Vous y êtes plutôt allée et la discussion a dégénéré. Vous vous êtes chamaillées et c'est là que vous avez perdu votre bracelet, lança Emma.

– Et ce n'est pas tout, reprit Elliot. On n'a pas encore parlé des états d'âme guerriers jetés dans votre journal.

Elle se braqua et les toisa.

– Je veux un avocat.

Si près du but, Elliot aurait voulu exploser, mais la toute dernière phrase prononcée par la femme l'empêcha d'aller plus loin. Il dut donc ravaler les dernières preuves que ses lèvres étaient sur le point de cracher.

Ω

Maître Paul Sawyer, procureur de la Couronne, écouta attentivement les détectives.

— Donc, dans un élan de folie, elle l'a étranglée et s'est enfuie sur les chapeaux de roue, conclut Elliot.

Le procureur posa ensuite les questions d'usage et jugea qu'il n'avait pas à étudier le dossier durant des heures. Tout lui semblait clair et net. Il leur donna donc son aval pour arrêter Adèle Granger.

Ω

Elliot était euphorique et Emma, soulagée. Bien qu'une arrestation justifiée fût toujours le moment crucial d'une enquête, le geste la bouleversait toujours.

— Elle a bien joué avec ses souvenirs, lança Elliot. Cette femme semble douée pour le mensonge. Tant émotionnel que verbal.

Encore une fois, des images pas si lointaines remontèrent à la surface. Emma se revit, des années auparavant, couchée dans le lit d'hôpital à tenter de se remémorer la plus petite parcelle de ce qui s'était passé dans la rue maudite.

— L'amnésie n'est plus totale, finit-elle par dire. C'est par contre pratique de l'invoquer en parlant de trou noir juste au bon moment.

— L'important, c'est qu'on ait réussi. Il faut fêter ça! On prend un verre? suggéra Elliot, tout sourire.

Emma ne refusa pas. Qu'y avait-il d'autre à faire alors que le mercure atteignait les vingt-cinq degrés en plein mois de mars?

TROISIÈME PARTIE
RÉFLEXIONS

Temps d'arrêt

Lors de la comparution d'Adèle Granger, le juge accorda une demande d'évaluation psychiatrique sur l'aptitude à comparaître de l'accusée. Adèle Granger demeurerait clouée à son lit d'hôpital encore quelques semaines, le temps d'être déclarée apte à son transfert dans un institut psychiatrique, où psychologue et psychiatres évalueraient son état. Malgré la mémoire qui ne semblait toujours pas lui revenir complètement, son avocat lui promettait une défense à toute épreuve.

Laurent Miller était le seul autorisé à visiter sa femme. Et avec parcimonie. Leurs conversations ne les menaient pas bien loin. Ou Adèle demeurait muette comme une tombe, ou ils s'engueulaient en se traitant mutuellement de menteurs. L'avocat questionnait infirmières et spécialistes sans obtenir ce qu'il voulait entendre, soit que la mémoire lui revenait sans qu'elle lui en fasse part. Il fallait pourtant qu'il sache comment tout s'était passé, ce soir-là.

Emma se confinait le plus souvent possible dans son bureau pour corriger le mémoire de l'inspecteur-chef. Pour une fois, ça l'arrangeait, même si elle maudissait Dubois de toute son âme. Un jour, elle éclaterait, elle le savait. Il le fallait d'ailleurs, pour son bien-être. Bien sûr, elle rêvait d'une nouvelle enquête aussi prenante que la dernière, mais ne se voyait pas s'investir déjà avec

Elliot. Elle avait donc l'excuse toute trouvée pour fuir le sergent. Parviendrait-elle à décider ce qu'elle devait faire de cette attirance ? Rien n'était moins sûr. Quant aux questions qui la tourmentaient depuis l'arrestation d'Adèle Granger, cette réclusion l'aiderait-elle à y répondre ? Cela restait à voir.

L'ennui le plus total s'emparait d'Elliot. La stimulation que lui procurait la présence d'Emma lui manquait comme une drogue. Depuis presque une semaine, ils ne se voyaient qu'à proximité de la machine à café. Si la raison lui dictait de s'éloigner, le cœur l'entendait tout autrement. Réussirait-il à freiner l'ardeur qui l'empêchait trop souvent de dormir ? L'effort serait démesuré. Jumelé à Renaud pour une affaire de règlement de compte, il n'aurait pas dit qu'il n'en retirait aucun plaisir, mais…

Quant à Renaud, travailler avec l'ex de la Rive-Nord, comme il se plaisait à l'appeler, n'était pas désagréable. Cependant, il s'ennuyait de la connivence et des fous rires vécus avec Emma. Et puis il avait renoué avec l'espace virtuel, et ce travail lui avait donné des ailes. Bien sûr, il ne pouvait s'agir ici d'un poste à temps plein. Néanmoins, il demanderait de l'occuper le plus souvent possible. En attendant, il espérait que l'inspecteur-chef cesserait de faire la vie dure à sa lieutenante et qu'elle pourrait reprendre sa place dans le véhicule banalisé.

Anne Lenoir continuait de tirer sur son joint et de rester stoïque devant son pendule. Les pleurs d'enfant étaient devenus obsédants. La fureur qui la rongeait enflait de jour en jour, et la mènerait directement à la folie si ça continuait. Folle, au fait, l'était-elle déjà ? Ce qu'elle savait, c'est que l'avocat ne pouvait pas s'en tirer comme ça. Si l'occasion lui en était donnée, elle lui arracherait les yeux, à cet enfoiré ! Aussi enfoiré que tous les autres manipulateurs et agresseurs. Les détectives détenaient-ils des preuves si flagrantes pour inculper Adèle Granger ? Dieu qu'elle aurait tout donné pour les connaître !

Pierre Dubeau continuait tant bien que mal sa vie à la galerie. Les négociations et les transactions lui semblaient maintenant futiles. Adèle Granger, son artiste de grand talent, avait été inculpée du meurtre de son assistante. Les détectives en avaient visiblement déduit qu'il s'agissait d'un crime passionnel. Selon eux, la légitime n'avait, de toute évidence, pas supporté d'être seconde. La même sempiternelle question ne le laissait pas en paix : Carmen, pourquoi ? Il y avait aussi l'avocat qui ne quittait plus ses pensées. Miller…

QUATRIÈME PARTIE
SUSPICIONS

Temps trouble

Chaque semaine, les séances chez la psychologue revenaient inlassablement. Pourtant, Emma devait avouer que madame Estelle lui faisait de plus en plus de bien. L'exercice n'était plus un calvaire. Parler librement à quelqu'un qui ne vous jugeait pas se comparait au contraire à une bénédiction.

— Maintenant que la femme est arrêtée, vous êtes en paix?

— Tout joue contre elle. Cependant, j'ai toujours des doutes. Mais ne vous en faites pas, c'est mon lot! dit Emma en levant la main. La suspicion fait partie de mon ADN.

— Vous ne croyez pas qu'une femme puisse en arriver là ou vous suspectez quelqu'un d'autre?

Emma réfléchit à la question qui la tourmentait depuis un moment. Si Adèle affirmait qu'elle avait renoncé à aller voir Carmen Lopez, le bracelet disait le contraire. Et Laurent Miller, pouvait-il être *le* coupable? La neige tombée ce jour-là avait sans doute provoqué des embouteillages entre Montréal et la Rive-Sud. L'avocat n'aurait donc pas eu le temps de s'arrêter chez sa maîtresse entre son retour de Québec et son souper. Par contre, il aurait pu y arriver en conduisant «en malade» sur la 20, comme avait dit Elliot. Et puis, il y avait le bracelet. Si c'était lui qui l'avait déposé chez Carmen pour tourner l'attention vers sa femme? Il y avait aussi Pierre Dubeau qui, selon son employée, avait eu des disputes avec

Carmen Lopez. Elle devait avouer que le galeriste continuait de la chicoter, malgré qu'il n'y eût rien d'évident de ce côté-là non plus.

— Ah, oubliez ça. Un homme est si facilement visé quand il s'agit d'un crime. Même moi qui suis policière, je me laisse prendre au jeu. Le cerveau étant ce qu'il est, n'importe qui peut disjoncter. Et une femme n'est pas à l'abri de ça.

Malgré ce qu'elle venait de dire, elle se promit de revoir Dubeau.

— Donc, votre cerveau serait aussi capable de contrôler certains aspects de votre vie ? Comme le fait de ne pas *vraiment* vouloir d'enfant après ce que vous avez vécu ?

— Vous revenez encore avec ça ! se fâcha Emma en repoussant la mèche folle qui lui obstruait la vue.

— Je pense qu'il faut vous conscientiser pour mieux vous débarrasser de la culpabilité qui vous ronge, c'est tout.

— Ç'a été difficile avec ma mère après… le drame. Vous pouvez comprendre ça !

— Vous auriez peur de ne pas être une bonne mère ?

Emma tourna la tête vers la fenêtre.

— C'est vrai ce qu'on dit ? Qu'on ne peut donner ce qu'on n'a pas reçu ?

— Je pourrais vous donner plusieurs exemples qui prouvent le contraire, si ça peut vous rassurer. Vous vous servez plutôt bien de ce que votre père vous a légué, non ? Vous êtes une détective hors pair.

Estelle Sauvé s'approcha de la table pour servir des verres d'eau.

— Je crois que j'aurais bien aimé faire partie de votre équipe, lança-t-elle, un sourire franc aux lèvres. Vous en voulez un ? ajouta-t-elle en lui tendant un verre.

Emma le saisit et en but le tiers en seulement une gorgée.

— Si on allait un peu plus loin. Votre idylle avec Elliot vous rappelle de ne surtout pas vous attacher à qui que ce soit ?

Une autre question assassine. Emma se recula dans le fauteuil et regarda la thérapeute droit dans les yeux.

— Vous ramenez tout à ce que j'ai vécu dans ma jeunesse, hein ?
— C'est indissociable, Emma.

Ω

L'envie de voir son capitaine la fit rouler vers le nord de la ville. Arthur Burn l'accueillit avec son sourire décalé.

— Vous semblez aller de mieux en mieux, dit Emma, encouragée.

— Je crois qu'il fait de beaux efforts quand vous êtes là, lança Chelsea avant de disparaître dans la cuisine.

Emma s'assit sur la chaise à côté de lui.

— Même si je demeure certaine qu'Adèle Granger est notre coupable, je reste avec une boule en travers de la gorge. Comme si je n'étais pas allée au bout de l'enquête. Suis-je trop suspicieuse, dites-moi ?

Elle continua de parler de tout et de rien, et de l'état de Burn, qui se contentait d'acquiescer ou de hocher la tête. Puis le capitaine prit lentement le crayon et traça le mot : « *instinct* ».

Étonnée, Emma se leva et arpenta nerveusement la véranda. Que lui disait-il, cet instinct, en fait ? De ne rien laisser au hasard, comme toujours. Elle ferma les yeux et songea que même si Adèle était partie prenante, son mari et le galeriste n'étaient peut-être pas blancs comme neige. Elle décida d'explorer davantage au sujet des deux hommes. Et si elle se leurrait, au moins aurait-elle fouillé partout.

Ravie que Burn n'ait rien perdu de son acuité malgré le choc, elle lui pressa la main.

— Vous me surprendrez toujours, capitaine !

Un crachin s'était mis à tomber, forçant Emma à attacher son perfecto jusqu'au cou. Elle enfila son casque et sauta sur sa moto. Des questions tournaient en boucle dans sa tête. Qui était vraiment Laurent Miller ? Un élément leur avait-il échappé à propos de lui ? Arrivée au QG, la détective passa la sécurité avant de monter deux par deux les marches des quatre paliers, en les comptant en silence. Elle ouvrit l'ordinateur et consulta de nouveau Internet, mais ne trouva rien de plus que les articles déjà lus.

Puis elle décida de mettre Renaud sur le coup.

– Tu pourrais fouiller les archives. Il y a peut-être quelque chose qu'on ignore à propos de Miller et qu'il serait intéressant de savoir.

Elle prit ensuite ses clés et son casque. Elle verrait le galeriste en personne.

Ω

Pierre Dubeau installait des photos sur un grand mur. Emma l'observa d'abord à travers la vitrine. Il avait reculé de trois pas et semblait songeur. La cloche tinta lorsqu'elle entra. Affairé, le galeriste ne se retourna même pas, et, à l'heure qu'il était, son employée devait déjà avoir quitté les lieux.

Parmi les quelques photos déjà accrochées, elle n'eut aucune peine à reconnaître les clichés d'Adèle Granger. Les visages captés sur le vif lui firent le même effet qu'au moment où elle les avait vus dans l'ordinateur de la femme.

– Hmm, hmm… Vous avez décidé de lui rendre hommage? dit-elle.

Dubeau continua de fixer le mur et répondit:

– Je crois que… cette collection mérite d'être mise en valeur, vous ne croyez pas?

– Elles sont en effet extraordinaires, ces photos.

– Mais elles ne sont pas à vendre.

– Je ne suis pas acheteuse.

– Ah… alors, vous avez encore une question.

Emma s'assit sur le bras d'une chaise et compta jusqu'à vingt avant de parler.

– Monsieur Dubeau, qu'y avait-il entre Carmen Lopez et vous?

Cette fois, il se retourna de façon brusque.

– Qu'allez-vous insinuer?

– Vous avez dit qu'elle était douce et que vous ne pouviez donc pas vous chamailler avec elle. Alors, pourquoi le ton de voix élevé avec votre assistante?

L'homme retourna à son mur.

– Je vous l'ai déjà dit, ç'avait rapport avec le travail, se défendit-il, le dos tourné.

Emma s'attarda sur la photo d'un homme qui semblait torturé. Ses paumes pressaient ses tempes, ses yeux étaient fermement clos et sa bouche était tordue en un rictus malheureux. Elle n'eut aucune peine à imaginer le galeriste dans la même position.

– Vous êtes heureux, monsieur Dubeau?

L'homme fit volte-face, ne s'attendant visiblement pas à une question pareille. Il dévisagea Emma, le regard éteint.

– Pas toujours. Et vous?

– Il est difficile de répondre à cette question, n'est-ce pas? Carmen l'était, elle?

Il prit un temps de réflexion.

– Moins les derniers temps, je dirais.

– Vous étiez déjà allé chez elle avant le matin où vous l'avez trouvée sans vie?

L'homme se tint immobile pendant un moment, puis dit simplement:

– Elle ne m'a jamais invité à prendre un café.

Emma le remercia, puis passa la porte. Arrivée de l'autre côté de la rue, elle regarda vers la galerie et le vit qui s'éloignait de la vitrine.

Ω

Bien qu'il se doutât à l'avance de l'issue de la rencontre, l'avocat décida de rendre visite à Adèle, transférée dans un institut psychiatrique après les semaines passées à l'hôpital.

Le printemps étant déjà bien entamé et la température douce perdurant, les bourgeons s'en donnaient à cœur joie dans les lilas qui longeaient la longue allée de gravier. De l'extérieur, l'immeuble ressemblait tout à fait à l'hôpital quitté quelques jours plus tôt, sauf pour sa taille plus modeste. La pluie soutenue obligea Miller à presser le pas. Il tira la porte en verre et se retrouva dans un espace qui, bien qu'aseptisé, semblait plus accueillant que le précédent. Une gentille dame à la réception lui donna les instructions nécessaires pour se rendre à la chambre de madame Granger. Afin de se donner le temps de réfléchir, l'avocat préféra l'escalier à l'ascenseur. La dernière fois qu'il avait vu sa femme, sa mémoire était encore défaillante. C'est en tout cas ce qu'elle prétendait.

Adèle Granger était assise devant la fenêtre. Son mari frappa contre la porte ouverte. Elle ne se retourna pas.

– Bonjour, Adèle.

Elle ne réagit pas.

– Je ne suis pas la personne que tu attends, je sais.

Elle ne broncha pas plus.

– Comment se porte ta mémoire ?

Il n'en fallut pas plus pour déchaîner sa colère.

– C'est tout ce qui t'intéresse, hein ? Alors, parlons-en, de ma mémoire ! Je n'ai rien oublié de ce que tu m'as fait subir, Laurent Miller !

– Je le regrette…

– À d'autres ! le coupa-t-elle. Tu mens depuis que je t'ai rencontré, ça ne changera pas aujourd'hui, lança-t-elle sur un ton cassant.

Le regard de Miller se fit dur et froid.

– Je me demande lequel de nous deux est le plus menteur. Je suis certain que tu mens lorsque tu dis ne pas te souvenir de la soirée du meurtre. De toute façon, c'est l'histoire de notre vie…

Adèle resta de glace en l'interrompant :

– Et si c'était toi, le meurtrier ?

– Pourquoi aurais-je fait ça, voyons ! dit-il sur un ton doucereux.

– Je vois que ta mythomanie ne se guérit pas.

– Permets-moi de te retourner le compliment.

– Tu savais qu'elle était enceinte ? Il était de toi ou de quelqu'un d'autre ?

Le sarcasme fit le travail. Un silence de mort s'installa dans la chambre soudain assombrie par un ciel plombé. Miller tourna les talons et se dirigea vers la porte.

– Ne t'avise plus de remettre les pieds ici ou je te fais jeter dehors.

Le ton était sans appel. L'avocat le sentit.

Ω

Laurent Miller avait laissé sa femme se faire inculper à sa place ! C'était diabolique ! Impensable ! Anne Lenoir ne cessait de fulminer depuis l'arrestation d'Adèle Granger. Comment pouvait-on, consciemment, agir de la sorte ?!

Elle arpenta son appartement en se rongeant les ongles, s'arrêta devant son pendule, le malmena, reprit sa marche énergique, et sortit finalement le joint du tiroir, puis l'alluma. La fumée qui emplit ses poumons ne réussit pas à la calmer. Il lui fallait plus que ça. L'artillerie lourde l'attendait toujours, bien cachée dans le placard de sa chambre. L'héroïne. Au cas où, comme aujourd'hui… Elle se dirigea vers la pièce, ouvrit la porte du garde-robe, s'empara du précieux sachet et huma la substance à travers le sac. C'était assez. Elle renonça à aller plus loin. La marijuana finirait bien par l'apaiser.

Anne revint au salon et fixa son pendule inerte. Les petites billes n'attendaient qu'un mouvement de sa part pour se mettre en branle. Ce qu'elle ne fit pas. Elle s'empara plutôt du vieil article où apparaissait la photo de la détective. Elle prit une décision : celle de contacter Emma Clarke.

Ω

Les rendez-vous chez la psychologue n'arrivaient plus assez rapidement à son goût. Qui l'aurait dit ? Parler la soulageait. Se savoir écoutée la mettait en confiance. Emma en oubliait les ongles manucurés et les jambes filiformes pour se concentrer sur l'attention bienveillante d'Estelle Sauvé.

— Vous avez réfléchi aux questions restées en suspens ?

Emma soupira et s'enfonça dans le divan.

— Ma sœur est très présente dans mon cœur, c'est vrai. Quant à l'idée que c'est ce qui fait que j'hésite à m'attacher…

— Ce n'est pas ce que vous faites avec Elliot ?

— Il n'est pas libre. Pourquoi le serais-je, moi ?

— « Pourquoi », ce mot est important. Enfant, vous vous êtes attachée et on vous a arraché, par la force, l'objet de cet attachement. Vous avez alors dû ressasser ce mot des centaines de fois. « Pourquoi ».

— Des milliers de fois…

— À l'époque, vous n'avez pas été libre de choisir ce qui vous arrivait. Alors qu'aujourd'hui, lors d'une relation amoureuse, vous avez la liberté de faire ce choix, Emma.

— Le choix de ne pas tomber sur le bon gars, oui…

— Allez chercher ce que vous voulez et vous donnerez un sens à ce « pourquoi ».

Les mots pouvaient être puissants, pensa Emma. Et cette femme avait le don de les aligner pour mettre en lumière ceux qui la hantaient depuis longtemps.

— C'est votre père qui est Africain et votre mère, Anglaise, ou le contraire ? demanda Estelle Sauvé, désirant visiblement alléger l'atmosphère.

— Le contraire. Ma mère est partie d'Afrique pour des raisons nébuleuses. Je n'ai jamais su pourquoi. Puis elle a rencontré mon père lors d'un séjour à Londres.

Emma fit une pause et regarda par la fenêtre.

— Ma mère est décédée depuis longtemps.

— Je suis désolée, vraiment. De quoi est-elle…

— Suicide, apparemment… Mais j'ai toujours pensé qu'elle avait été assassinée. Elle frayait dans un drôle de milieu. Un milieu dur.

– Vous avez cherché à savoir ?

– Je m'étais promis de trouver le coupable, puis j'ai laissé tomber pour me consacrer à quelque chose de positif, comme sauver des vies.

Estelle Sauvé respecta le silence de sa cliente qui semblait cuver encore sa peine.

– Revenons à vos parents, la différence de culture, vous l'avez ressentie ?

– À bien y penser, la rigueur anglaise de mon père m'a donné les balises dont j'avais besoin. Quant à ma mère… me manque-t-elle ? Je ne peux pas répondre à ça. Une mère reste une mère. C'est ce que tout le monde dit, non ?

– Elle vous a fait vivre des moments difficiles.

– C'est le moins qu'on puisse dire. Se faire rejeter comme enfant, c'est… disons… déstabilisant.

Emma fit une pause, baissa les yeux vers le plancher, vers ses Converse fuchsia. Étrangement, ils lui donnèrent confiance.

– Il y a autre chose. Jeune, j'ai été témoin d'une scène troublante…

– Je vous écoute.

Voilà qu'elle s'avançait sur un terrain glissant et que la migraine reprenait ses droits derrière son crâne.

– Pas tout de suite, je ne suis pas prête.

– C'est vous qui avez ouvert la porte.

– Je sais… Laissez-moi le temps.

Temps mitigé

– Une bombe est si vite larguée, lâcha Adèle Granger sur le ton de la confidence. Les médias n'en feraient qu'une bouchée. Ça ferait beaucoup de bruit et nuirait fortement à sa réputation.

C'était la première fois que sa patiente avait soudain l'air lucide. Le psychologue se gratta la tête.

– Vous me dites que votre mari n'a pas une vie irréprochable ?

– Disons qu'il sait profiter de tout ce qui passe.

– Vous voulez m'en dire plus ?

– Il a des fréquentations… disons… douteuses.

– Douteuses…

– Je réfléchis à la possibilité d'éventer ce que je sais, l'interrompit Adèle.

– Vous croyez que c'est une bonne idée ?

Les mains sous les cuisses, Adèle Granger se berçait d'avant en arrière comme Hugues Francœur l'avait vue le faire des dizaines de fois.

– Vous croyez que votre époux a quelque chose à voir avec le meurtre de madame Lopez ?

– Il sait si bien mentir. Et puis il y a autre chose…

Son regard redevint vitreux, comme si ses pensées l'amenaient tout à coup ailleurs, quelque part dans sa tête.

– Les enquêteurs me croient tellement coupable qu'ils n'ont pas cherché plus loin.

Hugues Francœur quitta sa patiente, se dirigea vers son bureau et appela le neurologue de l'hôpital.

– Vous croyez qu'elle peut s'inventer des histoires ? lui demanda-t-il après lui avoir relaté sa rencontre avec Adèle Granger.

– C'est complexe, commença le docteur Léveillé, surtout dans ce cas-ci. Le besoin de se créer une nouvelle vie, parce qu'elle en a assez des trous de mémoire, a pu être projeté sur le mari. De là à dire qu'elle invente… je ne sais pas. Elle peut jouer la comédie comme elle peut se vider le cœur.

– Je n'arrive pas à savoir si ses moments de lucidité ne sont que pure lubie de sa part.

– Une chose est certaine, l'amnésie totale perturbe moins la personne qui en souffre parce qu'elle ignore son état que la partielle qui égare et rend dingue à force d'essayer de se souvenir.

Ω

Elliot s'embêtait royalement. Non que l'enquête du moment fût ennuyeuse ; un règlement de compte chez les motards n'était jamais banal. Mais le fait de partager ses heures de travail avec Renaud plutôt qu'avec Emma ne soutenait aucune comparaison. D'accord, les farces de Renaud tombaient rarement à plat, mais Elliot n'avait pas envie de rire par les temps qui couraient. Les rencontres avec Emma se faisaient rares. Il avait espéré que le verre de bulles pris sur la terrasse après l'arrestation d'Adèle Granger tracerait un semblant de chemin entre eux. Il avait au contraire l'impression qu'elle le fuyait.

Ω

Espérant chasser la migraine, Emma enfila ses souliers de sport et courut dans les rues habituelles, en s'efforçant de ne penser à rien. Or, les mots d'Estelle Sauvé s'obstinaient à lui marteler la tête pendant que ses espadrilles battaient l'asphalte : « allez chercher ce que vous voulez »… « ce que vous voulez ».

Après une douche brûlante, elle se posa enfin, en long t-shirt, une bière à la main. Alors qu'elle se dirigeait vers la cuisine, le heurtoir cogna contre la porte. Comme elle n'attendait personne, elle pensa que ce devait être Simon, son ami qu'elle n'avait pas vu depuis trop longtemps, travail oblige. D'un pas allègre, elle rebroussa chemin, ouvrit la porte et se trouva nez à nez avec Elliot. L'espace d'une seconde, elle pensa à sa nudité sous le t-shirt, à ses pieds nus, à sa vulnérabilité.

– Je dérange?

– Je… j'allais… Tu as mangé?

Pour toute réponse, il l'enlaça et effleura ses lèvres.

– Tu me subjugues, toi, souffla-t-il sur celles-ci.

Emma résista d'abord – «allez chercher ce que vous voulez»… «chercher»… «voulez» –, puis finit par s'abandonner.

Je ne vaux pas mieux que les femmes de Miller, se condamna-t-elle.

Ce fut aussi sauvage que la première fois. Et, en même temps, d'une tendresse inattendue. Comme une entente tacite, une promesse d'y revenir. Allongée sur le ventre, Emma bataillait avec des sentiments contradictoires. Pendant que le désir la consumait, le mépris d'être seconde s'imposait. Le «pourquoi» évoqué chez la psychologue finirait-il par trouver son sens?

Appuyé sur un coude, Elliot repensait à la première fois. Leurs ébats s'étaient alors passés dans la pénombre et en vitesse, l'empêchant d'admirer le corps dénudé. La vue côté verso offrait un dos terminé par des fesses rondes et dorées, longuement imaginées sous le *slim*. Incapable de résister, il déposa un baiser sur chacune d'elles.

– Je connais maintenant la cause de la cicatrice sous ton oreille. Je peux te demander la signification de la rose blanche tatouée sur ta nuque?

Emma se retourna, dévoilant le côté recto. Un bouton plus clair qu'il ne s'y était attendu surmontait un sein ferme. Ses papilles se rappelèrent son goût sucré tandis que sa langue se remémorait sa texture.

– On ne devrait pas…, dit-elle.

Elliot posa un doigt sur les lèvres charnues. Emma ferma les yeux. Comment renoncer?…

– Pourquoi dire non à ça? protesta-t-il, comme s'il lisait dans ses pensées. La vie est courte, pourquoi elle ne pourrait pas être intense?

Il était de ces hommes qui respirent le forfait amant, songea Emma en s'attardant sur les pectoraux velus. Sensuel, ardent, gourmand. Surtout gourmand. Comment résister? Le voulait-elle seulement?

«Chercher»… «voulez»… «pourquoi»… Les mots tourbillonnaient dans sa tête. Le regard brûlant, presque impertinent, la fouilla jusqu'à l'âme. Elle se leva en se couvrant.

– Il faudra réfléchir à ce «ça», dit-elle avant de disparaître dans le couloir.

Temps composé

Ses suspicions ne la laissaient pas en paix. Emma ne pouvait pas faire autrement. Aurait-elle pu dire qu'elle était incorrigible ? Sans aucun doute. N'empêche…

Laurent Miller. Pierre Dubeau. Un de ces hommes avait-il quelque chose à se reprocher ? Tout le monde avait ses secrets bien gardés, Emma était bien placée pour le savoir. Elle venait justement de parler de ses parents avec la psychologue. Surtout de sa mère, de qui elle s'était sentie abandonnée. Était-ce sa propre perception ou la réalité ? Candice était morte, maintenant ; elles ne pourraient donc plus jamais en discuter toutes les deux. Ses yeux s'embuèrent sous ses Oakley pendant qu'elle roulait vers le QG. Elle accéléra, se faufilant entre les voitures, aux limites de la prudence.

Une fois arrivée, elle se prépara un cappuccino et, pendant que le café se couvrait de *crema*, une idée germa dans sa tête. Carmen Lopez était enceinte. Et si ç'avait un rapport avec le crime ? Miller était son amant, il devait donc être le père de l'enfant. Et Dubeau ? En était-il jaloux ? Carmen Lopez avait de toute évidence renoncé à se faire avorter, et visiblement Adèle Granger le savait. Qu'en était-il des deux hommes ?

Perplexe, Emma recula sur sa chaise. Le mot « avortement » revenait un peu trop souvent dans cette histoire. Ça la mettait hors d'elle. Elle tapa du poing sur son bureau au moment même où l'inspecteur-chef passait dans le couloir.

– Un problème, Clarke ?

– Seulement une contrariété, répondit-elle d'une voix sèche.

– Je ne vous ai rien confié, à ce que je sache.

– Je m'occupe d'une... vieille affaire, mentit-elle.

– Vous travaillez encore selon vos propres normes ? Parce que si c'est ça...

Dubois persistait dans son arrogance. Emma ne se laissa pas intimider.

– Ne craignez rien, je ne fais rien d'illégal. Pendant que vous êtes là, ajouta-t-elle, si on reparlait de mes vacances écourtées.

Ω

– Vous vous souvenez de ce que vous m'avez révélé à propos de votre mari ?

Adèle Granger regarda le psychologue comme si elle ne comprenait pas.

– Que vous pourriez larguer une bombe. Ce qui le discréditerait.

La patiente ne réagissait toujours pas. Hugues Francœur continua :

– Ses relations douteuses...

– Qu'est-ce que vous inventez ? Je n'ai jamais dit ça.

C'était clair, net, péremptoire.

Perplexe, le thérapeute se racla la gorge. Décidant de tester la bonne foi de sa patiente, il revint sur un élément resté en suspens depuis le début de la thérapie.

– Vous êtes donc allée chez Carmen Lopez pour vous expliquer.

C'était davantage une affirmation qu'une question. Il allait bien voir de quel bois elle se chauffait maintenant qu'elle venait de se rétracter au sujet de son mari. Elle leva un regard lucide et dit simplement :

– Quand je suis arrivée, elle était déjà morte.

– Depuis le début, elle dit n'avoir aucun souvenir de ce qui s'est passé juste avant l'accident, commença le psychologue. Et là, tout d'un coup, elle affirme que la victime était déjà morte à son arrivée.

Ce qui sous-entend qu'elle est allée la voir, alors qu'elle a toujours nié l'avoir fait.

– C'est confus, en effet, dit le neurologue.

– Je me demande si on devrait prévenir les enquêteurs. Quel est votre avis ?

– Elle affirme, puis se rétracte pour enfin dire autre chose. On ne sait plus où est la vérité. Tant qu'on n'a pas la certitude qu'elle a recouvré la totalité de sa mémoire, je crois que ça ne ferait que mettre de l'huile sur le feu.

Ω

Laurent Miller s'apprêtait à descendre de sa voiture lorsque son cellulaire sonna. La voix était paniquée à l'autre bout du fil.

– Hé, là, doucement. Ça ne sert à rien de s'énerver, dit l'avocat avec aplomb.

Un nouvel interlocuteur qui devenait hystérique. L'avocat devait calmer le jeu.

– Elle ne peut pas savoir. Ce sont des menaces en l'air.

La respiration saccadée de l'homme rappela à Miller des temps mauvais. Lui aussi avait déjà dû passer par là. Une boule se forma dans son estomac.

– Ferme l'ordi, les courriels, tout. Pour quelques jours. Ensuite, on avisera, conclut Miller.

Temps compté

Après des semaines de traitement, Adèle Granger rencontra deux psychiatres, en plus de son neurologue et de son psychologue. Le temps était venu d'évaluer son état. Elle disait se souvenir exactement de ce qui s'était passé ce jour-là. Elle avoua s'être présentée chez Carmen Lopez, en fin d'après-midi, le 7 mars, dans le but de s'expliquer avec elle. L'Espagnole l'avait priée d'aller se faire voir et une altercation avait suivi. En fait, la victime l'avait rabrouée en lui suggérant d'aller plutôt parler à son mari. Adèle avait donc dû repartir, la mort dans l'âme, amèrement déçue ne pas avoir mené à bien son plan.

— Donc, elle n'était pas morte lorsque vous êtes arrivée, comme vous l'avez dit à votre psychologue, déclara le neurologue.

Penaude, la patiente fit non de la tête.

— Ma mémoire a été malade. Maintenant, elle est guérie.

Surpris par ces révélations, les spécialistes se consultèrent durant plusieurs heures. Hugues Francœur demeura d'abord sceptique quant à la véracité des dires de sa patiente, mais il finit par se rallier aux médecins qui jugeaient qu'Adèle Granger était apte à subir son procès. Elle prit donc le chemin de la prison.

Ω

Ils étaient attablés dans un bar à vin du boulevard Saint-Laurent. Emma expliqua *grosso modo* ses dernières démarches guidées par des doutes qui n'étaient peut-être pas fondés.

— Tu espères encore piéger l'avocat ? dit Elliot.

— Et Dubeau aussi… J'ai l'impression qu'ils cachent quelque chose.

— Toi et ton sixième sens !

— C'est dans ma nature, je n'y peux rien.

— On l'a, notre coupable. C'est Adèle Granger, Emma.

— Je ne remets pas ça en question, Elliot.

Emma caressait le pied de son verre, une étrange lueur au fond des yeux.

— C'est juste que… il y a peut-être autre chose qu'on ne sait pas encore. Et puis, non, laisse tomber, je délire.

Emma porta son verre si vite à ses lèvres que des gouttes roulèrent sur son menton. Elliot les essuya avec son pouce. Le temps s'éternisa.

— Elliot, je crois…

— Ah non ! Tu ne vas pas croire comme notre galeriste, plaisanta-t-il sans arriver à la faire rire.

— Je ne supporte pas d'être seconde.

Voilà, le mot était lancé. Emma appréhenda la suite. Elle eut peur qu'Elliot tente de la convaincre du contraire. Ce qu'il fit.

— « Seconde » est… un grand mot. Mon attirance pour toi ne se tarira pas, je le sais. Et la tienne non plus, je le sens. Cela dit, pourquoi ne pas vivre ce qu'on a à vivre et laisser faire le reste ?

Emma jouait avec le pied de sa coupe en regardant Elliot dans les yeux.

— Tu as le meilleur des deux mondes. Ce n'est pas mon cas.

Elliot s'attendait à ce qu'elle soit difficile à convaincre.

— Je pars, Elliot.

— Tu quittes la SQ ? s'inquiéta-t-il.

Elle soutint son regard.

— Je retourne à Londres pour terminer mes vacances. Mon père m'attend.

Le sang ne fit qu'un tour dans les veines d'Elliot. Il allait la perdre une deuxième fois. L'espace d'une seconde, il regretta d'avoir été trop entreprenant, puis se dit qu'il n'avait pas pu faire autrement.

– Je ne veux pas ressembler à une des poupées de Miller.

Dieu qu'elle venait de se faire violence !

Trois jours plus tard, elle partait. Le front collé contre le hublot, elle repensait à toute l'affaire. L'écran de son iPad était couvert de notes récapitulatives et d'éléments à ne pas oublier d'approfondir en rentrant. Pour l'instant, elle avait besoin de recul pour réussir à analyser la situation.

Emma débarqua à Heathrow, le cœur en miettes, mais le cerveau en effervescence. Elle attrapa de justesse le train urbain qui reliait l'aéroport au centre-ville. La ville défilant devant ses yeux la rassura. Arrivée à Paddington, elle descendit dans le métro. « *The Tube* », comme l'appelaient les Anglais. Lorsqu'elle entendit le célèbre « *Mind the gap*[2] », elle pensa à l'autre Emma Clarke, celle qui avait prêté sa voix aux annonces du métro londonien de 1999 à 2007, année où elle avait été remerciée de ses services après avoir critiqué le réseau et enregistré des messages parodiques sur son site Internet. Parodies qui avaient fait sensation auprès du public et d'Emma.

On est de la même trempe, toi et moi, songea-t-elle. *Rebelles quand il le faut.*

Elle sortit enfin à Holland Park et emprunta Clarendon Road, à pied, jusqu'à la maison grège avec sa porte noire encadrée de cèdres en pot. La maison de son enfance. Les Londoniens s'avéraient plus sédentaires que les Québécois, qui déménageaient presque tous les ans.

Charles Clarke la surprit en l'accueillant avec une grande chaleur dans les yeux plutôt qu'avec la tiédeur anglaise légendaire.

– Bonjour, papa. Tu vas bien ?

– *Good, good.* Tu as fait un bon voyage ?

---

2. Attention à la marche.

– C'est bon de me retrouver ici.

– Viens t'installer, dit son père en saisissant sa valise.

Ils soupèrent en tête à tête, parlant de la vie à Londres qui coûtait de plus en plus cher, de la monarchie qui avait encore fait des siennes et des marchés publics qui battaient leur plein. Puis la conversation bifurqua sur l'enquête à propos de l'enfant disparu.

– On ne l'a pas retrouvé, dit Charles Clarke. Pas encore…

Son père devint songeur.

– Depuis des semaines, Scotland Yard essaie de démanteler un réseau pédophile. Je crains que la disparition du petit William n'y soit reliée.

– C'est épouvantable…

Le lendemain, Emma courut jusqu'à ce que ses muscles crient grâce. Puis elle se gava de l'atmosphère du Portobello Market. Elle s'assit sur un banc pour souffler un peu et délaça ses espadrilles. La course avait été bonne et lui avait permis de constater que les commerces aux noms français avaient poussé comme des champignons, à Londres. Qu'on pense à Maison Blanc, Bonne Bouche ou Le Pain Quotidien, ils séduisaient dorénavant la clientèle anglaise. L'impression de s'être nettoyé les poumons la rasséréna. L'enquête ne demandait qu'à s'imposer, mais Emma refusa de se laisser envahir par elle.

La foule était impressionnante en ce samedi matin. Les odeurs de cuir, de pâtisseries fraîches et de mets cuisinés en plein air faisaient frétiller les papilles. Malgré l'heure matinale, Emma ne put résister à l'envie d'un bol de pælla, qu'elle dégusta en déambulant à travers touristes et stands. Après une heure à toucher les objets étalés et à profiter d'un soleil timide, elle reprit sa course et s'arrêta à la Pâtisserie Valérie, où elle acheta des scones pour son père.

Sur le chemin du retour, elle bifurqua vers Hyde Park. Elle commença par courir le long de la Serpentine pour passer ensuite à la marche. Elle scruta la rive sans avoir d'idée précise de l'endroit où le petit garçon avait disparu. Elle sentit son cœur se serrer en pensant à ces enfants qu'on maltraitait dans le monde. À ceux qui avaient le malheur de se trouver au mauvais endroit au mauvais moment. Qui pouvait vouloir du mal à un enfant ? À quoi ressemblaient ces personnes inhumaines ? rumina-t-elle, la rage au cœur. Le visage d'Estelle Sauvé apparut dans son esprit. Sa psychologue aurait sans doute encore posé une question coup de poing de son cru si Emma avait fait ce commentaire devant elle.

Ce soir-là, elle entraîna son père dans Soho. Ils marchèrent bras dessus, bras dessous dans les rues bondées, avant de s'arrêter chez Princi pour l'apéro. Ils firent ensuite la queue devant Busaba Eathai, leur restaurant de cuisine thaïlandaise préféré. Ils discutèrent de tout et de rien en partageant les plats, puis hélèrent un taxi pour rentrer.

Alors qu'Emma était assise sur la banquette arrière, l'enquête sur l'Espagnole lui sembla loin tout à coup. On aurait dit que Carmen Lopez, Adèle Granger, Laurent Miller et Pierre Dubeau n'étaient que des personnages créés de toutes pièces. Même l'image d'Elliot fila comme un nuage dans sa tête.

Emma occupa les semaines qui suivirent à courir, à fréquenter cafés et musées, à discuter avec son père en profitant de sa présence rassurante et à se gaver des bonnes choses qui passaient.

Puis, un jour, elle redevint fébrile. Le procès aurait bientôt lieu et il lui semblait que des morceaux du casse-tête lui glissaient encore entre les doigts. Comme si elle n'avait pas vidé un tiroir pourtant presque vide. Que restait-il au fond ? Des éléments nébuleux. À moins que ce ne fût sa soif insatiable de détails qui la menait par le bout du nez.

Avec toutes les preuves amassées contre elle, Adèle Granger écoperait d'une peine lourde, Emma le savait. Son journal faisait pencher la balance vers le meurtre prémédité. En revanche, si elle avait simplement voulu s'expliquer avec la victime et que la dispute avait dégénéré, c'est l'homicide involontaire qui prévaudrait. Départager tout ça appartiendrait au jury.

Les recherches d'Emma sur Miller n'avaient mené à rien de concluant.

Elliot cherchait de son côté. Si l'un ou l'autre découvrait quelque chose, ils avaient convenu de communiquer par courriel ou par texto. Jusque-là, ils ne pouvaient que constater leur frustration de ne rien trouver.

Un matin, en ouvrant son iPad, elle vit le titre : on convoquait les candidats jurés pour le procès du meurtre de l'Espagnole. Son séjour à Londres tirait à sa fin. Elle profiterait par contre du reste de ses vacances pour suivre le procès de près.

Ω

Anne Lenoir se buta à une réalité qu'elle n'avait pas envisagée. Emma Clarke était en vacances à l'extérieur du pays pour un temps indéterminé. Elle eut beau insister auprès de la réceptionniste du QG, la détective était injoignable. La dame lui suggéra de parler à Elliot Carrière, mais Anne refusa. Elle n'aurait affaire qu'à la détective, un point c'est tout, décréta-t-elle.

Elle raccrocha et fulmina toute seule dans son appartement.

CINQUIÈME PARTIE
LE PROCÈS

Anne Lenoir

Ne croyant pas à sa chance, Anne Lenoir resta figée devant le papier qu'elle venait de trouver dans sa boîte aux lettres. Les journaux annonçaient la convocation pour la sélection du jury dans le procès d'Adèle Granger, inculpée du meurtre de Carmen Lopez. Il ne pouvait s'agir que de ce procès, songea-t-elle.

Elle reprit les articles des journaux et, pour la centième fois, ses yeux s'attardèrent sur le visage d'Emma Clarke. La détective l'intriguait depuis le début de l'histoire. Elle devait trouver le moyen de la contacter. Elle s'était butée aux vacances de la policière, mais maintenant, tout devenait permis. Ne lui restait qu'à trouver l'occasion. Et aujourd'hui, avec cette convocation…

Elle s'encouragea en s'amusant avec son pendule. La régularité de l'instrument la fascinait toujours et lui rappelait qu'elle devrait en faire preuve si elle voulait réussir son plan. Soudain, une nouvelle idée folle s'immisça dans ses pensées. Anne interrompit le battement des billes et se dit que, oui, c'était possible. Un sourire indéfinissable dessiné sur les lèvres, elle passa la porte.

Ce soir-là, elle cacha ses iris sous des lentilles cornéennes bleues, farda sa figure et ses paupières – elle qui s'affichait d'ordinaire au naturel –, enfila une fausse prothèse sur ses dents et camoufla sa chevelure brune sous une perruque blonde. Anne Lenoir admira son reflet dans la glace et, satisfaite, conclut qu'elle était méconnaissable.

Convaincue qu'elle ne devait être reconnue par personne – surtout par Laurent Miller qui lui avait tout de même lancé quelques œillades au resto –, pendant comme après le procès, elle avait pris la décision de se déguiser. Emma Clarke et tous les autres n'y verraient que du feu.

Pour habituer ses cornées aux lentilles et sa bouche à la nouvelle dentition, elle le fit donc tous les soirs, avant de se présenter au tribunal, une semaine plus tard. Elle exécuta tous les gestes quotidiens, comme manger, boire et parler, afin que tout paraisse naturel. Au bout du terme, elle jugea qu'elle était prête. Devant le miroir, Anne repoussa la chevelure cendrée derrière ses épaules et afficha un sourire carnassier en brandissant la convocation.

Ω

Le grand jour était enfin arrivé. Après s'être transformée en blonde aux yeux bleus, Anne Lenoir apprécia l'aspect excitant de l'aventure, même si tout ça lui donnait à la fois le vertige et des ailes. Ces impressions paradoxales se frayaient un chemin tortueux dans son ventre.

Puis une crainte s'imposa. Si elle avait inventé tout le scénario ? Si ce n'était pas pour le procès de la femme meurtrière qu'elle était convoquée ? Anne refusa de seulement y penser, se persuadant qu'elle n'avait pas fait tous ces plans pour rien.

Enfoncer la pédale d'embrayage de sa voiture avec les hauts talons s'avéra un exercice périlleux. Anne roula jusqu'à l'immeuble gouvernemental, les mains crispées sur le volant. Elle poussa un soupir bruyant en finissant de se garer non loin du palais de justice. La femme descendit de voiture, la tête haute, s'efforçant de paraître sûre d'elle. Elle se félicita pour les heures d'entraînement, juchée sur les talons. Elle repéra enfin la salle où des gens faisaient le pied de grue, l'air excité. Anne n'aurait pu, quant à elle, décrire le sentiment qui supplantait tous les autres. De l'inquiétude ? Non, plutôt de la fébrilité.

Des curieux s'étaient massés près de la porte. On fit entrer les personnes convoquées dans une grande salle qui se remplit en un clin d'œil. Puis le greffier s'adressa à elles :

– Bonjour à tous. Ce procès s'étalera sur environ quatre semaines. Ce qui implique de la disponibilité chez chacun de vous. Cela dit, quelques questions doivent vous être posées avant de vous appeler un à un. La première : connaissez-vous ou avez-vous déjà vu de vos yeux les protagonistes dans cette cause ? C'est-à-dire la victime ou l'accusée ou un membre de leurs proches ?

Anne regarda tour à tour Adèle Granger de même qu'une femme assise dans l'assistance, qui devait être sa sœur vu leur ressemblance, ainsi que le mari de l'accusée. Laurent Miller, qu'elle évita de regarder.

Le greffier continua :

– Avez-vous été témoin de tout incident relatif à cette cause ? En excluant, bien sûr, la couverture médiatique.

Personne ne bougea. Pas plus qu'Anne qui sourit intérieurement.

– Y aurait-il une raison, quelle qu'elle soit, qui ferait en sorte que vous ne seriez pas impartial dans cette affaire ?

Cette fois, Anne ricana dans sa tête.

– Aussi, vous devez dévoiler si vous connaissez un des avocats ici présents, ou même monsieur le juge Lecours, ou un membre de leur famille. Si votre réponse est affirmative pour l'une ou l'autre des questions, vous devez vous positionner ici, dit-il en désignant un côté de la salle, pour vous faire exempter.

Personne ne se manifesta. Encore moins Anne.

On appela ensuite les candidats un à un, et on leur posa les questions d'usage : Âge ? Profession ? Croyez-vous à la présomption d'innocence ? À la lumière de leur dernière réponse, on voyait nettement les personnes qui n'avaient pas envie de faire partie du jury. D'autres manifestaient un peu trop d'intérêt pour la cause, faisant craindre un parti pris pour l'une ou l'autre des parties, la défense ou la Couronne. On entendait alors les avocats prononcer à tour de rôle le mot «péremptoire», signifiant qu'ils ne retenaient pas le candidat.

Anne Lenoir fut la trentième appelée à la barre. Après avoir observé l'attitude des vingt-neuf personnes qui l'avaient précédée, malgré ses aisselles trempées, elle avait décidé de paraître sincère en regardant de manière franche le juge et les avocats. Ses longs cheveux blonds tombaient en cascade sur un veston sobre, et ses mains aux ongles impeccables reposaient sur la barrière devant elle.

La présomption d'innocence était clairement envisageable (oh, que oui!), affirma-t-elle, et elle voyait son rôle de jurée comme une expérience qu'il valait la peine de vivre une fois dans sa vie. Tâche qu'elle accomplirait avec tout le sérieux requis. Les avocats s'entreregardèrent. Anne Lenoir fut nommée jurée n° 9. Elle jubila intérieurement en allant prendre place sur le banc du box que lui assigna le greffier. Le huitième juré, un homme d'âge mûr à l'air sérieux qui s'était dit ingénieur, griffonnait des notes sur une tablette calée sur ses genoux.

Encore une fois, la nouvelle jurée peaufina son plan dans sa tête.

Emma Clarke et
Jeanne Léonard, pathologiste

« Le procès attendu de la femme de l'avocat,
Laurent Miller, débute ce matin »

Le titre mangeait la une de *L'Intégral.* Emma savait qu'une grosse journée l'attendait. Elle avala son cappuccino en quatrième vitesse et descendit l'escalier en en comptant les marches.

L'assistance se leva pour accueillir le juge. Anne Lenoir repoussa ses cheveux derrière son dos et cligna des paupières en attendant l'autorisation de se rasseoir.

Greffier :   La Reine contre Adèle Granger. Adèle Granger,
              ici accusée de meurtre, sera jugée par ses pairs,
              soit un jury composé de douze personnes du public
              dûment choisies par la Cour.

Anne bouillit de rage devant la femme menottée dans le box des accusés. Cette femme qui, à présent, gardait la tête haute et le regard franc, en dépit de la grave accusation qui pesait sur ses épaules, voire sur sa vie. Cette femme qui ne quittait pas des yeux Laurent Miller, l'illustre avocat avec qui elle était mariée.

Greffier :   Voilà comment tout se déroulera. Les témoins de la
              Couronne se feront d'abord entendre et, ensuite,
              ce sera au tour de ceux de la défense. L'accusée
              aura le droit de témoigner si elle le désire, à

la fin du procès. Alors, mesdames et messieurs du jury, nous tenons pour acquis que vous avez retenu les directives de l'honorable juge Léo Lecours, afin de vous conformer aux règlements de la Cour.

Des jurés bougèrent sur leur banc. On entendit des toussotements, des frottements de vêtements, des pieds impatients racler le sol tandis qu'Anne Lenoir demeurait impassible. La jurée n° 9 n'avait pas besoin que le greffier lui répète les directives. Elle savait ce qu'elle avait à faire. Et ce qu'elle se promettait dépassait sans doute le cadre de ce à quoi la Cour s'attendait.

La n° 9 examina les avocats qui s'affronteraient. Il y avait un bedonnant, la soixantaine avancée, à l'air sévère, à la tonsure hirsute. L'expérience palpable. Le procureur de la Couronne. L'autre, la jeune quarantaine, pas un kilo de trop, le cheveu dru, assez beau garçon, l'enthousiasme perceptible. L'avocat de la défense. Deux univers qui se faisaient face. Elle espéra que l'expérience du premier n'assombrirait pas la fougue du deuxième.

Greffier :   Accusée, veuillez vous lever !

Adèle Granger, menottes aux poignets, obtempéra en dardant un regard lourd sur son mari assis au bout de la première rangée.

Greffier :   Adèle Granger, vous êtes accusée de meurtre prémédité sur la personne de Carmen Lopez. Plaidez-vous coupable ou non coupable ?

Une cinquantaine de paires d'yeux se braquèrent sur l'accusée, attendant visiblement une révélation inattendue. Yeux féminins surtout qui ne réclamaient que justice pour la pauvre future mère et son enfant, qui ne verrait jamais le jour. Le jury, lui, se tenait bien droit dans son box, espérant probablement être libéré après l'aveu de l'accusée. Sauf Anne Lenoir qui avait décidé qu'elle ne laisserait pas la femme debout en face de la Cour se faire condamner à la place du véritable meurtrier.

Pour la millième fois, Adèle Granger revit l'image de son mari faisant l'amour fougueusement à la victime, et son sang bouillit de nouveau dans ses veines. Le défi au fond des yeux, elle fixa Laurent Miller et déclara comme si elle s'adressait à lui seul :

– Non coupable.

Un tollé s'éleva parmi l'assistance pendant que le mari toisait sa femme. Il y aurait procès, puis jugement, puis internement, les preuves étant plus qu'accablantes. Anne Lenoir esquissa un sourire fugace et pensa : *On verra…*

Greffier :   Maître Paul Sawyer, de la Couronne.

L'homme pansu se leva et, d'un pas plus allègre qu'Anne l'aurait cru capable, fit le tour de la table.

Greffier :   Emma Clarke, lieutenante-détective à la Sûreté du Québec, est appelée à la barre.

Emma Clarke était telle qu'Anne Lenoir se l'était imaginée. Celle-ci n'aurait su dire pourquoi, mais cette femme lui plaisait, comme ça, sans qu'elle la connût. Elle devait avoir son âge, était métisse, habillée avec goût, et semblait intelligente. Elle envia la peau café au lait, la chevelure bouclée, et les lèvres pulpeuses qui devaient faire saliver les hommes. Attentive, elle l'écouta établir la preuve de la culpabilité d'Adèle Granger. La détective avait beau expliquer les multiples raisons qui avaient mené les enquêteurs à cette conclusion, son idée ne changeait pas : Laurent Miller était *le* coupable.

La détective avait parlé avec aplomb, songea Anne en continuant d'examiner la femme qui parlait avec assurance, à quelques mètres d'elle. Elle révisa en silence le plan dont tous les éléments étaient enregistrés dans sa tête. Sa tête… Les pleurs d'enfant avaient décuplé depuis que l'idée folle avait germé. Elle y voyait là un signe qu'il s'agissait de la bonne chose à faire. Bien sûr, la montagne serait ardue à gravir, mais il lui fallait tenter le coup. Elle tordit ses mains devenues moites et pensa : *Pas question de reculer.*

Mᵉ Sawyer : Nous avons ici les preuves de la culpabilité de l'accusée, qui sont évidentes, je dois le dire. Faisons donc le bilan. Nous avons une photo vandalisée de la victime trouvée dans le véhicule accidenté de l'accusée; le journal intime de l'accusée, qui est pour le moins explicite quant à ses intentions; un bracelet lui appartenant trouvé sur le lieu du crime; enfin, sa voiture aperçue quittant les lieux en vitesse par un voisin. Il n'en fallait pas plus pour l'inculper. Félicitations aux enquêteurs!

Emma : Nous avons fait notre travail.

Mᵉ Sawyer : Avec brio. Je vous en félicite.

Emma ne broncha pas pendant qu'Anne songeait que la pente s'annonçait raide si l'avocat de la défense voulait démolir tout ça. Elle n'aurait qu'à l'aider du mieux qu'elle le pourrait avec son jeu de coulisses, se dit-elle.

Mᵉ Sawyer : Commençons par la photo, si vous le voulez bien, lieutenante. Elle était cachée sous le siège de la voiture accidentée?

Emma : Cachée, je ne sais pas. Peut-être coincée dans la ferraille à la suite du capotage.

Mᵉ Sawyer : Chose certaine, ce n'est pas une icône que vous avez trouvée là. Vous pouvez la décrire?

Emma : Le visage a été déformé à l'aide d'un logiciel photo. Selon mon collègue expert, il s'agirait de Photoshop.

Mᵉ Sawyer : La preuve que l'accusée lui en voulait à mourir…

Mᵉ Hébert : Objection!

Juge : Retenue. Maître Sawyer, surveillez vos paroles.

Anne perçut le demi-sourire qu'eut le magistrat, et le maudit pour ça.

Mᵉ Sawyer : Je reformule. L'accusée ne portait visiblement pas la victime dans son cœur. Lieutenante Clarke,

Adèle Granger est photographe portraitiste, c'est bien ça?

Emma : C'est elle-même qui nous l'a dit.

Mᵉ Sawyer : Quelle a été votre réaction en découvrant cette image tout sauf flatteuse?

Mᵉ Hébert : Objection! Ce que pense la policière n'est pas pertinent.

Juge : Maître Sawyer…

Mᵉ Sawyer : La photo vous a semblé suspecte, puisque vous avez cherché plus loin.

Emma : C'était un premier indice, en effet.

Mᵉ Sawyer : Mesdames et messieurs les jurés, la photo que voici est portée à votre attention, et déposée comme pièce à conviction.

Certains jurés grimacèrent en voyant le saccage dont avait fait l'objet le visage de la victime. Anne, elle, bouillait de rage.

Mᵉ Sawyer : Il y a eu d'autres indices par la suite?

Emma : Le journal intime de l'accusée trouvé dans son ordinateur ainsi qu'un bracelet découvert sur la scène de crime.

Mᵉ Sawyer : Le journal, vous pouvez le décrire?

Emma : Des faits y sont relatés, mais ce sont surtout des états d'âme…

Mᵉ Sawyer : États d'âme d'une femme blessée ou… meurtrière?

Mᵉ Hébert : Objection!

Juge : Retenue. Mesdames et messieurs les jurés, veuillez ne pas tenir compte de cette allusion. Maître Sawyer, encore une fois…

Mᵉ Sawyer : Madame Clarke, si je vous demandais un qualificatif pour décrire ce journal?

La policière eut l'air mal à l'aise.

Emma :   Je dirais… incisif.

Ce qui fit réagir l'assistance. Le procureur de la défense fit mine de se lever.

Juge :   Silence, s'il vous plaît. Maître Hébert, vous
              voulez intervenir?

Mᵉ Hébert :   Ça va, j'y reviendrai.

Mᵉ Sawyer :   Mesdames et messieurs les jurés, cette fois le
              greffier vous confie le journal en question. Je
              vous inviterais à le lire, ce n'est pas très long.
              J'aimerais aussi le déposer comme pièce, Votre
              Honneur.

Dix minutes plus tard, les jurés relevèrent la tête. Certains avaient les yeux humides, dont Anne qui ne voulait qu'arracher ceux de Miller.

Mᵉ Sawyer :   Certains passages me semblent particulièrement
              intéressants. Si vous voulez bien vous rendre
              à la page deux où il est écrit: «[…] une vague
              déferlante s'est insinuée jusqu'à mon cerveau,
              sans possibilité de retour en arrière.» Puis,
              à la page 3: «[…] ou lui planter un couteau en
              plein cœur. Ou l'étouffer.» Et, à la dernière
              page, la sixième: «Une de nous deux doit dispa-
              raître.» Incisif, a dit la lieutenante Clarke.
              C'est… disons… pertinent.

L'avocat de la défense se leva d'un bond.

Mᵉ Hébert :   Votre Honneur, on peut tenir un caucus?

On leva la séance. Les jurés se retirèrent dans leur salle. Une longue table ovale était placée au milieu d'une pièce morose, dépourvue d'âme. Le tapis et les murs étaient du même beige incertain que la chemise fournie à chacun par le greffier, et aucune fenêtre ne trouait les murs. Le genre d'endroit où on n'avait pas envie de s'éterniser.

Le juré n° 8 s'assit le premier à la grande table. Quatre autres jurés prirent place à l'opposé de celui-ci. Ceux-là ne désiraient sans doute pas être à l'avant-plan, songea Anne. Ils seraient, elle l'espérait, moins difficiles à convaincre. Ce qui l'encouragea. Elle s'installa de façon stratégique, en face du n° 8.

– Je sens cette femme innocente, dit-elle, mine de rien.

Des sourcils se levèrent. Des lunettes furent déposées sur les papiers. Des traits de crayon furent suspendus. Les regards de huit des neuf hommes et des deux autres femmes se fixèrent sur la jurée n° 9. Seul le n° 8 continuait de lire ses notes.

– Y est un peu tôt pour arriver à cette conclusion, non? dit le n° 5.

– Je sais, on n'en est qu'aux balbutiements. Je parle d'intuition, ici, rectifia Anne en dévisageant le n° 8 qui grimaça un sourire.

Elle posa les mains sur la table et frotta ses doigts entre eux. Inutile de se mettre la tête dans le sable, il faudrait faire craquer la rationalité de l'ingénieur en usant de stratégie et de méthode dignes d'un homme habitué à la rigueur et au jugement basé sur des faits. Des émotions cachées devraient se dévoiler au moment opportun. La n° 9 se jura de tout faire pour ça.

– *Primo*, rares sont les femmes meurtrières, surtout dans un cas comme celui-là, enchaîna-t-elle. Elles préfèrent punir le mari en divorçant et en le lessivant. *Deuzio*, c'est risqué d'assassiner une femme qu'on sait la maîtresse de son mari. *Tertio* – et là, elle pesa bien ses mots –, la maîtresse pouvait gâcher la vie de monsieur...

– Vous insinuez que le mari a tué sa maîtresse? s'insurgea le n° 5.

– Je ne dis rien de tel, mais ça me semble plus dans l'air du temps, non? lâcha-t-elle sur un ton désinvolte qui lui valut le regard courroucé du même n° 5.

Anne se réjouit que personne n'ait soulevé le fait que les jurés ne devaient pas échanger sur ce qui se disait en cours de procès alors qu'ils étaient cloîtrés dans leur salle. C'était déjà ça de gagné, songea-t-elle.

La conversation ne dura pas plus longtemps, la Cour rappelant les jurés dans la salle d'audience.

Mᵉ Hébert :   Avant d'aller plus loin, il serait pertinent pour
               le jury de savoir qu'Adèle Granger a été plongée
               dans le coma après un grave accident de la route.
               À son réveil, elle souffrait d'amnésie partielle.
               Donc, si certaines allégations vous semblent né-
               buleuses, veuillez, s'il vous plaît, en tenir
               compte.

Anne eut encore plus pitié de la femme.

Emma, elle, comptait les jurés en les observant. Il y avait neuf hommes et trois femmes. Des gens de tous les âges et de tous les milieux. Comme un jury se devait d'être composé. Elle se demanda qui serait désigné président. Elle misa sur le grand homme à l'allure sérieuse qui s'était dit ingénieur ou peut-être sur la femme blonde et bien vêtue, à l'air intelligent. Se tournant ensuite vers l'assistance, elle y vit une femme à la peau foncée et à la chevelure ébène. Sa ressemblance avec Carmen Lopez était frappante. Ça ne pouvait être que sa sœur venue d'Espagne pour assister au procès, pensa-t-elle.

Mᵉ Hébert :   Alors, lieutenante Clarke, avec cette photo, il
               était prématuré de sauter aux conclusions, n'est-
               ce pas ?

Emma :   C'était insuffisant, en effet. Il fallait attendre
               quelque chose de plus substantiel pour voir le
               vrai portrait, si vous me permettez le jeu de
               mots…

Des rires étouffés fusèrent de la salle.

Mᵉ Hébert :   Donc, c'est la photo qui vous a incitée à chercher
               plus loin ?

Emma :   Une enquête est comparable à un crescendo. Les
               preuves s'accumulent les unes après les autres
               pour finalement désigner la personne à inculper.

Mᵉ Hébert :   Je vois. Une femme blessée comme l'a été ma
               cliente peut poser des gestes anodins comme abî-
               mer légèrement…

Mᵉ Sawyer :   Voyons, voyons, maître Hébert, légèrement… Vous
               l'avez vue, cette photo ?

Me Hébert :   Elle n'est pas si terrible que ça. Elle dénote
               juste assez de déception chez une femme trompée.

Me Sawyer :   Je ne connais pas beaucoup de gens qui s'amuse-
               raient à défaire le portrait… excusez aussi le
               jeu de mots… de quelqu'un autant que ça.

Il fit un clin d'œil à Emma.

Me Hébert :   Elle a pu simplement ambitionner.

Le juge n'était pas intervenu. Au contraire, il avait semblé
apprécier l'affrontement des avocats.

Me Hébert :   Lieutenante Clarke, vous qui êtes une femme… si
               vous vous retrouviez dans une situation simi-
               laire à celle de ma cliente, on ne trouverait
               pas dans votre journal des propos… incisifs, pour
               reprendre vos mots ?

Me Sawyer :   Objection ! On ne peut pas demander à la policière
               de se mettre à la place de l'accusée. Vous avez
               eu une objection tout à l'heure, à ce propos…

Juge :   Rejetée. Madame Clarke…

Emma :   Je n'ai jamais tenu de journal.

Me Hébert :   Si c'était le cas, vous n'utiliseriez pas de
               phrases aussi véhémentes ? Explosives, si vous
               préférez. N'importe quelle femme en ferait au-
               tant.

Emma :   Je n'ai pas réfléchi à ça.

Me Hébert :   Permettez-moi d'en douter.

De toute évidence, l'avocat de la défense voulait la défier. Il la
prenait à partie et cela la contrariait drôlement. Si Emma ne s'était
pas retenue, ses réponses auraient été plus virulentes. Bien sûr, la
défense jouait bien son rôle. Pour se calmer, elle respira et réfléchit.
Elle ne s'était en effet jamais mise à la place d'Adèle Granger. Du
moins, pas en ce qui concernait le journal. Mais maintenant que

la question lui était posée, aurait-elle été aussi violente dans ses propos? Elle se répondit intérieurement : *peut-être bien.*

Quant à Elliot, il trépignait sur sa chaise. Il aurait bien asséné un coup de poing sur la gueule de l'avocat de la défense, même s'il savait que celui-ci n'avait pas le choix s'il voulait ébranler le jury.

Me Sawyer : Parlons du bracelet. Vous l'avez trouvé sur la scène de crime ?

Emma : Il était bien en vue sur la table du salon. Il aurait pu tout simplement appartenir à la victime, mais si ce n'était pas le cas, il n'y avait pas de risques à prendre. Il était important d'y analyser l'ADN.

Me Sawyer : Ça me semble logique. Parlez-nous de cet ADN.

Emma : L'analyse a révélé que c'était celui de l'accusée.

Me Sawyer : Seulement le sien ?

Emma : Oui, maître.

Me Sawyer : Pas d'autre question.

L'avocat de la défense s'avança vers la détective, l'air confiant.

Me Hébert : Comme vous le savez, ma cliente a avoué être allée chez madame Lopez dans le but de s'expliquer avec elle. La victime l'a alors bousculée. Vous ne pensez pas que le bracelet ait pu se détacher à ce moment-là et soit tombé sur la table ? Si effectivement elle portait ce bracelet…

Emma : Quand nous avons demandé à l'accusée si elle s'était présentée chez la victime, elle a nié y être allée.

Me Hébert : Je le répète, Adèle Granger était amnésique après être sortie du coma. Elle n'a même pas le souvenir d'avoir porté le bijou en question ce jour-là.

Emma : Excusez-moi, mais ce n'était pas la première fois qu'elle se dédisait.

Mᵉ Hébert : Elle a depuis recouvré la mémoire et elle a avoué
ce qu'elle devait avouer. Alors, je répète ma
question. Est-il possible qu'elle ait perdu son
bracelet au moment où elle a été brusquée?

Emma : Il a pu se détacher au moment où elle-même
brusquait la victime.

S'il avait pu fusiller la policière du regard, l'avocat l'aurait sans doute fait, se dit Anne qui retenait son souffle depuis un moment.

Mᵉ Hébert : Eh bien, maintenant, mesdames et messieurs
du jury, sachez que l'accusée a été malmenée
par Carmen Lopez. Que cette dernière a usé
d'intimidation pour que ma cliente parte de chez
elle. C'est donc à la suite de cette altercation
qu'elle a pu perdre son bracelet. Si elle l'avait
vraiment à son poignet, soit dit en passant.

Il s'était dirigé vers le box du jury et en avait empoigné la barrière avant de prononcer ces paroles qu'il avait visiblement voulues percutantes. Il revint ensuite vers Emma.

Mᵉ Hébert : L'arme du crime n'a toujours pas été retrouvée?

Emma : Après avoir fouillé les lieux du crime, la voiture
et la résidence de l'accusée, nous n'avons rien
trouvé.

Mᵉ Hébert : On peut savoir ce que vous cherchiez?

Emma : Un foulard, par exemple. En fait, il y en avait
un sous la voiture de l'accusée, mais il pouvait
très bien seulement appartenir à celle-ci.

Mᵉ Hébert : Pourquoi un foulard?

Emma : Selon la pathologiste, les marques sur le cou de
la victime ont été faites par un morceau de tissu.
Un foulard, une cravate ou autre chose.

Mᵉ Hébert : Il n'y a pas d'équivoque?

Emma : Le crime n'a pas été perpétré à mains nues.

Mᵉ Hébert : Et avec des gants, vous y avez pensé?

Emma :   Nous avons analysé toutes les possibilités.

Me Hébert :   Je vois mal une femme capable d'en étrangler une autre. Avec un foulard, une cravate ou autre chose, comme vous dites. Merci, lieutenante Clarke.

Il se tourna vers le jury. Sans doute pour voir l'effet de ces paroles sur lui. Anne admira l'aplomb d'Emma Clarke.

Greffier :   Madame Jeanne Léonard est appelée à la barre.

Emma la vit s'avancer d'un pas confiant. Elle savait que son amie témoignerait avec précision et assurance.

Me Sawyer :   Vous êtes pathologiste au laboratoire médicolégal ?

Jeanne :   C'est exact.

Me Sawyer :   Votre réputation n'est plus à faire, d'ailleurs… Vous travaillez là depuis combien de temps déjà ?

Jeanne :   Neuf ans maintenant.

Le petit homme bedonnant donna aux jurés le temps de comprendre qu'on n'avait pas affaire à une novice avant de continuer.

Me Sawyer :   Vous pouvez expliquer à la Cour et au jury les conclusions de l'autopsie pratiquée sur la victime, Carmen Lopez ?

Jeanne :   Le corps montrait des marques faites avec un tissu qui aurait frotté sur la peau du cou au moment de la strangulation.

Me Sawyer :   Il n'est pas question ici d'une agression à mains nues…

Jeanne :   Non, maître.

Me Sawyer :   Vous avez trouvé d'autres blessures ?

Jeanne :   Aucune.

Me Sawyer :   Un examen gynécologique a été fait ?

Jeanne :   De même que l'ouverture de l'utérus. La routine…

La n° 9 soupira encore plus fort et déglutit péniblement.

Mᵉ Sawyer : Elle a été violée ?

Jeanne : Non.

Mᵉ Sawyer : Vous avez noté autre chose ?

Jeanne : Elle était enceinte.

Mᵉ Sawyer : De combien de mois ?

Jeanne : De quelques semaines à peine.

Anne Lenoir inspira profondément, assez pour que son voisin, le n° 8, se tourne vers elle.

Mᵉ Sawyer : Des traces de substance illicite dans le sang ?

Jeanne : Non plus.

Mᵉ Sawyer : Je vois dans votre rapport, à la page trois, que des traces d'un anxiolytique ont été trouvées. Vous pouvez expliquer ?

Jeanne : Comme son nom l'indique, c'est un médicament pour traiter l'anxiété.

Mᵉ Sawyer : Ce n'est pas proscrit durant la grossesse ?

Jeanne : La plupart des médicaments ne sont pas recommandés lors d'une grossesse. Par contre, à faible dose, certains sont tolérés.

Mᵉ Sawyer : C'est le cas de celui-ci ?

Jeanne : En effet.

Mᵉ Sawyer : Pas d'autre question.

L'avocat de la défense se planta devant la pathologiste, sûr de lui.

Me Hébert : Vous avez déclaré que le sang n'était contaminé par aucune substance. Puis, vous êtes revenue avec l'anxiolytique.

Jeanne : On avait mentionné le terme «illicite», si vous vous souvenez, maître. Ce médicament ne fait pas partie de ces substances.

Jeanne démontrait une arrogance dosée, pensa Emma qui reconnaissait bien là son amie.

Mᵉ Hébert :   Si je comprends bien, la victime avait tendance à être anxieuse et angoissée ?

Jeanne :   Je suppose.

Mᵉ Hébert :   Donc, elle aurait eu une propension à devenir… violente ?

Mᵉ Sawyer :   Objection, Votre Honneur ! Madame Léonard ne doit pas avoir d'opinion quant à…

L'assistance sembla se rebeller. Le juge Lecours dut taper du maillet pour ramener le calme.

Juge :   Ne me forcez pas à faire évacuer la salle. Maître Hébert, la pente est glissante…

Mᵉ Hébert :   Je reprends. Croyez-vous qu'une personne sous l'emprise de ce médicament puisse agir de manière étrange ?

Jeanne :   Le but d'un anxiolytique est d'apaiser les symptômes anxieux. Par contre, la dose ici n'était pas assez importante pour ne pas lui permettre de s'énerver si l'envie lui en avait pris.

Mᵉ Hébert :   Merci, madame Léonard.

Ω

Dernière heure :

« Adèle Granger, la femme de Laurent Miller, plaide non coupable »

La détective consultait son téléphone. Ce qui laissa à Anne Lenoir, assise au volant de sa voiture, le temps de se défaire du mieux qu'elle pouvait de son déguisement. Elle ébouriffa ses cheveux humidifiés par la perruque en poussant un *ouf* de soulagement.

Cette première journée d'audience avait sûrement été éreintante pour la policière, se dit-elle. Mais, en dépit de l'ardeur de l'avocat de la défense, elle avait été à la hauteur de la situation. Anne l'admirait pour ça.

Lorsque la moto commença à rouler, la Honda d'Anne la suivit à distance raisonnable. Au deuxième coin de rue, les véhicules enfilèrent l'autoroute en direction nord. Lorsque la moto sortit de l'autoroute, la n° 9 leva le pied et finit par s'arrêter juste assez loin derrière elle. Elle vit la détective gravir les marches d'un duplex du boulevard Saint-Germain et entrer après avoir sonné.

Anne s'avança. « Estelle Sauvé, psychologue », lut-elle, perplexe, sur la plaque vissée à côté de la porte. Était-ce personnel ou cela avait-il un rapport avec le procès ? Si l'histoire d'Adèle Granger était en cause, qu'allait vérifier la détective ? Peut-être analysait-elle, avec l'aide de la psychologue, ce qui avait bien pu motiver la femme de l'avocat à passer à l'acte. Cela aurait un certain sens. Autrement, Emma Clarke la visitait pour elle-même, et là était l'occasion…

Ω

Estelle Sauvé devenait la personne avec qui elle se permettait d'être elle-même. Enfin, celle avec qui elle était capable d'exprimer ses insécurités comme son agressivité, lorsque nécessaire. Elle ne l'avait pas revue depuis son retour et elle avait hâte, même si la psychologue risquait encore de brasser ses émotions.

– Ça fait un bout qu'on s'est vues. Comment allez-vous, Emma ?

– Je vais très bien, s'entendit celle-ci répondre de manière spontanée.

Et c'était vrai. En fait, elle allait mieux qu'au début de la thérapie. Mais il restait des points à régler.

– Et puis, ce séjour à Londres ? Vous avez réussi à vous reposer, là-bas ?

– J'ai fait le vide. Je devrais plutôt dire : j'ai tenté de le faire.

– Les questionnements vous ont accompagnée plus que vous ne l'auriez voulu?

– Je n'ai pas pu faire autrement.

– Je suis sûre que certains ont trouvé un semblant de réponse. Comme celui à propos d'Elliot?

Emma regarda la thérapeute droit dans les yeux.

– J'ai succombé. Encore une fois…

– Qu'entendez-vous par «succombé»?

– Il m'a prise au dépourvu en venant chez moi. Et lorsqu'il m'a embrassée, je n'ai pas pu résister. J'ai cédé. C'était aussi sauvage, bien que… plus sensuel que la première fois.

– Vous l'aimez, Emma. C'est tout naturel, vous ne pensez pas?

– Ça devrait l'être… Je ne veux pas le laisser penser que ce sera comme ça chaque fois qu'il en aura envie.

– Et si vous aviez une franche discussion à propos de ça?

Emma se cala plus profondément dans le fauteuil.

– J'aurais peut-être dû le faire, mais… j'ai préféré me sauver à Londres.

– Un recul est toujours salutaire. Comment vous sentez-vous par rapport à ça?

– Je dirais… soulagée d'être allée vérifier. Il se passe quelque chose de… torride entre nous. Je l'ai compris et j'aurai maintenant de la difficulté à me passer de ça. Cet homme me bouleverse, je n'y peux rien.

– Il est toujours avec sa femme?

Emma fit oui de la tête en se disant qu'elle ne voyait pas le jour où Elliot franchirait le pas. Il avait une vie rangée. Et une adolescente qu'il ne voulait sûrement pas décevoir et peiner.

– Si vous continuez, il risque de se rendre à l'évidence.

– Je n'en sais rien. Pas encore, du moins…

Pierre Dubeau

Anne Lenoir ne cessait d'observer l'attitude et les réactions de Laurent Miller, ainsi que celles de sa femme assise dans le box des accusés. L'avocat affichait un air hautain en permanence. Certains auraient dit que ça lui donnait une dose d'aristocratie. Pour sa part, Anne le qualifiait volontiers de condescendant. Elle chercha tout de même une lueur de nervosité dans son regard. En vain.

Ne crains rien, ce n'est qu'une question de temps…, se dit-elle.

Quant à Adèle Granger, elle gardait les yeux baissés, sauf pour toiser son mari. L'accusée ne tournait jamais la tête vers le jury. Comme si elle ignorait que c'était lui qui allait la juger.

Une voix la tira de ses pensées.

Greffier :   Pierre Dubeau est appelé à la barre.

Le galeriste, lunettes fumées posées sur ses cheveux lissés vers l'arrière, s'avança. Il se présenta et jura sur la Bible.

Mᵉ Sawyer :   Alors, monsieur Dubeau, Carmen Lopez était votre assistante ?

Dubeau :   C'est bien ça.

Mᵉ Sawyer :   Depuis longtemps ?

Dubeau :   Environ trois ans.

Mᵉ Sawyer :   C'est bien vous qui l'avez trouvée le matin du 8 mars dernier ?

Dubeau :   Oui.

Sa voix s'était étranglée.

Me Sawyer :   Vous pouvez raconter à la Cour comment ça s'est
              passé ?

Dubeau :   J'étais inquiet de ne pas la voir arriver à
              la galerie. Je crois… J'ai cru qu'elle était
              peut-être malade. Je me suis rendu chez elle
              et je l'ai vue, affalée dans son fauteuil, les
              yeux exorbités, la bave au menton. C'était… oh,
              mon Dieu ! si… effrayant, si… traumatisant. Je
              crois… je crois que jamais je n'oublierai cette
              vision.

Me Sawyer :   On vous comprend, monsieur Dubeau. Ce n'est jamais
              facile. Qu'avez-vous fait ensuite ?

Dubeau :   Malgré la panique qui s'est emparée de moi, j'ai
              tout de même pris son pouls. Je me disais : « Et si
              elle n'est pas… » J'ai essayé sur son cou et ses
              poignets. Ç'a pris une bonne minute avant d'être
              certain qu'il n'y avait plus… rien. J'étais si
              bouleversé…

Elliot leva les yeux au ciel devant l'air misérable du bonhomme.
Ses mimiques éplorées lui tapaient sur les nerfs. Quant à Emma, la
même impression de manque de sincérité la titilla.

Me Sawyer :   Quand l'aviez-vous vue avant ce matin-là ?

Dubeau :   La veille.

Me Sawyer :   Et tout allait bien ?

Dubeau :   Elle était à la galerie, comme d'habitude.

Me Sawyer :   Vous saviez qu'elle était enceinte ?

Emma vit le galeriste lorgner Laurent Miller. Assis droit, les bras
croisés sur la poitrine, celui-ci ne broncha pas.

Dubeau :   Bien sûr, je le savais ! Je savais aussi qu'elle
              voulait le garder. Je crois qu'elle avait consulté
              une clinique pour… mais je crois qu'elle n'aurait

pas fait un geste pareil. Elle s'était confiée à
moi, vous comprenez.

La dernière phrase avait été dite sur le ton de la confidence.
Comme d'habitude, Dubeau savait se mettre de l'avant, pensa
Emma. Depuis le début du témoignage du galeriste, le regard de
la détective passait de celui-ci à Miller. Elle n'arrivait pas à savoir
pourquoi, mais ni l'un ni l'autre ne lui semblait net. Pourquoi?
Voilà un autre «pourquoi» avec lequel elle devait composer.

Me Sawyer :   Vous parlez d'un avortement?

Dubeau :   C'est bien ça.

Me Sawyer :   Pas d'autre question.

Juge :   Maître Hébert.

Me Hébert :   Merci, Votre Honneur. Monsieur Dubeau, si j'ai
               bien compris, vous aviez signé un contrat avec
               Adèle Granger pour l'exposition de ses photos?

Dubeau :   En effet. Je sais reconnaître un artiste de qua-
               lité lorsqu'il se présente.

Me Hébert :   Comme l'accusée a subi un accident de la route
               le soir du 7 mars, elle n'a pas pu honorer cette
               entente. Que faites-vous en pareil cas?

Dubeau :   Ne craignez rien, sa collection est déjà exposée
               à la galerie.

Le regard compatissant que Dubeau lança à l'accusée n'échappa
à personne. Adèle Granger parut surprise par cette déclaration.

Me Hébert :   Oui, bon. Vous la connaissiez donc assez bien?

Dubeau :   Comme une bonne cliente.

Me Hébert :   Vous voulez préciser?

Dubeau :   Elle est venue à plusieurs reprises à la galerie.
               Nous avons discuté. C'était agréable. Carmen, mon
               assistante, l'informait des modalités du contrat,
               de notre façon de fonctionner.

Mᵉ Hébert : Comment décririez-vous la relation entre les deux femmes ?

Dubeau : Conviviale, je crois bien. Elles semblaient s'apprécier.

Mᵉ Hébert : Vous saviez que votre assistante avait un amant, et qu'il s'agissait en fait de l'époux de l'accusée ?

Dubeau : J'avais de sérieux doutes depuis un moment, et puis je les ai surpris en train de s'embrasser dans l'arrière-boutique.

Mᵉ Hébert : À votre avis, madame Granger le savait ?

Dubeau : Nous n'étions pas assez proches pour parler de ça.

Mᵉ Hébert : Vous n'avez pas vu un changement dans son comportement lorsqu'elle est revenue à la galerie ?

Dubeau : En fait, elle venait rarement depuis quelque temps.

Mᵉ Hébert : Vous croyez cette femme capable de meurtre ?

Il avait désigné Adèle Granger en disant cela.

Mᵉ Sawyer : Objection ! On essaie d'influencer le témoin.

Juge : Retenue. Reformulez, maître Hébert.

Mᵉ Hébert : Monsieur Dubeau, vous avez déjà perçu une certaine forme de violence chez votre cliente ? Qu'elle soit verbale ou autre ?

Dubeau : D'après ce que j'en sais, c'est une femme bien, une femme du monde. Cela dit… je ne peux pas savoir ce qui se passe dans la tête des gens.

La journée se termina tôt, le juge étant appelé ailleurs. Les jurés passèrent par leur salle afin de récupérer leurs effets personnels.

– Il a l'air compatissant, dit la n° 4.

– Ouain… trop tendre, répliqua le n° 5.

– Vous voulez dire, avec les femmes ?

– Ben, y a pas parlé d'hommes !

– Oui, du mari, continua la n° 4. En tout cas, il était nerveux.

– Normal. Trouver le cadavre de son assistante, t'imagines !

– Vous pensez que c'est lui qui l'a dissuadée d'avorter ? demanda la n° 4 en se tournant vers les autres jurés.

– Possible, répondit le n° 1, elle s'était confiée à lui.

– Si c'est ça, c'est un homme de cœur, commenta Anne qui s'était contentée d'écouter la conversation jusqu'à présent.

– Il semblait apprécier l'accusée aussi, reprit la n° 4.

– Bof, y a connaissait pas trop, trop. Y a juste jugé avec ce qu'y a vu d'elle.

– Excusez-moi, mais on n'était pas censés éviter de parler de ce qui se passe dans la salle d'audience quand on est ici ? intervint l'un des jurés assis au bout de la table.

Anne se dit qu'elle risquait de se buter à un puriste. À moins que, par insécurité, cet homme ne veuille pas transgresser les lois. Elle espéra qu'un des jurés ne se mêle pas de faire des gorges chaudes avec cet aspect tout au long du procès. Ce qui la fit soupirer.

– Avec quatre semaines de procès, pis enfermés ici à tout bout de champ, vous pensez vraiment que personne fera de commentaires ? riposta le n° 5.

Personne ne répliqua ou n'osa le faire.

Voilà que le coloré n° 5 sauvait la donne ! Anne poussa un soupir de soulagement silencieux. En écoutant les jurés, elle apprendrait à les jauger, à connaître leurs opinions. Les regardant à tour de rôle, elle les analysa. Les deux autres femmes ne lui faisaient pas peur. Condamner une des leurs leur serait difficile, surtout dans les circonstances. Selon elles, le mari devrait porter le fardeau. À ses yeux, l'expressif n° 5 ne représentait pas une menace. Encore que… il lui faudrait bien jouer ses cartes. Il y avait quatre hommes qui n'avaient toujours pas ouvert la bouche et qui ne l'ouvriraient probablement pas beaucoup plus. Sauf pour le n° 10 qui grignotait ses crudités. Le n° 1, travailleur social, risquait de vouloir protéger la femme comme c'était souvent le cas dans son milieu. Un autre, totalement indifférent aux discussions, semblait s'ennuyer ferme. Encore un qui, lui semblait-il, n'avait aucune envie d'être là et qui sauterait sur la première excuse pour déguerpir.

Quant au n° 8, l'ingénieur dénué d'émotions, il représentait *le* défi. Celui qu'il lui faudrait relever. Elle se tourna et vit qu'il la regardait, pensif. Elle lui sourit avant de s'éclipser. Elle emprunta l'escalier plutôt que l'ascenseur jusqu'à l'étage inférieur, et se dirigea vers la salle de bains du couloir où elle fourra perruque, fausse dentition et lentilles dans son sac. Puis, l'air décidé, la n° 9 sortit du palais de justice. Ni vue ni connue.

– J'aurais besoin de rencontrer la psychologue.

– Désolée, elle n'est pas libre.

– Oh, pas tout de suite, précisa Anne Lenoir. J'aimerais prendre rendez-vous avec elle. Si c'était possible, le mardi, après 17 h, ajouta-t-elle, fébrile devant son fol espoir.

– On a déjà quelqu'un de 17 à 18 h.

«Ça, je le sais déjà», eut-elle envie de dire.

Les yeux rivés sur son écran d'ordinateur, l'assistante semblait chercher une solution. Le temps s'éternisa pour Anne qui ne se sentait pas patiente.

– Il y a bien quelqu'un qui vient à l'occasion, tout de suite après ce rendez-vous…, enchaîna, incertaine, la dame au comptoir. Désolée, je vais devoir m'informer auprès de madame Sauvé. Vous me laissez vos coordonnées?

Au moment où Anne Lenoir, déçue, passait la porte, l'assistante proposa une autre solution:

– Attendez… Je pourrais vous offrir le vendredi, de 18 à 19 h. C'est le seul soir de la semaine où madame Sauvé n'est pas prise à cette heure. Elle ne sera peut-être pas très heureuse de ça. Vous savez, le vendredi soir… Je lui expliquerai que c'est temporaire en attendant qu'il y ait de la place le mardi comme vous le désirez, ajouta-t-elle avec un sourire complice.

Maurice Richard

Greffier :   Monsieur Maurice Richard est appelé à la barre.

Emma reconnut le voisin immédiat de Carmen Lopez. Visiblement nerveux, il s'approcha et s'identifia. Sa main trembla sur la Bible.

Mᵉ Sawyer :   Que faites-vous dans la vie, monsieur Richard ?

Richard :   Je suis retraité.

Mᵉ Sawyer :   Et avant de l'être ?

Richard :   Ah, j'étais mécanicien.

Mᵉ Sawyer :   Vous pouvez raconter à la Cour ce que vous avez vu le soir du 7 mars dernier ?

Richard :   Je me berçais en lisant devant la fenêtre, puis j'ai entendu un bruit de moteur inhabituel.

Mᵉ Sawyer :   C'est-à-dire ?

Richard :   Comme un moteur qui tourne trop vite.

Mᵉ Sawyer :   Comme si quelqu'un était pressé de partir ?

Richard :   Ça ressemblait à ça.

Mᵉ Sawyer :   Vous vous souvenez de l'heure qu'il était ?

Richard :   Comme je l'ai dit aux policiers, je ne regarde plus l'heure depuis que je suis retraité. Mais je peux dire que ça s'est passé vers l'heure du souper.

Me Sawyer :	Qu'avez-vous vu ensuite ?
Richard :	Une voiture...
Me Sawyer :	Quelle marque de voiture ?
Richard :	Une Fiat 500. Vous savez, le nouveau modèle...
Me Sawyer :	En tant que mécanicien, il est peu probable que vous vous trompiez sur les marques de voitures.

L'avocat prit une légère pause et regarda en direction du jury, s'assurant ainsi que ses membres avaient bien enregistré son affirmation.

Me Sawyer :	Vous avez vu la couleur de l'auto ?
Richard :	Elle était pâle. Vous savez, une de ces nouvelles couleurs pastel...
Me Sawyer :	Merci, monsieur Richard.
Juge :	Maître Hébert, le témoin est à vous.

L'avocat de la défense se dirigea vers le voisin.

Me Hébert :	Vous pourriez dire à quelle vitesse roulait cette voiture ?
Richard :	Ah, pas très vite, en fait. C'est le moteur qui...
Me Hébert :	Vous avez ainsi pu juger de sa couleur ?
Richard :	C'est ça, maître.

Pendant le témoignage, Anne Lenoir avait observé Laurent Miller en songeant à la deuxième partie de son plan qui n'attendait que son feu vert pour se mettre en branle. Juste d'y penser, elle frémit.

Enfermée dans un cabinet de toilette, elle enleva sa perruque et sa prothèse et se passa une main dans les cheveux. Elle se dirigea ensuite du côté du lavabo et se rinça la bouche. Examinant son reflet dans le miroir, elle jugea qu'elle était beaucoup plus jolie avec ses artifices. Mais il y avait plus important. Elle se sourit à elle-même.

— Le cirque ne fait que commencer, maître Miller! dit-elle tout haut.

Ω

Il était tard. Le garage souterrain était désert. Il appela l'ascenseur. S'y engouffra. Tambourina le mur de côté tandis qu'il montait. Et poussa un soupir lorsque les portes s'ouvrirent enfin. Laurent Miller avait toujours exécré les ascenseurs. Les bureaux étaient plongés dans la noirceur. Il marcha jusqu'à la porte du sien et inséra la clé dans la serrure.

Il se dirigeait vers le placard lorsqu'une enveloppe brune déposée sur sa table de travail attira son attention. Anonyme. Interdit, l'avocat la fixa en même temps qu'un frisson glacé parcourait son échine. Tendant la main vers elle, il eut un pressentiment. Des visages défilèrent derrière ses paupières. Certains, dangereux.

Les sens en alerte, il décacheta l'enveloppe. Un CD. Enveloppé d'une feuille de papier où était écrit un seul mot: «AGRESSEUR». Son intuition ne l'avait pas trompé. Les mains moites, il inséra le disque dans son ordinateur. Un air entendu il y a longtemps, mais dans une version piano, envahit la pièce. *O-o-h Child.* Pendant que la chanson jouait, il regarda de nouveau à l'intérieur de l'enveloppe et y trouva un autre papier. Plié en quatre, celui-là.

Un jour, tout deviendra plus simple
Et tout nous semblera plus clair
Un jour, on mettra tout ça ensemble et on fera ce qu'il faut faire
Et lorsque le monde deviendra lumière, on marchera enfin vers le soleil
Et tout nous paraîtra plus clair
Pour l'instant, voyons comment on réglera ça…
Maintenant

Les paroles, traduites en français.

Lorsque son bureau redevint silencieux, Miller s'adossa à sa chaise et fixa le vide. *O-o-h Child...* Une chanson sur les enfants maltraités...

Toujours immobile, il réfléchit. Parmi les visages dangereux, un se fraya un chemin derrière ses yeux. Solveig. L'estomac noué, il saisit le disque et le fourra dans la poche de son manteau.

Laurent Miller

« L'avocat, Laurent Miller, témoignera ce matin au procès de sa femme »

Emma devait avouer qu'elle était aussi fébrile que le journaliste qui avait écrit l'article.

Greffier :   Laurent Miller est appelé à la barre.

L'avocat se leva, boutonna son veston et marcha d'un pas altier jusqu'à la barre. Il déclina son identité et, lorsqu'il jura sur la Bible, Anne se mordit la lèvre pour ne pas hurler.

Me Sawyer :   Monsieur Miller, vous êtes marié à madame Adèle Granger depuis longtemps ?

Miller :   Si je compte bien, vingt-trois ans dans quelques mois.

Me Sawyer :   Vous diriez que c'est un bon mariage ?

Miller :   Jusqu'à il y a cinq ans, oui. Après, elle a changé en devenant plus distante et indifférente. C'est ça… indifférente.

Me Sawyer :   Monsieur Miller, qui était Carmen Lopez pour vous ?

Miller :   Le genre de femme qu'on ne veut pas laisser partir.

L'avocat évita le regard de sa femme qui, elle, le dévisageait.

Me Sawyer :   Elle vous a déjà dit avoir peur de quelque chose ou de quelqu'un ?

Miller lissa sa cravate et prit tout son temps avant de répondre. Pendant qu'il le faisait, il promena un regard discret sur l'assistance, cherchant Solveig qu'il imaginait cachée dans la dernière rangée. Elle n'y était pas. Il retrouva son assurance.

Miller :   Elle trouvait difficile de côtoyer Adèle… ma femme. Celle-ci l'avait d'ailleurs rabrouée à quelques reprises alors qu'elle se trouvait à la galerie, selon les dires de Carmen.

Me Hébert :   Objection! On ne peut pas admettre des paroles dites par la victime.

Juge :   Retenue.

Me Sawyer :   Vous aviez accès à l'ordinateur de votre épouse?

Miller :   C'était sa chasse gardée.

Me Sawyer :   Vous n'avez jamais eu envie d'y jeter un coup d'œil?

Miller :   Je le savais blindé d'un mot de passe. De toute manière, ce n'étaient pas mes affaires.

Me Sawyer :   Vous n'avez donc jamais vu la photo massacrée?

Miller :   Je n'ai pas eu cette chance.

Me Sawyer :   Vous n'avez pas pu non plus lire son journal?

Miller :   Si j'avais su ce qu'elle écrivait, je lui aurais demandé des explications.

Me Sawyer :   Ah bon. Selon ce journal, c'est plutôt elle qui vous en a demandé, non?

Une veine avait sailli sur la tempe du témoin, Anne la voyait bien. L'homme devenait nerveux, ce qui la réjouissait.

Miller :   Tout ce qu'elle voulait, c'était me déposséder.

Le procureur de la Couronne faisait des allers-retours entre la barre des témoins et le box du jury.

Me Sawyer :   Vous pouvez nous parler du… tempérament de votre épouse?

L'avocat leva les yeux au ciel.

Miller :   C'est une femme assez… froide, je dois le dire.

Mᵉ Sawyer :   Vous pouvez préciser ?

Miller :   En fait, elle s'est éloignée de moi depuis un moment. C'est pourquoi j'ai été… séduit par Carmen.

Anne se raidit sur sa chaise. Et puis quoi encore ? Il voulait inspirer la pitié, maintenant !

Mᵉ Sawyer :   Vous en avez parlé avec elle ?

Miller :   À plusieurs reprises.

Cet homme était vil, mesquin et menteur, ça sautait au visage ! se dit Anne.

Mᵉ Sawyer :   Est-elle devenue violente ? En paroles, par exemple ?

Mᵉ Hébert :   Votre Honneur, je demanderais un caucus.

Réunis devant la table du juge, les avocats discutèrent un moment, puis le magistrat demanda au jury de se retirer, le temps de faire le point avec les avocats.

Les jurés avaient conservé la même place autour de la table, dans la salle qui leur était réservée. Le changement faisait peur, alors que le *statu quo* était rassurant, surtout dans des circonstances comme celles qu'ils vivaient, songea Anne.

Le n° 5 fit valoir que le mari lui semblait crédible, tandis que la n° 4 déclara haut et fort qu'elle le trouvait chiant. Anne pensa qu'il ne lui serait peut-être pas si facile de modifier les croyances des uns et de venir à bout de l'entêtement des autres.

— C'est naturel que sa femme veuille divorcer et le déposséder après ce qu'il lui a fait subir, ajouta la n° 4.

— Y est toujours question d'argent avec les femmes ! lança le n° 5.

— Hé ! doucement, monsieur.

Un silence s'installa.

– Mettons-nous à la place de la pauvre femme qui n'a peut-être voulu que s'expliquer avec la victime, commença Anne pour adoucir l'atmosphère. Lui demander de quitter son mari et les laisser vivre leur vie tranquillement.

– Et c'est à ce moment-là qu'elle a perdu son bracelet, renchérit la n° 4. Je vois mal la maîtresse rappeler la femme pour le lui remettre.

– Ça, c'est si elle le portait, précisa Anne. Elle ne s'en souvient pas.

– Ou elle veut pas s'en souvenir, décocha le n° 5.

Anne constatait de plus en plus que la n° 4 était de son côté, alors que le n° 5 s'avérait contrariant. Il lui en restait donc dix à convaincre, dont le rigide n° 8. Elle promena son regard sur les autres jurés et se dit que la plupart devaient espérer que l'aventure ne se prolongerait pas trop. C'était bien pour elle : il serait plus facile de les rallier.

– Que faites-vous de la photo massacrée trouvée dans l'auto ? demanda le n° 10 en attaquant une carotte sans ménagement.

Anne, qui ne supportait pas ce bruit, soupira tout haut.

– C'est certain qu'Adèle Granger ne devait pas porter Carmen Lopez dans son cœur, mais peut-on la blâmer ? Se venger sur une photo, c'est une réaction typiquement féminine. De là à la tuer…

– Je suis assez d'accord avec elle… Au fait, quel est votre nom ? dit la n° 4.

La question prit Anne au dépourvu.

– Anne. Et vous ?

– Manon. Manon Bélanger. Je disais donc que j'étais d'accord avec Anne. C'est rare qu'une femme se rende au bout de sa folie, elle va plutôt demander des explications comme l'accusée l'a sans doute fait.

L'ingénieur prenait des notes, les yeux rivés sur son carnet. Lorsqu'il les leva, ce fut pour livrer une impression.

– Mesdames, la folie n'appartient pas seulement aux hommes.

Anne se surprenait que cet homme, en apparence rationnel, ne s'offusque pas du fait que tout le monde commentait à propos du procès, et ce, malgré l'interdiction de le faire. Au fond, peut-être ne l'était-il pas vraiment. Ce qui donna des ailes à Anne.

On rappela le jury.

Greffier :   Le témoin, Laurent Miller, est libéré pour aujourd'hui.

On entendit la réprobation du public.

Laurent Miller se rassit et inspecta le jury. Son instinct prédateur s'attarda en particulier sur les trois femmes plutôt que sur les neuf hommes qui le composaient. La n° 6, une fille plutôt jeune, avait l'air de s'ennuyer royalement. Tout ce qu'elle souhaiterait, à l'issue du procès, ce serait condamner Adèle pour s'en retourner à sa vie étudiante ou à son travail routinier. Pour sa part, la n° 4, une femme entre deux âges, attentive depuis le début de l'audience, prenait des notes lorsqu'il le fallait et semblait s'intéresser aux témoins comme aux experts. La parfaite candidate jurée qu'il aurait lui-même choisie s'il avait eu à le faire.

Quant à la n° 9, ah ! celle-là était plus énigmatique. Blonde aux yeux bleus, grande et mince, féminine et attirante. Au contraire de la précédente, elle écrivait rarement sur son bloc-notes, et paraissait parfois se moquer de ce qui se passait, comme si elle était enfermée dans une bulle. D'expérience, il savait que ce genre de juré pouvait s'avérer dangereux pour la défense. Sans opinion arrêtée, il se ralliait souvent à la majorité durant les délibérations. Et comme les preuves contre sa femme étaient accablantes, le verdict irait vraisemblablement dans le sens de la culpabilité. N'empêche, il trouverait bien le moyen de la revoir après le procès. Il fallait bien remplacer Carmen.

Experts

C'était le jour des experts. Le neurologue qui avait soigné Adèle Granger durant son coma s'amena à la barre d'un pas lent, en raclant ses semelles sur le sol.

Mᵉ Sawyer : Docteur Léveillé, vous avez soigné l'accusée durant son coma ?

Dʳ Léveillé : En effet.

Mᵉ Sawyer : Pouvez-vous expliquer à la Cour ce qu'est le coma ?

Dʳ Léveillé : On évalue un coma sur une échelle de trois à quinze. Trois étant le coma le plus profond et quinze, la conscience totale. Soit comme vous et moi.

Mᵉ Sawyer : Qu'en était-il de madame Granger ?

Dʳ Léveillé : La première fois, le coma était de quatre ou cinq, soit presque le plus profond. Lorsqu'elle est retombée, il était de l'ordre de dix, donc plus superficiel.

Mᵉ Sawyer : Est-il fréquent qu'une personne perde la mémoire lorsqu'elle se réveille d'un coma ?

Dʳ Léveillé : C'est assez usuel.

Mᵉ Sawyer : Expliquez-nous.

Dʳ Léveillé : Le cerveau est un organe complexe. Lorsqu'il est frappé physiquement ou psychologiquement, il se rebelle ou se referme, si vous voulez. Le temps qu'il guérisse.

Me Sawyer : Arrive-t-il que la mémoire ne revienne jamais?

Dr Léveillé : Oui, c'est possible.

Me Sawyer : Si elle revient, c'est rapide comme processus?

Dr Léveillé : On parle de cas par cas.

Me Sawyer : Qu'en est-il de l'accusée?

Dr Léveillé : À son réveil, madame Granger a souffert d'amnésie partielle. C'est-à-dire que les heures qui ont précédé le choc ne faisaient plus partie de ses souvenirs.

Me Sawyer : Elle pouvait donc se rappeler sa vie entière avant ça?

Dr Léveillé : Il semble que ça ait été le cas, en effet.

Me Sawyer : Lorsque votre patiente a commencé à parler, elle était cohérente?

Dr Léveillé : Elle s'est dédite à quelques reprises.

Me Sawyer : Vous parlez de mensonges, ici?

Me Hébert : Objection!

Me Sawyer : Quelle différence entre se dédire et mentir?

On libéra les jurés pour le lunch. Plutôt que de sortir, accompagnés par des gardes, ils décidèrent de demeurer dans leur salle, où on leur apporterait à manger.

— Vous pensez qu'elle a menti? dit le n° 1.

— Comme le neurologue l'a précisé, le cerveau a subi un choc. C'est normal qu'elle se soit un peu mêlée, répondit Anne.

Le n° 10 ouvrit un Ziploc et en sortit une carotte. Le bruit des dents sur le légume fit frémir Anne de tout son corps. Devant l'indiscrétion du geste désinvolte et sonore, son propre cerveau voulait lui aussi se révolter.

– Je dirais la même chose, renchérit Manon Bélanger. J'ai déjà entendu que l'amnésie partielle faisait parfois dire les choses à l'envers.

En définitive, la n° 4 risquait de l'aider plus qu'elle ne l'avait imaginé, songea Anne qui se tourna vers le n° 10, lequel engouffrait carottes et céleris avec toujours autant d'ardeur. Elle rêva de l'étouffer avec.

– Pis, elle a menti quand même, rétorqua le n° 5.

– Et vous, n° 8, qu'en pensez-vous? dit Anne qui se sentait devenir folle. Au fait, on ne connaît pas votre nom.

– Rien, pour l'instant. J'ai besoin de temps pour analyser.

Anne l'aurait juré. L'ingénieur dédaignait même dire son nom. Il lui serait difficile de le faire parler, celui-là.

Le dîner arriva enfin. Anne en fut soulagée, manger la distrairait des bruits incongrus.

L'audience reprit à 13 h 30.

Mᵉ Hébert : Docteur Léveillé, est-il habituel de se dédire, comme vous l'avez dit plus tôt, lorsque le cerveau fait des siennes?

Dʳ Léveillé : C'est rare.

Mᵉ Hébert : Mais c'est possible?

Dʳ Léveillé : Les chances sont minces.

Mᵉ Hébert : J'insiste. C'est une possibilité?

Dʳ Léveillé : Oui.

Mᵉ Hébert : Je n'ai pas d'autre question.

Anne remercia l'avocat dans sa tête pendant que le procureur de la Couronne s'avançait et parlait tout juste assez haut pour être entendu du jury.

Mᵉ Sawyer : Comme je le disais, on a affaire à du mensonge, ici.

Greffier : Hugues Francœur est appelé à la barre.

Avec sa chevelure et sa moustache hirsutes, Anne compara volontiers le psychologue à Einstein.

Mᵉ Sawyer : Vous avez rencontré Adèle Granger à plusieurs reprises ?

Francœur : En effet.

Mᵉ Sawyer : Comment la décririez-vous ?

Francœur : Déroutante.

Mᵉ Sawyer : Dans quel sens ?

Francœur : Certains jours, ça allait bien. D'autres fois, elle s'emmêlait.

Mᵉ Sawyer : Vous doutiez de ce qu'elle vous racontait ?

Francœur : Il fallait que j'approfondisse.

Mᵉ Sawyer : Si je comprends bien, ses propos vous semblaient décousus ?

Francœur : Elle était difficile à cerner.

Mᵉ Sawyer : Donc, elle inventait des histoires, c'est ce que vous voulez dire ?

Francœur : Je l'ai cru, oui.

Mᵉ Sawyer : Vous êtes allé valider avec quelqu'un ?

Francœur : Avec le docteur Léveillé, son neurologue, qui a confirmé que l'amnésie n'était pas tout à fait guérie.

Mᵉ Sawyer : Ça lui donnait le droit de raconter des balivernes ?

Mᵉ Hébert : Objection !

L'interrogatoire de Hugues Francœur se poursuivit sur la même note. Le psychologue semblait dérouté par cette cliente qui s'était balancée de gauche à droite, au gré du vent. Maître Hébert slaloma entre les balises du thérapeute, sans toutefois en tirer quoi que ce soit de satisfaisant.

Ω

N'y tenant plus, Laurent Miller chercha les coordonnées de Solveig Blanchet par l'intermédiaire de Canada 411. N'étant pas commun, le prénom serait facile à trouver, pensa-t-il. Mais il n'y était pas. L'avocat poussa la recherche en fouillant partout où il le pouvait, des médias sociaux aux sites de recherche sur Internet, jusqu'aux énormes annuaires classés dans la bibliothèque de l'étude. Il prit même la peine d'appeler l'ancienne firme où la jeune femme travaillait la dernière fois qu'il l'avait vue, afin de vérifier si elle y était encore. En vain. Solveig s'était volatilisée ou avait émigré. Inutile alors de s'en faire davantage avec cette fille, lui dictait une voix qu'il n'arrivait pas à croire.

Mais alors qui d'autre avait bien pu lui envoyer ce colis menaçant? Quelqu'un voulait le faire chanter, et le message véhiculé par la chanson *O-o-h Child* était on ne peut plus clair… Par acquit de conscience, il se remémora ses maîtresses, qu'il compta sur ses doigts – neuf; Carmen avait donc été la neuvième. Et finit par les éliminer toutes. Seule Solveig était capable d'un coup pareil. Pourtant, le visage d'Adèle s'imposa. Et si c'était une blague de mauvais goût de la part de sa femme? Impossible dans sa situation, songea-t-il. À moins qu'elle n'ait tout manigancé à l'avance et qu'un complice ne s'amuse de lui?

L'avocat ouvrit une chemise et tenta de mémoriser ses notes pour son procès du lendemain, mais ses pensées s'évertuaient à l'amener bien au-delà.

Ω

Comme tous les soirs, la marijuana la rasséréna. Elle était sa soupape, son échappatoire, et lui avait permis de tenir bon et de ne pas tomber dans la déchéance. L'idée d'arrêter effleurait bien son esprit de temps à autre, mais l'envie de la retrouver était devenue trop forte. Et puis, elle ne faisait de mal à personne, pas plus qu'à elle-même, jugea-t-elle en tirant une autre bouffée. Le lendemain était un jour important, se dit Anne Lenoir en levant son joint vers le plafond. Elle verrait Estelle Sauvé pour la première fois.

Ω

Il était minuit passé à Londres, mais elle savait son père couche-tard.

— Je te dérange ?

— *No, no. So, what's new ?* répondit Charles Clarke.

— Avec le procès, on cerne mieux le vrai visage des gens.

— *It's life.*

— Je sais. Le mari de l'accusée et aussi son patron ne me laissent pas en paix. Mes doutes perdurent.

— Je vis souvent la même chose avec mes victimes.

— *Tes* victimes, wow !

— Dis-moi que les tiennes ne t'appartiennent pas.

C'est vrai qu'elle se les appropriait. Son père la connaissait trop bien. Carmen Lopez occupait ses pensées nuit et jour. Une femme jalouse avait vu rouge et, voilà, le mal était fait. Pourquoi alors Miller et Dubeau lui paraissaient-ils encore suspects ?

— De ton côté, rien de neuf ?

— Mystère et boule de gomme ! Le petit William s'est évaporé, *pfft*…

Ils discutèrent encore quelques minutes, avant que Charles Clarke décide d'aller dormir.

Psychiatres

Le psychiatre, Jean Paré, se présenta à la barre.

Me Sawyer : Alors, docteur, vous avez traité l'accusée ?

Dr Paré : Avec le docteur Jacques Lebel, mon collègue.

Me Sawyer : Le traitement a été long ?

Dr Paré : Il a duré au moins dix semaines.

Me Sawyer : Elle a dû prendre des médicaments durant cette période ?

Dr Paré : Quelques-uns, dont celui qu'elle prenait déjà avant l'accident.

Me Sawyer : Lequel ?

Dr Paré : Le Prozac, un antidépresseur.

Voilà, les femmes qui côtoyaient Miller avaient toutes besoin de pilules pour lui survivre, se dit Anne.

Me Sawyer : Elle en prenait depuis longtemps ?

Dr Paré : Madame Granger nous a dit consommer des antidépresseurs depuis une lourde dépression. Elle venait de changer celui qu'elle prenait depuis quelque temps pour le Prozac.

Me Sawyer : Le Prozac soigne exclusivement les symptômes de la dépression ?

Dr Paré : Ainsi que les troubles obsessionnels compulsifs, communément appelés TOC.

Emma sursauta. Tout compter faisait partie d'elle. Sa manie était sa façon de demeurer concentrée lorsque c'était nécessaire. Jamais n'avait-elle parlé de son habitude à personne, et elle songea que, non, elle n'avait pas l'intention de prendre un médicament pour la contrôler.

Mᵉ Sawyer : Ce médicament peut-il exacerber la colère ou provoquer des accès de violence ?

Dʳ Paré : Il arrive que son administration génère une certaine nervosité, voire un épisode de surexcitation.

Mᵉ Sawyer : Qui peut mener à de la violence…

Mᵉ Hébert : Objection ! Il ne faudrait pas mettre des mots dans la bouche du spécialiste.

Juge : Retenue. Maître Sawyer…

Mᵉ Sawyer : Donc, après ce traitement, vous avez évalué votre patiente ?

Dʳ Paré : Toujours en compagnie de mon collègue, le docteur Jacques Lebel, ainsi que de son neurologue et de son psychologue.

Mᵉ Sawyer : Vous avez conclu qu'elle était apte à subir son procès ?

Dʳ Paré : Après une consultation assez longue, je dois le dire.

Mᵉ Sawyer : Sur quelle base l'avez-vous fait ?

Dʳ Paré : Madame Granger répondait bien aux questions et nous a raconté la même version des événements à quelques reprises.

Mᵉ Sawyer : Ce qui prouvait qu'elle était en forme sur le plan cérébral ?

Dʳ Paré : En effet.

Mᵉ Sawyer : Pas d'autre question, merci.

L'avocat de la défense se leva en faisant voler sa toge et se dirigea vers le médecin, l'air presque menaçant. Anne était tout ouïe, n'espérant qu'une destruction des déductions du psychiatre.

Mᵉ Hébert : Comment savoir de manière certaine qu'une personne est tout à fait remise de l'amnésie?

Dʳ Paré : Comme je l'ai dit, madame Granger était cohérente et affirmative, alors qu'elle ne l'avait pas été après son réveil du coma. De plus, les tests cérébraux nous donnaient le feu vert.

Mᵉ Hébert : Ma cliente vous a-t-elle relaté que la victime était vivante au moment où elle est allée chez elle pour s'expliquer?

Dʳ Paré : Durant son traitement, elle avait affirmé que la victime était morte lorsqu'elle était arrivée. Plus tard, à quelques reprises, elle s'est ravisée et a soutenu le contraire.

Mᵉ Hébert : Vous et vos confrères n'avez donc pas douté de son témoignage?

Dʳ Paré : Puisque nous avons donné notre aval, non.

Mᵉ Hébert : Merci, docteur.

Le procureur de la Couronne se leva et se racla la gorge.

Mᵉ Sawyer : L'accusée a tout de même raconté certains faits qu'elle a démentis par la suite, non?

Dʳ Paré : Vous avez raison. Cependant, sa rectification nous a amenés à conclure qu'elle était apte à être jugée.

Mᵉ Sawyer : N'empêche, elle a menti à plusieurs reprises.

Sur ces mots, le procureur regagna son siège. Il insistait sur l'éventuelle mauvaise foi de l'accusée. Si elle l'avait pu, Anne aurait battu ce prétentieux. Ses doigts se frottèrent les uns sur les autres sous l'effet de la contrariété.

On appela le deuxième psychiatre, qui jura, lui aussi.

Mᵉ Sawyer :   Docteur Lebel, votre collègue, le docteur Paré, a raconté qu'après consultation entre vous et le psychologue de madame Granger, il a été décidé qu'elle s'avérait en forme sur le plan cérébral, donc apte à subir son procès. Vous corroborez ses dires ?

Dʳ Lebel :   Absolument.

Mᵉ Sawyer :   Y a-t-il eu d'autres signes qui vous ont fait hésiter avant d'arriver à la conclusion que madame Granger était prête à subir un procès ?

Dʳ Lebel :   Nous nous sommes assurés que notre patiente ne se dédisait plus durant un temps assez long pour être certains de notre jugement.

Mᵉ Sawyer :   Comment avez-vous trouvé l'accusée tout au long du traitement ?

Dʳ Lebel :   Étrangement calme.

Mᵉ Sawyer : Pas d'autre question.

Le procureur de la Couronne retourna vers son siège. L'avocat de la défense s'avança.

Mᵉ Hébert :   Docteur Lebel, vous auriez préféré que madame Granger soit anxieuse ?

Dʳ Lebel :   Ce n'est pas ce que j'ai dit.

Mᵉ Hébert :   Le mot «étrangement» a été utilisé… comme si elle n'aurait pas dû être calme.

Le psychiatre eut l'air décontenancé. L'avocat se dirigea vers le jury et s'appuya sur la rambarde.

Mᵉ Hébert :   Lorsqu'on a rien à se reprocher, pourquoi s'énerver ?

La journée était terminée. Le jury regagna sa salle.

— Je ne suis pas certaine que l'accusée soit à l'aise dans tout ça, ne put s'empêcher de dire Anne.

— Le mensonge est souvent évoqué, dit Manon Bélanger.

Craignant que la n° 4 ne se ravise, Anne tenta de rectifier la situation :

– Il faut se mettre dans sa peau. Elle a eu peur de ne pas être crédible aux yeux des médecins. Mais quand elle a vu que le fait de dire la vérité était la meilleure chose à faire, elle n'a pas hésité.

Le n° 8 leva la tête et enleva ses lunettes.

– Toute vérité est toujours bonne à dire, déclara-t-il seulement.

Ω

– Tout se passe comme vous voulez, Emma ?

– Le procès est bien entamé, mais, à mon avis, il est loin d'être terminé. Les avocats se relancent la balle sans arrêt.

– Ce n'est pas toujours leur façon de faire ?

– C'est particulier ici. L'accusée a été comateuse puis amnésique par la suite.

– Et aujourd'hui ?

– Les médecins ont jugé qu'elle était apte à subir son procès.

Madame Estelle avança la main vers la carafe d'eau.

– Vous en voulez ?

– Je veux bien, merci.

– Au début de la thérapie, vous m'aviez parlé d'une expérience troublante que vous avez vécue… vous voulez y revenir ?

Emma s'attendait à tout sauf à cela.

– Je ne suis pas encore prête.

– Comme vous voudrez.

La psychologue respectait son rythme. Emma lui en était reconnaissante.

– Vous êtes sur une nouvelle enquête ?

– Si on veut. En fait, c'est une prolongation de la dernière.

D'un simple regard, madame Estelle l'incita à continuer.

– Vous vous souvenez… Burn avait écrit « *patience* » ?

La thérapeute acquiesça.

– Par la suite, il a écrit « *instinct* ». Comme il est obligé d'écrire de la main gauche, le mot avait une drôle de forme. Je l'ai vu comme une obligation d'agir. Le mari me travaille encore. Je ne sais pas pourquoi, d'ailleurs. Et j'essaie de faire parler le patron galeriste. Je sens qu'il ne dit pas tout. Une intuition. Je sais que le doute fait partie de moi, mais je sens qu'il faut que j'aille jusqu'au bout avec ça.

– Je ne vous demande pas si vous avez trouvé quelque chose…

– Vous en avez le droit, l'interrompt Emma. Je n'ai rien de concret, mais s'il y a quelque chose à découvrir, je le trouverai.

L'air déterminé de la détective ne donnait à personne le droit d'en douter, pensa la thérapeute.

– Si on se penchait maintenant sur le « pourquoi ». Vous y avez songé ?

– Je ne fais que ça. Entre autres…

Anne constatait que la fausse dentition la dérangeait moins, que ses pupilles ne brûlaient plus sous les lentilles, mais qu'il faisait toujours aussi chaud sous la perruque. Elle se débarrassa de ses « leurres » – comme elle avait qualifié son déguisement – avant d'arriver à destination. La psychologue devait la connaître sous son vrai jour. À propos, qu'allait-elle lui raconter ? Elle n'y avait même pas songé. Elle réfléchit un instant. Simple, elle lui parlerait des femmes victimes d'hommes aussi retors que l'avocat manipulateur et menaçant, et lui dirait qu'à cause de l'un d'eux, sa vie avait été gâchée. Qu'elle rêvait d'arracher les yeux à tous ces agresseurs. Elle savait que son histoire tenait la route, car, de toute manière, c'est ce qu'elle ressentait.

Lorsque Emma sortit, une femme brune attendait son tour dans la salle d'attente. Celle-ci délaissa son journal et ne se gêna pas pour dévisager la policière. Emma l'ignora et se dirigea vers l'assistante assise au comptoir.

– Excusez-moi. Vous êtes bien la détective Emma Clarke ?

Emma, qui n'aimait pas se faire reconnaître, leva les yeux au ciel avant de se retourner.

– C'est que… vous êtes facilement reconnaissable, se justifia Anne qui avait senti le malaise.

Avec ses origines afro-britanniques, difficile de passer incognito, Emma n'y pouvait rien. Elle baissa la garde devant l'air affable de la femme.

– Je vous admire, vous savez. Être au cœur d'un dossier pas du tout évident avec…

Ah non ! se dit Emma. Elle n'avait jamais parlé d'une enquête en cours avec un inconnu, et surtout pas dans le bureau d'un psy !

– Vous croyez à la culpabilité de cette femme ? demanda Anne en montrant la photo d'Adèle Granger sur la page du journal.

Emma se contenta de la regarder.

– C'est curieux… j'aurais plutôt penché vers le mari.

Cette femme n'avait pas la langue dans sa poche, pensa la détective, mais elle était curieuse de l'entendre davantage.

– Pourquoi dites-vous ça ?

– C'est rare que l'épouse s'en prenne à la maîtresse. Qui nous dit que ce n'est pas le mari qui a tout manigancé pour que sa femme soit suspectée ?

Emma revint à l'assistante et sortit sa carte bancaire de son sac en se disant que, bien sûr, elle y avait pensé ! Mais il fallait se baser sur des indices clairs, sans équivoque, et non sur des suppositions. Après avoir tourné la question dans tous les sens, Elliot et elle avaient conclu que tout incriminait Adèle Granger.

– C'est mesquin de faire passer ses propres péchés sur le dos des autres, vous ne croyez pas ? Certains hommes sont champions à ce jeu-là. Mais, ça, vous devez le savoir…

La voix s'était faite doucereuse, et le regard, insistant.

Comme si elle avait voulu la sauver, madame Estelle s'adressa à la dame brune :

– C'est à vous.

Emma salua la femme brune qui semblait en avoir long à dire, et sortit dans l'air clément.

Anne Lenoir flottait lorsqu'elle passa la porte hermétique pour entrer dans le bureau de la psychologue. Ce qu'elle avait espéré pour le mardi se produisait le vendredi. C'était parfait, sauf que cela la laissait perplexe. La détective avait-elle changé de jour de thérapie ? Si c'était le cas, il lui faudrait négocier avec la thérapeute pour continuer à la voir le vendredi. Il était impératif qu'Emma Clarke la précède.

Alors qu'Emma marchait vers sa moto, les paroles de la femme poursuivaient. Celle-ci avait-elle de réels doutes sur l'innocence de Laurent Miller ou voulait-elle seulement qu'il soit coupable ? Et, d'ailleurs, pourquoi l'aurait-elle voulu ? Emma devait avouer que l'idée lui avait traversé l'esprit plus d'une fois.

De retour à la maison, elle continua de cogiter sur les péchés des hommes. La femme brune avait insinué qu'elle devait savoir que certains d'entre eux étaient des as en la matière. Emma vit la mâchoire carrée d'Elliot, et se mit au piano ; les notes de *O-o-h Child* s'imposèrent. Elle fredonna l'air, l'esprit ailleurs. Malgré ses certitudes, cette femme la forçait à réfléchir.

Ω

Une nouvelle enveloppe anonyme l'attendait. Tétanisé, Laurent Miller commença par la regarder d'un œil apeuré. On ne perdait pas de temps, songea-t-il. Deux envois en si peu de jours. Adossé à sa chaise, il hésita un long moment avant de saisir l'enveloppe et de la tâter. Enfin, il l'ouvrit et, sans surprise, découvrit un autre CD. Enveloppé, cette fois, d'une feuille de papier où était écrit : « JE REVIENS DE LOIN. »

Poussée d'adrénaline. Il lâcha le disque comme s'il était électrifié et se leva comme si les mots l'avaient propulsé de sa chaise. Il fit les cent pas et se força à respirer profondément pour tenter de se calmer. Son esprit s'embrouillait et devenait lucide, tour à tour. Une lucidité infaillible, qui faisait de lui l'avocat qu'il était, succédait à une brume envahissante qui balayait tous ses repères.

« JE REVIENS DE LOIN. »

C'était elle. Solveig. Il ne pouvait en être autrement.

Il aurait pourtant juré avoir pris toutes les précautions nécessaires. Il avait toujours été prudent. Il lui fallait contrer la menace qui devenait de plus en plus concrète. Où se cachait-elle donc? Malgré ses certitudes, une voix s'acharnait à lui murmurer : « Et si c'était quelqu'un d'autre? » Oui, mais qui? Un acolyte devenu dangereux? Non. Solveig était *la* responsable. À moins que... Adèle aussi l'avait menacé.

Laurent Miller

Laurent Miller revint devant la Cour.

Mᵉ Sawyer : La première fois que vous vous êtes présenté ici, votre témoignage s'est terminé de façon… disons… abrupte. Si nous parlions un peu plus de votre femme. Elle connaissait la victime ?

Miller : Adèle devait exposer ses œuvres à la galerie On aura tout vu ! où Carmen travaillait.

Mᵉ Sawyer : Qu'y faisait-elle ?

Miller : Elle était l'assistante du galeriste et propriétaire, Pierre Dubeau.

Mᵉ Sawyer : Elles n'étaient pas amies ?

Miller : J'en serais l'homme le plus surpris du monde.

Mᵉ Sawyer : On a lu dans son journal qu'elle vous avait suivi. C'est donc comme ça qu'elle a découvert votre… liaison.

Le procureur de la Couronne avait hésité devant son éminent confrère.

Miller : Je suis désolé qu'elle l'ait appris comme ça.

Comme si c'était la première fois qu'il trompait sa femme ! Non seulement Anne le sentait volage, mais elle avait bien vu comment il l'avait regardée, elle, une jurée, à peine une minute auparavant. Elle fulminait. La perfidie de cet homme la faisait sortir de ses gonds.

Mᵉ Sawyer :   Ses paroles étaient virulentes dans ce journal. La pensiez-vous capable d'écrire ou de penser faire de telles… ignominies ?

Mᵉ Hébert :   Objection, Votre Honneur ! Il ne faudrait pas prêter trop d'importance à ce journal. L'accusée était blessée, même furieuse au moment où elle l'a écrit.

Juge :   Retenue. Allez-y mollo, maître Sawyer.

Mᵉ Sawyer :   Vous avez été surpris de lire ces lignes ?

Miller :   Je savais qu'elle pouvait… disons… s'emporter, mais à ce point…

Anne aurait hurlé.

Mᵉ Sawyer :   Mesdames et messieurs les jurés, il semblerait que oui.

L'avocat de la défense fit mine de se rebeller. Celui de la Couronne l'arrêta en levant la main.

Mᵉ Sawyer :   Pas d'autre question.

Pendant que le procureur de la Couronne retournait à sa place, avec l'air de celui qui a bien fait, l'avocat de la défense feuilletait ses notes avant de s'attaquer à Laurent Miller.

Mᵉ Hébert :   Si vous aviez été à sa place, les mots n'auraient pas dépassé votre pensée ?

Miller :   Je suis plutôt du genre… contenu.

Mᵉ Hébert :   On peut l'imaginer, oui…

L'avocat avait marmonné ces derniers mots. La réputation de ce confrère ne l'impressionnait visiblement pas.

Miller :   Pardon, je n'ai pas entendu…

Mᵉ Hébert :   Même dans une situation extrême ?

Miller :   Vous qualifiez cette situation d'extrême ?

Miller avait regardé la n° 9 en disant cela et lui avait même souri. Décidément, cette femme lui plaisait.

Des murmures s'élevèrent dans la salle. Le juge dut frapper le socle avec son maillet pour les faire cesser. La n° 9 eut envie de crier à Miller de se taire plutôt que de dire des sottises, et d'arrêter de tenter de la séduire avec des yeux qui ne mentaient pas. Elle n'en pouvait plus de son arrogance. Elle se rabattit sur l'accusée. À voir sa capacité à rester stoïque après cette allusion, Anne songea qu'Adèle devait être habituée à entendre les sarcasmes de son mari.

Quant à Emma, elle scrutait chaque expression de Miller, cherchait un signe qui aurait pu confirmer ses doutes. Son père lui aurait dit qu'elle s'acharnait. Et il aurait eu bien raison.

Me Hébert : Ne jouons pas sur les mots. N'importe qui aurait réagi comme madame Granger en pareille circonstance.

Miller : C'est à voir.

Juge : Je demanderais au témoin de ménager ses propos.

Miller : Excusez-moi, monsieur le juge, je tolère difficilement qu'on me dicte mes pensées et mes actions.

L'avocat de la défense semblait satisfait de ce qu'il venait de provoquer chez le témoin. Anne l'était tout autant, malgré un désir fou de le massacrer.

Me Hébert : Parlant d'actions... vous pouvez expliquer à la Cour votre emploi du temps ce jour-là?

Miller : Je suis allé à Québec. Lorsque je suis revenu, il y avait une tempête.

Me Hébert : De neige?

Miller : On était en mars... La route était glissante, j'ai mis un peu plus de temps pour arriver en ville. J'ai ensuite soupé avec un ami, à deux pas du bureau.

Me Hébert : Vous n'aviez pas rendez-vous avec Carmen Lopez, ce soir-là?

Miller :   On ne se voyait pas le mercredi. Et de toute
              manière, avec la neige…

Me Hébert :   Ah, parce que vous aviez des jours établis à
              l'avance…

Miller :   Il le fallait.

Me Hébert :   Et pourquoi donc ?

Miller :   Ce genre de… relation exige de la prudence, je ne
              vous apprends rien.

L'avocat de la défense retourna à ses notes, les feuilleta et revint
en force.

Me Hébert :   La photo saccagée, les propos acerbes du journal,
              tout ça relève d'une colère tout à fait légitime
              de la part d'une femme trompée. Si on parlait du
              bracelet trouvé sur les lieux. Dans son témoignage
              écrit, madame Granger dit qu'elle ne se souvient
              pas de l'avoir porté le jour du meurtre. De votre
              côté, vous avez dit aux détectives qu'elle s'en
              séparait rarement.

Miller :   C'est exact.

Me Hébert :   Admettons donc qu'elle ne le portait pas, il a
              tout de même abouti sur la table du salon de la
              victime…

Miller :   Je…

L'avocat leva la main comme pour le faire taire.

Me Hébert :   Ce n'était pas une question, monsieur Miller,
              seulement une réflexion.

L'avocat, doublement satisfait, prit le temps de regarder les jurés
les uns après les autres, laissant Laurent Miller pantelant.

Un, un ! se dit Anne. L'avocat d'Adèle Granger ne laissait rien
passer et lui donnait entière confiance. Tout ce qu'elle demandait,
c'était qu'il fonce maintenant sur le procureur de la Couronne avec
un rouleau compresseur. Elle jugea que c'était bien parti.

Durant cet échange musclé, la n° 9 avait promené son regard sur l'assistance et l'avait arrêté sur Laurent Miller. L'attitude trop assurée, le port de tête altier, la moue dédaigneuse, les regards séducteurs qu'il lui lançait, tout cela le rendait imbuvable et lui confirmait encore plus qu'elle faisait ce qu'il fallait.

Anne s'était ensuite tournée vers l'accusée et avait décrété que son plan était plus que justifié. Une haine féroce avait pris naissance dans son ventre, là où son enfant aurait dû grandir.

Le jury se retira dans sa salle après que le juge eut invité les avocats à le suivre dans son bureau.

Ignorant le n° 8, Anne Lenoir se lança :

– Il y a quelqu'un parmi vous qui prend le temps d'observer l'attitude du mari de l'accusée ? Il pourrait être plus empathique vis-à-vis de sa femme, au lieu de l'ignorer. Vous ne trouvez pas ?

La plupart des jurés hochèrent positivement la tête, tandis que le n° 8 continuait d'écrire dans son carnet.

– Si y avait une maîtresse, c'est parce que sa femme l'intéressait pus, répliqua le n° 5.

Anne vit rouge.

– J'ai une copine qui s'est fait jouer par un tyran qui dictait sa loi sans se soucier des autres, se rebiffa-t-elle. Un sadique qui obligeait sa maîtresse du moment à se faire avorter si elle était enceinte.

– Vous en avez vraiment après lui, laissa tomber le n° 8.

L'ingénieur réagissait enfin. Le défi commençait.

– Je n'ai aucune confiance en lui. Son comportement, ses paroles...

– Que faites-vous des preuves qui incriminent sans grand doute Adèle Granger ?

– Preuves qui accablent la pauvre femme, intervint un des autres jurés.

– Qui nous dit que ce n'est pas Miller qui a déposé le bracelet de sa femme chez sa maîtresse ? suggéra Anne.

Ω

Alors qu'Emma arrivait au QG en fin d'après-midi, Elliot l'intercepta.

– Comment a été notre ami l'avocat pendant son témoignage?

– Égal à lui-même. N'empêche, l'avocat de la défense ne s'en laisse pas imposer.

– L'avocat veut semer le doute.

– Et il le fait bien.

– J'aimerais bien être présent, mais mon affaire ne me laisse pas beaucoup de répit.

– Ça avance?

Elliot se passa la main dans les cheveux. Ils lui semblaient plus longs tout à coup, songea Emma. Ce qui lui allait encore mieux.

– Des histoires de gangs, ça finit toujours dans un bain de sang.

– Tu as une idée de qui a fait le coup?

– On cherche encore.

– Tu auras peut-être la chance de trouver. Comme le juge Lecours sera pris ailleurs, on n'a pas su pourquoi d'ailleurs, le procès reprendra seulement la semaine prochaine.

– Et puis, Clarke, on s'occupe en jouant à la grenouille de salle d'audience?

L'inspecteur-chef venait d'apparaître dans le cadre de porte, avec toujours le même air suffisant. Emma se retint d'exploser.

– «Bénitier»... On dit «grenouille de bénitier». Et, dans ce cas-ci, il n'y a rien de religieux.

– C'est ce que je voulais dire..., se reprit Dubois. Je parie que vous êtes prête à reprendre le collier.

Emma se tourna vers Elliot.

– Je pense qu'Elliot se débrouille très bien sans moi, avec ses brigands.

– Vous êtes censée être en vacances, mais vous êtes toujours ici.

– C'est plus fort que moi. Comme vous, j'ai aussi la SQ tatouée sur le cœur.

– Et mon mémoire ?

Je l'ai en travers de la gorge, ton fichu mémoire ! fulmina-t-elle intérieurement.

Ω

Anne Lenoir réentendit les paroles acerbes de Laurent Miller et revit Adèle Granger, seule dans son box, menottes aux poignets. La journée terminée, celle-ci avait été escortée hors de la salle d'audience, vers une porte réservée aux prisonniers. Anne tenta de l'imaginer dans sa cellule, assise sur le bord du mauvais lit, encore hébétée de ce qu'elle avait entendu.

Puis Anne repensa à sa vie. Un homme les avait tués, elle, le petit être dans son sein, et tous les autres qui auraient pu y faire leur nid. Bien sûr, elle s'était juré de recommencer, certaine qu'il lui serait possible de donner la vie un jour. Or, les médecins avaient eu raison, toutes ses tentatives avaient échoué.

Depuis des années, elle vivait donc recluse, emprisonnée dans son cœur et son âme, incapable d'envisager un avenir intéressant. Nul besoin de la véritable prison.

De plus, le procès ne reprendrait pas avant la semaine suivante. D'un geste rageur, elle arracha sa perruque.

Ω

Le même air jouait en boucle dans l'habitacle de la BMW. Depuis que Laurent Miller avait inséré le CD dans le lecteur, aussitôt qu'il lançait le moteur de sa voiture, les paroles inquiétantes chantées par la voix profonde de Louise Isackson se répercutaient dans l'habitacle. Malgré cela, il ne pouvait faire autrement que l'écouter.

Encore une fois, l'image de Solveig hanta son esprit. Comment avait-elle pu ainsi disparaître ? Cette question ne le laissait pas en paix. Elle l'obsédait même. L'avocat allait de supposition en supposition, n'arrivant à rien de concluant. Il massa son estomac qui faisait des siennes depuis la réception du premier fichu message : « AGRESSEUR. »

Puis, le visage froid d'Adèle, alors qu'elle le menaçait debout au milieu du salon, se matérialisa.

Au milieu de la nuit, un cauchemar le fit se réveiller en sursaut. Solveig le menaçait avec un couteau mince et effilé. Après lui avoir craché sa haine au visage, son propre faciès déformé à force de cruauté, elle s'approchait dangereusement. Acculé dans un coin, sans possibilité d'échapper à la fille devenue folle, il écarquillait les yeux, ouvrait la bouche et bavait. Au moment où elle se décidait à frapper, il se réveillait à bout de souffle et en nage, les mains à la gorge, paniqué.

Temps nébuleux

Arrivée devant le bureau de la psychologue, alors qu'elle était perdue dans ses pensées, Emma heurta presque la femme brune qui arrivait en sens inverse.

— Tiens, vous venez également le mardi? lança Anne, feignant la surprise.

— Vous aussi? dit Emma.

— J'ai un détail à régler avec l'assistante.

Emma la devança dans l'escalier.

— Vous croyez avoir fait inculper la bonne personne? demanda Anne aussitôt que la policière eut le dos tourné, la forçant à faire volte-face.

— Excusez-moi, je n'ai pas l'habitude de discuter d'une enquête avec...

— Elle est terminée, votre enquête, non?

Un silence s'installa pendant qu'Emma continuait de grimper l'escalier.

— Je ne voulais pas vous froisser, désolée, se reprit Anne. C'est juste qu'on ne voit pas souvent une femme commettre un crime violent.

— Ça arrive plus souvent que vous semblez le penser.

— J'ai une amie qui a été aux prises avec un type dans le genre de l'avocat. Quelqu'un de véreux...

Le ton se voulait revanchard et le regard, venimeux. Emma n'aurait su dire ce qui clochait chez cette femme. Peut-être une blessure profonde que son corps cherchait à expulser ou une forme de méchanceté qu'elle maîtrisait mal. Elle s'attarda sur ses doigts, qu'elle frottait les uns contre les autres de façon singulière. La femme les entrelaçait comme pour prier et les étirait ensuite jusqu'à ce que les jointures blanchissent. Chose certaine, le geste était inconscient chez elle, et Emma n'avait encore jamais vu personne le faire.

– Comment pouvez-vous en juger ? Vous le connaissez ?

– Je le connais à travers tous les autres. Ces hommes se ressemblent tous. Ils vous charment, vous gâtent, vous promettent mer et monde, et finissent par vous contrôler jusqu'à…

Du regard, Emma l'incita à continuer.

– La clinique d'avortement, cracha-t-elle.

Emma parut sceptique.

– Ils n'ont pas de scrupules, enchaîna Anne Lenoir, le visage défait par le ressentiment. Ils vous menacent si vous n'abdiquez pas.

– Quels genres de menaces ?

Anne planta son regard dans le sien.

– Les plus graves que vous pouvez imaginer.

Emma sursauta.

– Entre vous et moi, l'avocat… Il n'en était peut-être pas à sa première…

– Je viens de rencontrer une femme pour la deuxième fois. Elle est aussi votre cliente.

– Ici ?

– Au pied de votre escalier.

– Pourtant, je n'attends personne après vous.

– Elle m'a dit qu'elle venait voir votre assistante.

– Dommage pour elle, Julie n'est pas là aujourd'hui. Cette dame a donc dû rebrousser chemin. Vous vous êtes parlé ?

– Bah, c'est sans importance, dit Emma en levant une main.

Elles parlèrent ensuite du procès et du «pourquoi» qui n'avait pas encore trouvé son sens.

Ω

Cette deuxième rencontre était-elle un hasard? Une petite voix la fit douter un instant. Le sujet de l'avortement revenait un peu trop souvent dans cette affaire.

«Il n'en était peut-être pas à sa première...» Ces mots se répercutaient dans sa tête qui la faisait souffrir. Emma massa sa tempe. L'épicentre de la migraine indiquait clairement que le mal serait terrible si elle ne s'en occupait pas dans les cinq minutes. Elle avala deux comprimés de Fiorinal. Si tout allait bien, le mal serait non pas éradiqué, mais en voie de l'être, dans la demi-heure. Elle pencha le dossier de sa chaise, posa les pieds sur son bureau et ferma les yeux.

Une heure plus tard, elle roulait à fond de train vers Ahuntsic.

Appuyé sur Chelsea, le capitaine s'efforçait de faire quelques pas dans le jardin. Emma oublia sa migraine en constatant combien lui devait souffrir du manque d'autonomie. La pitié lui noua la gorge. Il était inconcevable qu'un homme si fier fût obligé de se soumettre à cette nouvelle réalité. Lorsqu'il l'aperçut, il lui fit un doigt d'honneur et afficha un sourire narquois qui eut plutôt l'air d'une grimace. Les yeux embués, Emma lui fit le plus beau des sourires.

– Vous permettez, dit-elle en sollicitant le bras de Burn.

Chelsea lui céda volontiers sa place. Cela ne devait pas être facile tous les jours de s'occuper d'un homme dont les capacités étaient tout à coup réduites.

– Je vous offre à boire, Emma? J'ai fait de la limonade.

– Avec plaisir, Chelsea. Merci.

Puis se tournant vers Burn:

– Vous faites des progrès. J'en suis ravie.

Il grommela un mot incompréhensible.

– Vous me manquez, vous savez. Sans vous au QG, c'est...

Les mots s'étranglèrent dans sa gorge. De peur de le laisser voir les émotions perceptibles sur son visage, elle évita de le regarder. Elle sentit son capitaine se raidir.

– Dubois ne change pas. Ça devient pénible, cette haine des femmes. Ou de moi, je ne sais pas. Vous croyez que je devrais me rebeller ?

C'était moins une question qu'une manière de se parler à elle-même pour évacuer le trop-plein.

– Un jour, j'y verrai.

Burn leva la tête et le pouce.

– Autrement, le procès est en marche. Les avocats se crêpent le chignon, comme toujours.

Il grogna de nouveau et s'assit péniblement. Emma admira sa résilience. En fait, l'était-il, résilient ? On sentait plutôt qu'il luttait à mort pour redevenir la personne qu'il avait été.

– Chez la psy, je rencontre une femme curieuse, dans les deux sens du terme, continua-t-elle. C'est difficile pour elle d'imaginer qu'un crime violent puisse être l'œuvre d'une femme, et elle veut visiblement que ce soit celle du mari. Elle se permet donc de critiquer le résultat de l'enquête.

Arthur Burn sourit d'un côté du visage et tapota la main d'Emma.

– Je sais, chef, c'est plus habituel, mais il y a un autre versant à la montagne.

Sitôt rentrée, Emma jeta ses clés sur la table de la cuisine et courut vers sa chambre. L'envie de revêtir des vêtements confortables la tenaillait depuis l'après-midi. Elle frissonnait de froid.

De retour à la cuisine, elle repensa à la femme brune. Elle revit la colère sourde et les doigts aux jointures blanchies par le frottement. Qu'allait raconter cette femme enragée à la psy ? Emma avait de sérieux doutes quant à l'identité de l'« amie » sous le joug d'un homme sans scrupules qui l'avait obligée à se faire avorter.

C'était facile de se cacher derrière une autre personne. Elle avait trop souvent rencontré ce genre d'attitude dans son métier.

Pierre Dubeau se fraya lui aussi un chemin dans ses pensées. Après les paroles de cette femme, elle réentendit le galeriste dire que Miller se servait dans le plateau de femmes et les jetait après les avoir consommées.

En fait, de quelle façon les jetait-il…, se dit-elle.

Tout ça lui donna la nausée, mais elle dut tout de même songer à ce qu'*elle* allait se mettre sous la dent. Au moment où elle ouvrit le frigo, Simon apparut dans la fenêtre de la porte arrière.

– Hé! qu'est-ce que tu fais là? dit-elle en le prenant dans ses bras.

– J'ai pensé que ça te ferait plaisir, répondit-il en brandissant deux boîtes en carton.

Son meilleur ami venait de régler la question du souper et, du même coup, lui faisait l'honneur de sa présence après des mois d'absence. Devant une bière et des mets thaïs, ils parlèrent de tout, de rien, des cours de généalogie qu'il donnait à l'université, de l'enquête et du procès, et, bien sûr, de Romain, son amour de toujours. Les dents de scie perduraient, selon ses dires. Mais il se jurait d'être patient. Que tout finirait par fonctionner. Qu'ils seraient heureux sans avoir beaucoup d'enfants.

Emma éclata de rire.

Ω

Craignant d'avoir trop parlé ou d'avoir laissé ses émotions prendre le dessus, Anne Lenoir se maudissait. Étaler ses sentiments devant la détective fine et aguerrie ne faisait pas partie de son plan. Elle avait fauté. Furieuse contre elle-même, elle saisit rageusement la première bille de son pendule et la laissa retomber sur ses semblables, faisant naître un ballet dramatique à force d'amplitude. Les petites boules se frappaient avec un bruit sec qui rappelait les souliers à claquettes de Fred Astaire martelant un plancher de façon frénétique. Un violent désir de courir vers son pot de cannabis s'empara d'elle. La marijuana la libérerait de ses idées noires, la ferait planer, mais ce n'était pas le moment de manquer de contrôle. Pas encore. Du moins se le répétait-elle depuis plusieurs minutes. Finalement, la tentation fut la plus forte lorsque les pleurs d'enfant envahirent sa tête.

Ω

Une troisième enveloppe était coincée sous l'essuie-glace de sa BMW. En une fraction de seconde, une poussée d'adrénaline se propagea du bout de ses orteils jusqu'à l'apex de sa langue. À bout de souffle comme s'il venait de courir un marathon, certain d'être observé, Miller scruta le stationnement souterrain, ses yeux tentant de s'habituer au manque de luminosité. Solveig était-elle cachée derrière un des piliers de béton? Il eut envie de marcher vers sa cachette et de l'affronter. Puis, l'espace d'un instant, il l'imagina, un couteau à la main, prête à foncer sur lui. Cette idée le glaça et l'empêcha de s'aventurer plus loin. Affolé, l'avocat s'engouffra dans sa voiture et en verrouilla les portières. Prenant à peine le temps d'inspirer, il sortit en trombe du garage et se retrouva enfin à la lumière du jour.

Miller s'arrêta trois coins de rue plus loin et ouvrit l'enveloppe. Sans surprise, il y trouva un CD qu'il inséra dans le lecteur. Et, sans surprise, l'air de *O-o-h Child* emplit l'habitacle. La voix cassée et pleine d'émotion de la nouvelle interprète le prit aux tripes. Il l'écouta deux fois plutôt qu'une, puis éjecta le disque du lecteur. Le tournant entre ses doigts, il vit l'inscription au verso: « BETH ORTON… pour l'horreur faite aux enfants ».

Comme un filet d'eau froide, la sueur coula le long de son échine, le faisant frissonner. Voilà, cela se précisait. C'était bien elle, Solveig. Il en était persuadé. Il ouvrit son portefeuille et en sortit l'ancien message dont le papier était usé à force d'avoir été plié et replié : « AGRESSEUR. »

Temps tourmenté

Une pluie rageuse fouettait la vitre. Emma se leva en rêvant à son cappuccino du matin et au bien qu'il ferait à sa pauvre tête de nouveau douloureuse. Sous la douche, elle pensa à la femme brune. Celle-ci criait-elle sa douleur ou était-elle carrément démente? Fantasmait-elle sur une vengeance qu'elle n'avait pas pu exercer? Voulait-elle faire payer à quelqu'un ce qu'elle avait vécu? Où avait-elle pêché cette histoire d'hommes menaçants?

La vibration de son téléphone la tira de ses réflexions. Son père.

– *Hi*, tu étais debout?

– Avec une éternelle migraine.

– *Sorry about that*. Comment va le procès?

– Comme tous les procès. Les avocats sont aguerris, mais je dirais que le mari avocat aussi.

– Ce sont les pires. Tu as autre chose en marche?

– Une femme étrange m'accoste chez ma psy pour me dire ce qu'elle pense des hommes qui obligent des femmes à se faire avorter après les avoir menacées. Je vais repasser les dossiers où il est question de meurtres de femmes enceintes. On verra bien où ça me mènera.

– Elle sait peut-être des choses que tu ignores.

– J'écoute et j'agis comme toi, tu le ferais. Et toi, ton enquête?

– Scotland Yard progresse dans l'affaire du réseau pédophile. J'ai confiance.

– Enfin, quelque chose de concret. Même si c'est inadmissible.

Ω

« Les menaces les plus graves que vous pouvez imaginer »,
« …n'en était peut-être pas à sa première.… », avait dit la femme
brune. Celle-ci exagérait-elle ? se demanda Emma. Si non, pouvait-
elle se permettre de ne pas vérifier ? Emma commença par chercher
sur Google, puis eut une meilleure idée.

L'ascenseur l'amena jusqu'au plus bas : le sous-sol. Le son des
semelles de ses Converse qui crissaient sur le sol dallé se répercuta
sur les murs environnants. Chaque fois qu'elle longeait ce corridor,
le même goût de mort envahissait sa bouche. À quelques mètres à
peine, Jeanne disséquait des morts. Son amie si joyeuse, pourtant…,
songea-t-elle. Enfin, elle poussa la porte des archives.

Le responsable, penché sur son ordinateur, leva la tête et
l'accueillit avec un sourire.

– Salut, Jim, on peut regarder s'il y a d'anciens dossiers qui
concernent des meurtres de femmes enceintes ?

– Laisse-moi voir.

Pendant qu'il tapait sur son clavier, Emma regarda autour d'elle
et se demanda comment un gars, lui aussi si jovial, faisait pour
travailler dans un environnement aussi sombre.

– Trois sont répertoriés. Un seul cas est un peu plus récent.
Douze ans, en fait.

C'était juste avant que j'entre à la SQ, se remémora-t-elle.

– Les autres datent de plus de vingt ans.

Emma calcula dans sa tête et en déduisit que c'était en effet trop
loin.

– D'accord, tu peux me refiler le premier ?

– Tu peux t'asseoir là-bas, suggéra-t-il en désignant un bureau
reculé dans un coin. Je te transfère ça.

– Merci, Jim.

Ça s'était passé en Estrie. À Knowlton, plus spécifiquement. La
victime, Caroline Dion, avait été égorgée, et retrouvée près d'un

cours d'eau. Elle n'était pas mariée, n'avait pas d'enfant, du moins pas encore, et vivait seule.

Jusque-là, ça ressemble assez à notre affaire, sauf que ça ne s'est pas passé à son domicile, pensa-t-elle.

Emma lut les témoignages des membres de la famille, d'amis et de voisins, ainsi que de l'ami de cœur de la victime. Il y avait aussi le rapport d'autopsie qui s'apparentait étrangement à celui que Jeanne avait produit après l'examen du corps de Carmen Lopez : « … était enceinte de quelques semaines », « … étranglée à l'aide d'un bout de tissu quelconque », « … n'a pas été violée ».

L'ami de cœur avait finalement été inculpé et condamné pour meurtre prémédité.

Puis, descendant le curseur jusqu'au bas de la dernière page, une note manuscrite la fit sursauter : « Laurent Miller a été l'avocat de la Couronne dans cette affaire. »

Tiens, tiens…, se dit-elle.

Elle saisit son téléphone et eut Renaud dans la seconde.

– J'ai un mandat pour toi, mon ami.

Pour se protéger du temps exécrable, Emma attacha son perfecto jusqu'au menton. Un long frisson la parcourut, signe d'un coup de froid. Elle n'avait pas le temps d'être malade. Pas maintenant. Curieuse de suivre l'évolution de l'état de son capitaine, elle prit la direction nord.

La pluie soutenue avait forcé Burn à s'installer au salon. Son sourire unilatéral désola encore une fois Emma.

– Vous irez de mieux en mieux, vous verrez, l'encouragea-t-elle avant d'éternuer.

En signe d'assentiment, Arthur Burn tapota de sa main gauche le coussin à côté de lui, l'invitant à s'asseoir. Emma lui raconta ses rencontres avec la femme brune ainsi que ses dernières démarches à propos de Miller.

– Une femme disjoncte et me *challenge*. Je tente ensuite quelque chose et *paf*! je tombe là-dessus. Je comprends que Miller était autrefois procureur de la Couronne. Il est passé à la défense depuis.

Burn pointa son bras valide vers le stylo posé sur la table basse. Emma le saisit et le lui donna. Il nota : « *tenacity* ».

La pluie avait cédé la place à une brume épaisse. Emma enfourcha sa Ninja et, sitôt rentrée, heureuse qu'on n'y vit pas à trois pas, elle enfila ses souliers de course et se défonça sur dix kilomètres, dans le quartier de la Petite Italie. Le virus qui ne demandait qu'à s'installer n'avait qu'à bien se tenir, elle lui tiendrait tête. La sensation d'enveloppement par le brouillard l'aida comme toujours à se connecter à ses pensées.

Étrange que Miller ait été confronté à une cause similaire il y a des années… Cette affaire a-t-elle pu lui donner des munitions pour le modus operandi, *s'il est coupable? En ayant vu de toutes les couleurs à la Couronne, il peut savoir mieux que quiconque comment se dépêtrer de tout ça…*

Ω

Après avoir affronté une brume dense, l'avocat gara sa BMW devant la petite maison à la porte bleue où il avait vu Solveig pour la dernière fois, il y avait sept ou huit ans. Puis il marcha jusqu'à une porte qui lui sembla verte. Le brouillard l'empêchait de bien discerner les couleurs ainsi que les adresses. Nerveux, il appuya sur la sonnette.

– Je ne connais pas les gens qui habitent là. Je suis ici depuis quelques mois seulement, précisa l'homme qui ouvrit la porte.

Laurent Miller dut sonner à au moins cinq portes avant qu'une voisine l'informe qu'elle n'avait pas vu Solveig depuis quelque temps déjà.

– C'est étrange, ce n'est pas son genre de partir sans dire au revoir, précisa-t-elle. Personne ne l'a croisée dans le quartier depuis un bout. Comme si elle s'était cloîtrée ou avait carrément disparu.

Eh bien, c'en était fait de ses recherches! Solveig s'était métamorphosée en fantôme. D'un geste rageur, Laurent Miller claqua la portière de sa voiture, puis assena un coup de poing au tableau de bord avec autant de vigueur. Ses nerfs lui jouaient des tours, tant le jour que la nuit, eux qui d'ordinaire supportaient si bien le stress. Cela commençait à l'inquiéter sérieusement. Il roula beaucoup trop vite dans les rues résidentielles, jusqu'au chemin de la Grande-Côte, où ses yeux cherchèrent désespérément un bar.

– Il me faut un putain de cognac! hurla-t-il dans l'habitacle.

Cette nuit-là, Miller se réveilla en sueur, une boule dans l'estomac, le cerveau en bouillie. Il la voyait, là, debout au centre de la chambre, une hache à la main cette fois. Il avait beau cligner des paupières, Solveig ne disparaissait pas. Muette, elle le regardait de manière trop calme, comme si elle voulait prendre tout son temps avant de passer à l'acte. Était-il encore dans son cauchemar? Il se frotta les yeux, puis les rouvrit pour constater qu'elle avait enfin disparu. Il alluma la lampe de chevet et posa les pieds sur le sol. Pris d'un vertige, il fut incapable de se lever. Était-il devenu une poule mouillée? Ce jeu du chat et de la souris le mettait-il face à lui-même, face à sa lâcheté?

Au prix d'un effort surhumain, il réussit à se mettre debout, puis se dirigea vers la salle de bains où il s'aspergea le visage d'eau froide. Le miroir lui renvoya une peau dégoulinante, un regard las, une chevelure en bataille. Tout le contraire de ce qu'il montrait en société.

Solveig s'était volatilisée. Pourtant, il la sentait là, à deux pas de lui. Comme si elle lui collait à la peau. Un spectre qui ne lâchait pas prise et lui empoisonnait l'existence.

– Qu'est-elle devenue, pour l'amour du ciel ? lança-t-il à la glace, l'œil devenu mauvais.

Il retourna dans sa chambre et écarta le rideau. Il scruta la rue et ne vit rien d'inquiétant. Plutôt que d'éteindre la lampe, il en diminua l'intensité et attendit un sommeil qui ne vint pas.

Ω

Emma tourna dans son lit toute la nuit. D'abord parce que le méchant virus lui étreignait les bronches et la gorge. Et ensuite parce que la femme brune accaparait ses pensées.

À l'aurore, elle décida de réviser toute l'enquête pour être certaine de n'avoir rien négligé. Elle réécouta les notes laissées dans son téléphone, fit des listes, ratura, écrivit de nouveau, repassa les éléments connus, s'attarda aux détails, dicta encore des notes dans son iPhone, toussa, éternua, se moucha à répétition.

Qui était cette femme ? Quel était son rôle dans tout ça ? Si elle en avait un. De toute évidence, elle ne demandait qu'à s'exprimer. Et Emma se surprit à avoir hâte d'entendre ce qu'elle avait encore à dire. Par ailleurs, elle ne voulait pas montrer qu'elle s'intéressait au dire d'une parfaite inconnue.

«Inconnue»… Le mot la frappa de plein fouet.

Temps couvert

Le lendemain, Emma suivit l'inspecteur-chef dans son bureau. Il lui fit signe de fermer la porte et de s'asseoir en face de lui.

– Je préfère rester debout.

– Ne faites pas la grosse tête, Clarke.

Emma se contenta de le regarder, sans expression.

– On vous a vue descendre aux archives, commença Édouard Dubois.

L'inspecteur-chef continuait de feuilleter sèchement des papiers.

Il a même ses informateurs…, se dit-elle, dépitée.

– C'est interdit ? ironisa-t-elle.

– Je peux savoir ce que vous manigancez ?

Lasse, Emma s'assit sur le bras de la chaise.

– Je suis allée consulter d'anciens cas de meurtres de femmes enceintes.

Il délaissa sa paperasse et déposa ses lunettes sur celle-ci.

– L'enquête est close et le procès est en cours, Clarke !

– J'ai eu des informations à propos de Miller, le mari de l'accusée, et j'ai cru bon…

– Vous faites exprès de chercher des poux ! tempêta-t-il.

– Je vous rassure, je n'ai rien trouvé. Mais s'il y avait eu quelque chose, ce ne sont pas des poux que j'aurais trouvés, mais des coquerelles.

Et elle tourna les talons.

Son téléphone vibra alors qu'elle réintégrait son bureau.

– T'as misé juste.

– Merci, Renaud.

Elle se recula sur sa chaise, puis décida qu'elle devait en avoir le cœur net.

Les mains dans les poches, Elliot faisait face à la fenêtre.

– Toc, toc. Je peux entrer?

Il se retourna. Emma lui trouva l'air soucieux.

– Tu veux t'asseoir?

Elle opta pour le bras de la chaise.

– Tout va bien? demanda-t-elle.

– Je te raconterai…, dit-il en passant une main dans ses cheveux. Tu es enrhumée?

– C'est presque fini. Je vais courir tant que je n'aurai pas vaincu le virus. J'ai fouillé un peu plus sur Miller.

– Où ça?

– Aux archives. Il a été procureur de la Couronne dans un procès pour le meurtre d'une femme enceinte.

– Il a déjà été de la Couronne? Et?

– Il a fait condamner l'amoureux de la victime. Meurtre prémédité.

– À quoi penses-tu?

– Ça s'est passé à Knowlton et, par hasard, il a un chalet là-bas.

– Et, par hasard, il aurait pu connaître la victime?

– J'aimerais seulement voir ce qu'il aurait à dire.

Elliot attrapa ses clés et la devança dans le couloir.

– Allons-y, capitaine!

L'avocat les accueillit de façon convenable, comme toujours. Il leur offrit même un verre, qu'ils refusèrent.

– Que me vaut l'honneur de votre visite?

– L'affaire Caroline Dion, vous vous en souvenez? amorça Emma.

L'homme s'arrêta entre son placard et son bureau.

– Très bien. Pourquoi?

– Knowlton est un grand village où, en général, comme dans tous les villages, le monde est petit.

L'avocat prit tout son temps pour s'asseoir.

– Vous continuez d'enquêter sur moi?

– Nous savons que vous avez un chalet depuis longtemps là-bas.

– Et puis, c'est interdit?

– Vous connaissiez la victime? lança Elliot.

Miller regarda les détectives à tour de rôle.

– Qui ne la connaissait pas!

– Pourquoi dites-vous ça?

– Disons qu'elle affichait ses couleurs.

– Quel genre de couleurs?

– Bah, je me comprends…, dit-il en balayant l'air de la main.

– Vous auriez pu la connaître… personnellement, osa Emma.

L'avocat parut fortement contrarié.

– Que voulez-vous insinuer?

– J'ai vu sa photo dans le dossier. Vous n'êtes pas insensible devant une jolie femme?

– C'est insensé! J'étais le procureur de la Couronne, rien de plus. Son amant a été condamné…

– Loin de nous l'idée que vous n'ayez pas fait votre boulot dans les règles de l'art pour qu'il le soit, l'interrompit Elliot.

– Les deux meurtres se ressemblent étrangement, vous ne pensez pas? enchaîna Emma.

– L'enquête est close et le procès est en cours.

– Nous vous croyons perfectionniste, maître Miller. Sachez que nous le sommes tout autant, continua Emma.

– …

– Si votre vie n'est pas nette, nous le découvrirons.

L'avocat les toisa et ne releva pas l'allusion.

– Ah, une dernière question avant de vous laisser travailler, poursuivit Emma. Si Carmen Lopez n'avait pas voulu se faire avorter, vous auriez insisté ?

Laurent Miller prit un air hautain et la défia.

– Excusez-moi, mais… la décision ne m'appartenait pas.

Emma se contenta de le regarder dans les yeux.

– Sachez que je la respectais.

Pour une fois, Elliot ne s'emporta pas contre l'avocat.

– Chaque fois qu'il parle d'elle, il devient humain.

– Le vent a tourné, Elliot ? C'est maintenant moi qui l'ai en travers de la gorge ?

– Il n'est pas un monstre parce qu'il a eu une maîtresse.

Le ton s'était fait sarcastique, mais l'allusion ne mentait pas.

– Ça dépend de ce qu'il a fait avec elles. Parce qu'il en a eu quelques-unes.

– Ah ! là, je suis d'accord. Si on reste gentleman…

– Gentleman ou non…

– Il est difficile à cerner, en tout cas.

– S'il y a quelque chose à trouver, on le trouvera.

Laurent Miller se leva pour fermer la porte restée grande ouverte après le départ des détectives. Il en ouvrit une autre, celle de son placard, empoigna la bouteille de vodka et s'en versa une rasade qu'il but cul sec. Les détectives s'ingéraient donc partout !

Rien ne leur ferait plus plaisir que de me voir choir, se dit-il.

Or, il les distrairait. L'information qu'il s'apprêtait à dévoiler ferait son effet, il le savait.

Trop anxieux pour travailler, Miller descendit dans le garage et s'arrêta net en apercevant un nouveau colis déposé sur le capot de sa voiture. En proie à la paranoïa, il fit plusieurs tours sur lui-même, cherchant l'esprit vengeur. Il s'empara du paquet, s'enferma dans sa BMW, actionna le verrouillage des portières et se pencha sur le siège passager pour déchirer l'enveloppe. Il haletait et tremblait de tous ses membres. Décidément, cette folle avait le don de lui gâcher l'existence.

L'avocat trouva une enveloppe de CD. Vide, mais barrée d'un message percutant : « SI QUELQU'UN T'A MORDU, IL T'A RAPPELÉ QUE TU AS DES DENTS ! » La paranoïa se décupla. Son cerveau galopa, fit même des pirouettes. Incapable de bouger, Miller resta étendu, l'accoudoir entre les sièges le blessant aux côtes. Si quelqu'un était passé par là et l'avait vu, il n'aurait pu expliquer sa position. Son orgueil prit le dessus et il se releva en tentant d'avoir l'air digne. Il inspecta les alentours d'un œil attentif, mais fut déçu de ne rien voir d'autre que les fichus piliers en béton qui pouvaient, autant les uns que les autres, dissimuler une ombre. Solveig.

– Je te maudis, espèce de garce ! cria-t-il presque.

Laurent Miller

Laurent Miller s'installa à la barre et lissa sa cravate en soie. Il commença par scruter l'assistance, mais n'y vit rien de concluant. Puis, il jeta un œil en direction des jurés et s'attarda sur la n° 9, toujours aussi attirante. Oui, il était fébrile, mais la présence d'une belle femme l'empêchait toujours de se laisser aller. Au contraire, cela le forçait à se surpasser. Comme Carmen l'avait fait et comme la n° 9 risquait de le faire.

Mᵉ Hébert : Vous connaissiez Carmen Lopez depuis longtemps ?

Miller : Environ un an.

Il sembla à Emma qu'Adèle Granger avait blêmi.

Mᵉ Hébert : Vous pouvez nous parler d'elle ?

Miller : Elle était…

Il ferma les yeux et respira profondément.

Miller : … spéciale. Forte et douce, en même temps.

Mᵉ Hébert : Hum, douce… C'est pour cette raison qu'elle a malmené l'accusée pour la faire sortir de chez elle ?

Miller : Ça ne lui ressemble pas.

Emma n'avait pas quitté Adèle Granger des yeux. L'accusée restait calme. En apparence, du moins. La détective se tourna ensuite vers le jury. Si l'accusée ne réagissait pas, une autre le faisait à sa place.

La jurée n° 9 serrait les mâchoires en écoutant Miller. Sa mauvaise humeur était palpable. Cette femme l'intriguait sans qu'elle pût s'expliquer pourquoi.

Mᵉ Hébert :   Je me demande bien laquelle des deux femmes était la plus violente…

Mᵉ Sawyer :   Objection, Votre Honneur ! Cela est suggestif pour le jury.

Juge :   Mesdames et messieurs les jurés, veuillez ne pas tenir compte des dernières paroles de l'avocat de la défense.

C'est ce que tu crois…, se dit Anne.

Mᵉ Hébert :   Vous saviez qu'elle était enceinte ?

Miller :   Oui.

L'avocat fit une pause, cherchant à montrer qu'il reviendrait en force avec sa prochaine question. On aurait pu entendre une mouche voler dans la salle.

Mᵉ Hébert :   Vous auriez voulu de cet enfant ?

Miller prit tout son temps avant de répondre. Et c'est en regardant sa femme qu'il le fit.

Miller :   Je n'en étais pas le père.

Emma vit l'accusée prendre un air ahuri pendant qu'elle-même retenait son souffle.

Mᵉ Hébert :   Ah non ?

Miller leva le menton et pinça les lèvres.

Miller :   Je suis vasectomisé.

Mᵉ Hébert :   Depuis longtemps ?

Miller :   Quelques années.

Plus qu'une bombe, un obus venait d'éclater au nez d'Emma et d'Elliot qui se regardèrent, sidérés. Comment Miller avait-il pu cacher cela si longtemps? Emma observa la femme assise dans le box. Si ses yeux avaient pu sortir de leurs orbites, ils l'auraient fait, là, maintenant. Et avec raison. Jusque-là, Adèle Granger était restée forte durant le témoignage pour le moins dérangeant de son mari. Mais, là, ça dépassait l'entendement! pensa Emma. Les phrases assassines du journal dansèrent devant ses yeux. Que son mari ait eu une maîtresse avait été déstabilisant pour cette femme, mais la découverte de la grossesse avait été *le* choc. Impardonnable.

Quant à Anne, ses yeux passaient de l'air étonné d'Emma Clarke à la bouche béante d'Adèle Granger. On voyait bien que l'accusée venait d'apprendre la nouvelle en même temps que tout le monde présent. Pour sa part, elle restait de glace. Seuls ses doigts se frottaient de manière énergique les uns contre les autres. Quel bonhomme pouvait cacher une chose pareille à sa propre femme!

Sur cette révélation, on interrompit le procès pour le lunch. Les journalistes se précipitèrent sur Miller qui leur souriait effrontément.

À l'extérieur de la salle, Elliot fulminait.

— Il aurait pu le dire avant! On l'a vu pas plus tard qu'hier!

— Il est trop intelligent. Ça l'aurait plus incriminé aux yeux de tout le monde. L'amant cocu, tu y as pensé? Quel beau motif pour passer à l'acte.

— La jalousie, lui aussi…, médita Elliot. On aurait alors essayé de le persécuter et il n'avait pas envie de ça.

— Exactement.

— Où sont les preuves?

— On n'en a aucune.

— J'ai une idée, dit Emma en saisissant son téléphone.

Elle raccrocha au bout de six sonneries.

— Jeanne doit avoir les mains pleines.

— Tu crois que la patho…

— Ça vaut la peine d'essayer.

À peine deux minutes plus tard, la vibration au creux de sa main la fit sursauter.

— Je ne pouvais pas te répondre, j'avais les mains dans le jus, s'excusa Jeanne Léonard.

Emma prit quelques secondes pour imaginer la scène avant de se lancer :

— C'est possible de comparer l'ADN de notre victime et de son embryon avec celui d'un père présumé ?

Un bruit d'instruments déposés sur une table en acier résonna dans l'oreille d'Emma, qui décida d'effleurer la touche microphone afin d'en éloigner l'appareil, et aussi de permettre à Elliot d'entendre la conversation.

— Dans ce cas-ci, j'ai cru bon de garder un morceau de l'embryon. J'ai présumé que ça pourrait servir. J'ai donc son profil génétique. On a celui du père potentiel ?

— Allons-y avec celui de Laurent Miller.

Ω

De l'autre côté de la porte de la salle du jury, les commentaires allaient bon train. Anne était encore en état de choc. Vasectomisé, c'était insensé ! Elle aurait fait tout cela pour rien ! Et puis non, qu'il ait été ou non le père de l'enfant n'y changeait rien. L'important était qu'il avait obligé sa maîtresse à s'en débarrasser. Car c'était bien de ça qu'il s'agissait. D'un enfant non désiré par un homme d'abord mesquin, ensuite jaloux. Heureusement, Carmen Lopez avait résisté, au nom de toutes les femmes victimes de ce genre de tyran. Mais, malheureusement, elle en était morte.

— C'était toute une révélation, dit Manon Bélanger.

— La grossesse n'est pas *le* mobile du crime ?

Le n° 12 se faisait entendre pour la première fois. Des regards se tournèrent vers lui.

— Ce n'est pas le principal mobile ? insista-t-il.

– La jalousie est le premier, précisa la n° 4. Par contre, si on se fie à son journal, le fait que la victime était enceinte a visiblement décuplé la rancœur de l'accusée.

– Je suis d'accord avec vous, déclara le n° 8.

C'est là qu'Anne reprit ses esprits.

– C'est certain que la grossesse de la victime n'a pas arrangé les choses, dit-elle. Mais, entre vous et moi, qui n'aurait pas cru que l'enfant était du mari ? Mettons-nous à sa place, nous aussi, on aurait peut-être écrit des choses qui outrepassaient nos pensées.

Anne avait parlé d'une voix trop calme. L'air surpris du n° 8 ne lui échappa pas lorsqu'il leva le nez de ses notes.

– C'est une chose de les écrire, mais il ne faut pas que ça dégénère, précisa la n° 4.

Anne s'inquiéta du changement de cap de celle-ci. Allait-elle la perdre comme alliée ?

– Rien ne dit que ç'a dégénéré. Adèle Granger a pu être elle-même victime, commença Anne.

– Qu'entendez-vous par là ? demanda le n° 8, soudain intéressé.

– Une machination de la part d'une personne qui ne voulait pas nécessairement son bien. Son mari, par exemple.

– Point de vue intéressant, admit l'ingénieur.

Anne se demanda s'il commençait à douter de la culpabilité de l'accusée. Pour le savoir, elle n'avait qu'à enfoncer le clou un peu plus.

– On a déjà vu des preuves mises juste où il faut pour faire croire…

L'ingénieur soutint son regard.

– J'me perds là-dedans, dit le n° 5.

– Vous croyez qu'il y a des gens aussi machiavéliques ? riposta la n° 4.

Encore une fois, Anne eut l'impression de perdre celle en qui elle mettait toutes ses espérances depuis le début.

— Ce que je crois ? Qu'il y en a des pires encore…, précisa Anne qui pensa à sa propre vengeance et à ce qu'elle était prête à faire pour l'assouvir.

— Alors, le fait de savoir que la maîtresse était enceinte l'a encore plus incitée à aller s'expliquer avec elle, songea tout haut le n° 12.

— Comme toute femme l'aurait fait.

— Vous croyez le mari lorsqu'il dit qu'il est vasectomisé ?

Le n° 12 devenait loquace. Était-ce une bonne chose ? se demanda Anne. Jusqu'à présent, les silencieux ne l'avaient pas effrayée. De toute évidence, il lui faudrait se méfier des eaux dormantes.

— J'ose croire que des tests seront faits, répondit Anne, plus pour elle-même que pour ses collègues.

En fait, à bien y penser, elle ne croyait pas une seule seconde à la révélation de Miller.

— Selon vous, l'accusée témoignera ? lança la n° 4.

Tous les yeux se tournèrent vers Anne, comme si la réponse allait émaner de sa bouche.

— On l'espère tous, non ?

Il était temps de retourner dans la salle d'audience pour la suite du témoignage de Laurent Miller.

Me Sawyer :   Donc, l'accusée s'est rendue chez la victime le jour du meurtre. Selon mes notes, madame Granger n'a pas nié cet événement. Vous savez pourquoi elle y serait allée ?

Miller :   Sans doute pour demander à Carmen de renoncer à me voir.

Le procureur de la Couronne se racla la gorge.

Me Sawyer :   Selon vous, madame Granger a réussi ?

Le témoin toisa sa femme.

Miller :   Elle n'aurait jamais réussi ce tour de force.

La femme accusée resta de glace et soutint le regard de son mari.

Me Sawyer :   La question est : a-t-elle perdu son bracelet lors
              de cette rencontre ?

Il s'était adressé au jury en disant cela. L'avocat de la défense se leva d'un bond.

Me Hébert :   Objection !

Anne Lenoir aurait hurlé. Convaincue que Miller avait déposé de façon intentionnelle le bijou chez sa maîtresse avant de l'étrangler, elle enrageait. Elle le soupçonnait d'avoir tout fait pour que sa femme soit inculpée à sa place. Elle le sentait aussi capable de commettre le crime parfait, étant lui-même criminaliste.

Maître Hébert fit le tour de la table et se planta devant le témoin.

Me Hébert :   Ce bracelet semble être une belle pièce. Votre
              femme le rangeait dans un coffre-fort ou simple-
              ment dans un coffret sur sa commode ?

Miller :   Tous les bijoux de valeur sont conservés dans un
              coffre-fort.

Me Hébert :   Vous en connaissez la combinaison ?

Miller :   Je la connaissais. Mais Adèle l'avait changée.
              Alors, non.

Me Hébert :   Vous en êtes certain ?

Miller :   J'ai mon propre coffre-fort, alors…

L'avocat se dirigea vers le jury et se campa sur ses pieds.

Me Hébert :   Qui nous dit que ce n'est pas quelqu'un qui,
              par mégarde bien entendu, a échappé le bracelet
              de votre femme chez votre maîtresse, le jour du
              meurtre ?

Maître Hébert était un excellent défenseur, c'était connu. Anne comprit tout de suite l'allusion, ainsi que le témoin qui le toisa. Le procureur de la Couronne s'énerva :

Me Sawyer :   Objection, Votre Honneur ! Qu'est-ce que ça veut
              dire ?!

Mᵉ Hébert :   Ce n'était qu'une idée, comme ça, Votre Honneur…

Anne eut l'impression que le juge Lecours faisait un effort pour ne pas sourire. Celui-ci tapa du maillet pour faire taire l'assistance.

Juge :   Maître Hébert, ce n'était pas… une bonne idée. Mesdames et messieurs les jurés, veuillez ne pas tenir compte de cette… idée.

Anne Lenoir souriait intérieurement. Ce maître Hébert lisait dans ses pensées. Trop tard, monsieur le juge, le doute était semé.

Temps orageux

Elliot arriva en courant derrière Emma.

– On a déjà son ADN, dit-il, le souffle court.

– On le sait et il le sait, répliqua Emma. Le but est de voir sa réaction.

Pendant que l'ascenseur gravissait les étages, le pouls d'Elliot se calma.

– Ils font tous exprès de se jucher au neuvième? lança Emma.

– Je ne comprends pas…

– C'est aussi le cas de la clinique Morgentaler.

L'avocat les accueillit sèchement, cette fois.

– Suivez-moi.

– La commotion aujourd'hui, c'était voulu? le nargua Elliot.

Miller prit le temps de déposer sa mallette, d'enlever son veston et ses boutons de manchette, de rouler les manches de sa chemise, et de finalement s'asseoir derrière son bureau. Emma l'aurait volontiers, lui aussi, étranglé. Mais elle n'ouvrit pas la bouche. Il fallait qu'il soit le premier à parler.

– J'adore les mises en scène.

La suffisance de l'homme mit Emma hors d'elle.

– Pour qui vous prenez-vous? Aviez-vous besoin de points sur les «i»? Vous saviez cet élément important dans toute l'affaire et vous avez choisi de le taire. Vous n'êtes qu'un…

– On a besoin d'un prélèvement, l'interrompit Elliot, surpris de voir Emma perdre le contrôle.

Devant le ton péremptoire du sergent, l'avocat répliqua froidement :

– Vous avez déjà mon ADN, non ?

Ω

Plus tard, assis au café Alibi, Emma et Elliot spéculèrent.

– Vasectomisé… je n'y crois pas encore.

– Il a gardé les rouges pour la fin, dit Emma, encore sous le coup de l'émotion.

Elliot leva son verre en l'invitant à en faire autant.

– Content que tu te sois emportée.

Elle lui fit des yeux ronds.

– Ça prouve que tu es humaine.

– Le sarcasme vient avec le gars, à ce que je vois.

– C'est tout ce qu'il méritait, être déstabilisé. Et c'est pour ça que tu l'as fait. Je suis fier de toi.

Emma éclata de rire. Un rire nerveux, impossible à retenir devant l'air sérieux d'Elliot. Après deux gorgées d'alcool, elle se calma.

– Tu ne veux pas qu'on soit fier de toi ?

– Tu parles d'une fierté !

– C'est bon de péter les plombs, de temps en temps.

– Pour que je le fasse, il fallait qu'il…

– Qu'il ne soit pas du monde. Je commence à bien te connaître.

Emma prit une nouvelle gorgée de vin blanc. Elliot la déroutait et c'était ce qu'elle aimait, entre autres.

– Pourquoi ne pas l'avoir dit avant aujourd'hui ? réfléchit Elliot tout haut.

– En tant qu'avocat, il sait très bien que si on a des doutes contre quelqu'un d'autre, on peut retirer les accusations à tout moment durant les procédures judiciaires, mais que ça devient impossible lorsque le procès est en marche. À moins d'avoir des preuves tangibles et irréfutables. Il n'a rien dit parce que l'eau serait devenue trop chaude pour lui du fait qu'il était cocu. Par contre, ajouta-t-elle comme pour elle-même, on n'a toujours rien contre lui…

– Au risque de me répéter, Adèle Granger est notre coupable. Tu as encore des doutes?

– C'est mon côté maniaque. Tant que je n'aurai pas toutes les réponses aux questions que je me pose…

– C'est bon à savoir.

– Il y a toujours un rebondissement qui me dit que j'ai peut-être raison de me méfier.

Elliot joua avec le pied de son verre, puis son côté rationnel reprit le dessus.

– Si ce n'était pas lui, qui pourrait être le géniteur?

Ω

– Ce Miller me dérange. En fait, je le déteste.

– C'est évident, Emma, les misogynes vous horripilent, dit la psychologue d'une voix égale.

Estelle Sauvé ne perdait donc jamais son calme! Cela devait être la raison pour laquelle elle pouvait exercer sa profession.

– Je le soupçonne de quelque chose, sans savoir de quoi exactement.

– Pour votre tranquillité d'esprit, vous devrez aller au fond des choses.

Et si elle se trompait sur toute la ligne et qu'Adèle Granger était à sa place dans le box des accusés? Cela ne lui enlevait tout de même pas le droit d'aller au fond des choses au sujet du mari.

– S'il pense s'en tirer… S'il cache encore quelque chose, je…

– Pourquoi dites-vous «encore»?

– Il a délibérément omis de dire qu'il est vasectomisé alors que sa maîtresse était enceinte au moment de sa mort. D'accord, on n'a pas encore la réponse du test de paternité, mais… s'il a été capable de cacher un élément aussi important, on peut imaginer qu'il puisse y en avoir d'autres dans son placard. Je sais une chose, c'est que je jure de le démasquer.

– Vous voilà vindicative. Je ne vous connaissais pas comme ça.

– Excusez-moi, il me met hors de moi.

– Dites-moi, l'histoire d'avortement vous aveugle-t-elle ?

– Au contraire, j'ai des yeux et des oreilles tout le tour de la tête.

– Attention de ne pas vous leurrer avec cet homme. Il est peut-être désagréable, mais ça ne fait pas de lui un meurtrier.

Le silence dura les vingt-huit secondes qu'Emma compta. Constatant que sa cliente ne semblait pas avoir l'intention de le rompre, la thérapeute n'eut d'autre choix que de le faire.

– Et avec Elliot, comment ça se passe ?

Emma soupira et regarda ses Converse, comme s'ils pouvaient lui donner la réponse. Elle réfléchit, puis réalisa que son cerveau avait travaillé là-dessus à son insu.

– Avec votre aide, j'ai compris que j'ai peur de l'attachement, si je peux m'exprimer ainsi. Aussi, parce qu'Elliot n'est pas libre, je ne peux pas m'investir.

– À la bonne heure ! Vous mettez enfin des mots sur vos sentiments et, par le fait même, vous commencez à répondre au « pourquoi ».

Ses neurones avaient sans doute cogité sur les mots entendus ici même, dans ce bureau hermétique : « Allez chercher ce que vous voulez et vous trouverez un sens à ce "pourquoi". » Le fichu « pourquoi ». Maintenant, elle savait.

– Que comptez-vous faire avec ça ?

– « La balle est dans son camp » serait ce que je répondrais de mieux, déclara Emma avec aplomb.

Comme elle s'y attendait, la femme brune était là, assise dans la salle d'attente. Emma fit mine de l'ignorer et se dirigea vers la porte.

– Je m'excuse pour l'autre jour, lieutenante Clarke. Je ne voudrais surtout pas vous importuner.

– Mais vous le faites.

Emma souhaitait la provoquer juste assez pour qu'elle parle un peu plus. Cette femme faisait partie des gens frustrés qui ne lâchent pas le morceau facilement. Ce qu'elle dit ensuite le lui confirma.

– Encore désolée, mais ça me met sans connaissance de laisser un homme s'en tirer à si bon compte.

– Vous semblez le condamner d'emblée.

– Je vous l'ai dit, je connais ce genre d'hommes. Vous l'avez entendu dans la salle d'audience ? Il se fout de sa femme. Du fait qu'elle est inculpée. C'est un sans-cœur.

Emma tiqua. Elle n'avait jamais vu cette femme dans l'assistance. Et Dieu sait si elle avait compté et recompté les personnes assises là.

– Vous assistez au procès ?

Emma sentit une hésitation.

– Par intermittence… à cause de mon travail. Je n'ai pas pu trouver une place dans la vraie salle, je suis dans la salle de débordement.

– Dites-moi, madame… madame ?

– Dubé.

– Très bien. Dubé.

Elle avait au moins un nom à mettre sur le visage. Elle n'osa cependant pas lui demander son prénom.

– Ce genre d'homme, vous en avez été victime ?

– Une de mes amies.

– Les gens se cachent souvent derrière un ami pour en réalité parler d'eux-mêmes.

Anne Lenoir, alias madame Dubé, croisa les mains et frotta ses doigts avec dureté. Ce qui n'échappa pas à Emma qui la sentit perdre l'équilibre sur son fil de fer. Elle avait frappé dans le mille.

– D'accord, c'est moi. Il était diabolique, vous comprenez ! Manipulateur, menteur, violent !

Les mots sortaient de sa bouche comme des boulets sortent d'un canon. Elle était déchaînée.

– Il ne faut pas mettre tous les hommes dans le même panier.

— Ceux-là, oui, dit-elle sans nuances.

— Vous savez que Laurent Miller est impliqué ou vous le supposez ?

— Il ne peut pas être différent des autres.

— Vous ne faites pas une fixation ?

Anne Lenoir regarda loin derrière Emma, puis parla d'une voix rauque, posée :

— J'étais assise à la table voisine de la leur, au restaurant. J'ai surpris le presque monologue de l'avocat. Les mots durs employés étaient… sans équivoque. Il l'a menacée, lui a dit ce qu'elle devait faire. Et elle a répondu : « Je ne peux pas. » Ça ne s'invente pas.

— Dites-moi, madame Dubé, vous êtes contre l'avortement ?

— Quand il est imposé. Pas vous ?

La psychologue apparut dans l'encadrement de la porte et jeta une œillade à Emma qui lui fit signe que tout était OK.

— C'est à vous, madame Dubé, dit madame Estelle.

Emma demeura un instant dans la salle d'attente et réfléchit. Si, d'une part, l'avocat n'était pas le père, comme il le disait, il aurait d'autant plus pu inciter Carmen Lopez à se faire avorter, s'il tenait à elle. Son orgueil masculin n'aurait pas toléré qu'elle porte l'enfant d'un autre. D'autre part, madame Dubé pouvait-elle avoir mal interprété ce qu'elle avait entendu ? Surtout si elle avait déjà vécu une situation similaire. Une vague de pitié soudaine submergea Emma. Comment ne pas comprendre la colère de cette femme ?

Temps brumeux

Il était 3 h 10. La même sempiternelle angoisse le fit s'asseoir bien droit dans son lit. Il passa une main dans ses cheveux humides et inspira un bon coup pour tenter de calmer son rythme cardiaque. Il essuya son torse humide avec le drap et avala le peu de salive qui traînait dans sa bouche. Solveig l'avait encore poursuivi avec une arme tranchante. Il revit clairement la scène comme si elle était vraie. Lui, effaré et attaché, nu sur son lit. Elle, sinistre en même temps que *sexy* dans sa combinaison de latex noir, arme à la main, ne prononçant que le mot assassin : « agresseur. »

Il alluma la lampe, enfila un pyjama, comme si cette seconde peau allait le protéger, et se dirigea vers la salle de bains. Incapable de se recoucher, il diminua l'intensité de la lumière, se cala dans le fauteuil dans le coin de la chambre et réfléchit.

– Il faut que je la retrouve, nom de Dieu ! Où peut-elle être ? jeta-t-il, tout seul dans le noir.

Ses réflexions ne furent pas vaines. Il sut ce qu'il devait faire dès le début de la journée.

Laurent Miller se précipita à son bureau, qui était désert à cette heure matinale. Il se barricada dans celui de son assistante. Pendant qu'il attendait l'ouverture de l'ordinateur, il fouilla tous les tiroirs en s'efforçant de ne pas y mettre de désordre. La fenêtre demandant le mot de passe s'afficha sur l'écran. Il pria pour que sa secrétaire ne l'ait pas modifié. La machine refusa «Miller n° 1». L'avocat jura entre ses dents. Il fit quelques tentatives : «Miller n° 2», «… n° 3», «… n° 4»… et finit par taper du poing sur la table. Il n'avait pas d'autre choix que d'appeler son assistante et d'inventer une histoire.

– Linda, c'est moi. J'ai absolument besoin de revoir les états financiers du début de l'année, mais je vois que vous avez changé le mot de passe de votre ordinateur.

– Je vous les avais pourtant envoyés.

– Ah, vous savez comment c'est, je ne les retrace plus dans le mien, mentit-il.

Il eut l'impression que sa voix avait chevroté malgré ses efforts pour paraître naturel. Linda parut hésitante à l'autre bout du fil, puis se résigna :

– «Linda n° 1».

L'avocat en resta éberlué. Il n'aurait jamais pensé se lancer dans cette direction. Il fulmina. Encore une qui voulait lui passer un message ! De numéro un, il était parachuté dans le néant ! Il tapa le code, et l'écran s'illumina. Il alla directement dans les contacts où il trouva un certain Jean Lemaire. Il composa le numéro et tomba sur une boîte vocale. Normal, il était encore tôt.

Alors que Miller se rendait au palais de justice, Jean Lemaire le rappela. L'avocat alla droit au but :

– J'aimerais que vous retrouviez une personne disparue depuis un moment.

– Il me faut tout ce que vous savez sur elle. Nom complet, date de naissance, ancienne adresse…

– Oui, oui, j'ai déjà tout, s'impatienta Miller. Je peux vous envoyer ça par courriel ?

– C'est parfait. J'imagine que vous avez besoin de ça avant-hier ?

– Vous avez tout compris.

– Je vais voir ce que je peux faire.

Psychologue

Après le témoignage percutant du mari de l'accusée, clarifier certains éléments avec le psychologue traitant devenait nécessaire.

Mᵉ Sawyer :   On rappellera à la Cour et au jury que Hugues Francœur a été le psychologue d'Adèle Granger durant son séjour en maison de convalescence.

Inquiète, Anne Lenoir craignait d'entendre ce qu'avait à dire le thérapeute. Il pourrait aider l'accusée ou, au contraire, enfoncer le clou un peu plus.

Mᵉ Sawyer :   Monsieur Francœur, l'accusée vous a-t-elle fait part de son désir d'avoir un enfant ?

Francœur :   Nous en avons discuté, en effet. Il en est ressorti que son mari était absolument contre l'idée, alors que madame Granger rêvait d'en avoir un.

Mᵉ Sawyer :   Que s'est-il passé à partir de là ?

Francœur :   Madame Granger a dû en faire son deuil puisqu'elle ne voulait pas perdre son mari.

Mᵉ Sawyer :   On comprend donc que sa colère devant la grossesse de la maîtresse de son mari n'a pas pu rester tapie au fond de sa conscience.

Francœur :   Vous avez raison pour la colère. Cependant...

Mᵉ Sawyer :   Cependant...

Francœur :   Le sentiment de colère ne mène pas nécessairement au crime.

Bravo ! se dit Anne Lenoir.

Mᵉ Sawyer : Même une colère aussi forte ?

Francœur : Il en faut beaucoup pour en arriver là. Surtout, chez une femme.

Mᵉ Sawyer : Pourquoi dites-vous ça ?

Francœur : Il faut savoir qu'une femme agit de façon réfléchie, alors qu'un homme réagit sur le coup de l'impulsion. C'est pour ça qu'il y a plus de meurtriers que de meurtrières.

Mᵉ Sawyer : Après la lecture de son journal, peut-on encore douter de sa colère ? Je vous le demande, mesdames et messieurs du jury.

Mᵉ Hébert : Je m'oppose à ce qu'on s'adresse directement au jury !

Juge : Maître Sawyer, un peu de retenue.

Mᵉ Sawyer : Durant la thérapie, l'accusée a-t-elle révélé d'autres éléments dont on n'a pas parlé ici ?

Francœur : Ce qui se dit pendant ces séances est confidentiel...

Mᵉ Sawyer : Sauf si ça peut servir la cause...

Francœur : Écoutez, elle a bien fait allusion à certaines choses, mais elle s'est dédite à plusieurs reprises.

Mᵉ Sawyer : Des allusions concernant son mari ?

Le psychologue parut mal à l'aise et lorgna sa cliente qui l'implorait du regard.

Francœur : Entre autres. Néanmoins, le neurologue, les psychiatres et moi-même avons décidé de ne pas en tenir compte lors de notre caucus et l'avons déclarée apte à subir son procès.

Mᵉ Sawyer : Et pourquoi donc ?

Francœur :   Parce que ce n'était pas pertinent.

Mᵉ Sawyer :   Pas d'autre question.

L'avocat de la défense s'avança en regardant vers le box du jury. Anne se dit que, malgré qu'il fût beau garçon, son air suffisant lui disait qu'il devait être comme tous les autres. Narcissique et arriviste.

Mᵉ Hébert :   Monsieur Francœur, à la suite des révélations de votre cliente, comment qualifieriez-vous sa colère ?

Francœur :   C'est difficile à mesurer. Chez certains, la colère ne paraît pas si élevée, alors que ce sont eux qui passent à l'acte. Chez d'autres, comme c'est le cas ici, elle est forte, mais l'exprimer par écrit peut s'avérer salvateur.

Mᵉ Hébert :   Exprimer sa colère dans son journal peut donc être une façon de… tuer, même si le geste réel n'est jamais posé.

Francœur :   C'est possible, oui. Quelqu'un peut très bien utiliser un journal ou une autre forme d'écrit comme exutoire et ça peut être suffisant pour annihiler la rage qui le consume.

Mᵉ Hébert :   Ç'a été le cas de l'accusée, j'imagine ?

Francœur :   Ça pourrait être son cas, en effet.

Mᵉ Hébert :   Parlez-nous de son attitude.

Francœur :   Madame Granger avait son franc-parler et ne s'en laissait pas imposer. Les propos du journal ne me surprennent donc pas du tout. Ça ne fait pas pour autant d'elle une meurtrière.

Mᵉ Sawyer :   Objection ! Le témoin ne peut pas en juger.

Mᵉ Hébert :   Je vous remercie, monsieur Francœur.

On s'arrêta pour le dîner. Ce jour-là, les jurés furent escortés au restaurant par des policiers. Dans l'autobus, on n'entendait que le ronronnement du moteur. Les jurés s'assirent autour de la grande table installée exprès pour eux. Nul besoin de consulter la carte, un menu était déjà prévu. Comme il était interdit de discuter de la cause en dehors de la salle du jury, les jurés parlèrent de la pluie et du beau temps, puis certains s'ouvrirent sur leur vie.

Anne décida d'écouter et de rester muette. Elle sut donc que le n° 5 vivait un divorce houleux. Ce qui, sans doute, expliquait ses idées préconçues sur les femmes. Que le n° 10 venait d'arrêter de fumer et qu'il trompait son envie en grignotant des crudités. Vivant seul, il pouvait donc s'adonner à son « vice » sans que personne lui arrache son sac des mains. Que la n° 4 dormait dans le même lit qu'une autre femme. Toutefois, elle n'apprit rien sur le n° 8, qui se contentait de relire ses notes.

Pendant que les autres bavardaient, Anne s'attarda sur les mains de l'ingénieur, longues et blanches. Son majeur tournait les pages de son carnet pendant que l'auriculaire et l'annulaire demeuraient suspendus dans les airs. Ce qui lui donnait un air snob. Anne se demanda s'il l'était vraiment. Elle regarda ses propres doigts aux ongles coupés ras qui se frottaient les uns contre les autres. Une collègue lui avait déjà dit que c'était un tic et qu'elle devait en prendre conscience. À la fin, elle se dit que cela ne dérangeait personne et que, de toute évidence, cela devait la rassurer, car elle continuait à le faire d'instinct.

Temps instable

À la fin de la journée, Emma réintégra le QG. La fatigue l'avait gagnée et la migraine aussi. Dans sa hâte d'avaler deux Fiorinal, elle pressa le pas et passa donc en coup de vent devant le bureau de l'inspecteur-chef qui l'intercepta.

– Et puis, Clarke?

Elle poussa un soupir à se vider les poumons.

– Où en êtes-vous avec votre pseudo-enquête?

Pseudo! Il en avait du culot! eut-elle envie de crier. Ses recherches risquaient de lui clouer le bec. Elle se tourna vers lui et l'affronta comme elle en rêvait depuis longtemps.

– Écoutez-moi bien, Dubois. Je fais tout ce que je peux pour coincer des gens sans scrupules. Et vous, vous faites des chichis. Je ne vois pas ce qui vous dérange à ce point.

Le chef la regarda, décontenancé.

– Vous ne semblez pas avoir l'habitude que quelqu'un vous réponde. Désolée, ce n'est pas mon habitude de me taire.

– C'est que...

– C'est que vous en avez après moi depuis l'an dernier. Ce n'est pas parce que j'ai fait une erreur que je dois la payer *ad nauseam*. Il faudrait me lâcher un peu. Sachez qu'on n'a encore jamais réussi à me mettre en cage.

Dubois était médusé, et Emma, trop enragée pour le voir. Un silence chargé de fiel tomba. Il dura vingt-cinq secondes.

– Vous avez autant de mordant qu'un homme, Clarke. C'est tout à votre honneur, se reprit Dubois en lui faisant un clin d'œil.

Décidément, c'était peine perdue pour la misogynie. Il ne changerait jamais.

– Pour répondre à votre question, je ne lâcherai pas le morceau. Et elle tourna les talons.

Renaud était occupé à lire un rapport.

– Je viens de mettre Dubois à sa place, dit Emma en massant sa tempe qui la faisait souffrir.

– Crime, il était temps ! Il a mal réagi, j'imagine ?

– Ça semble l'avoir rassuré que je me braque comme un homme.

– Ça se braque, un homme ? ironisa-t-il en bombant son torse envahi par Lucky Luke.

Emma sourit faiblement, puis enfila le corridor en songeant que Jeanne n'avait encore rien dit à propos du test de paternité. Ce qui laissait encore place à toute spéculation. Bien sûr, elle avait pensé confirmer l'information auprès de l'urologue qui avait pratiqué la vasectomie, mais l'idée, justifiée ou non, que le médecin pût être de connivence avec Miller l'en avait dissuadée. Avec la pathologiste, la certitude serait absolue.

Tard, elle composa le numéro de Charles Clarke, qui se levait aussi tôt qu'il se couchait tard.

– Tu vas être fier de moi. J'ai ramassé l'inspecteur-chef.

– Ta rébellion pourrait te jouer des tours…

– Je n'ai rien dit de trop méchant. Juste ce qu'il faut pour qu'il finisse par se rendre compte de son défaut.

– *Don't push your luck.*

– Je préfère être rebelle que passive.

– *I know*, dit Charles Clarke, d'un ton las.

– Des nouvelles du petit garçon ?

– Pas encore. C'est exaspérant.

– Et le réseau pédophile ?

– Scotland Yard m'assure qu'ils sont sur une piste.

– C'est toujours ça. Je te souhaite que ça débloque.

– La journée que ça va y être, je serai aux premières loges pour fustiger ces pervers.

– La femme que je rencontre chez ma psy insiste pour condamner le mari. J'ai déjà vérifié les anciens cas qui ressemblent au mien, mais je n'ai rien de concret.

– *Keep me posted, I'm curious.*

– Pareil pour toi. *Good night, Mister Clarke.*

Ω

Anne Lenoir repensait aux paroles du psychologue, Hugues Francœur. La femme de l'avocat avait dû faire le deuil de la grossesse pour ne pas le perdre, lui. Même si elle ne la comprenait pas de vouloir rester avec un homme pareil, allant même jusqu'à lui crier des noms dans sa tête, Anne voulait tout faire pour la sauver. Elle pensa à ses collègues jurés qui s'avéraient plus difficiles à convaincre qu'elle ne l'avait cru au départ. S'était-elle fait des illusions ? Son rôle était d'orienter leur décision, quitte à les harceler. Mais gentiment, sans qu'ils s'en rendent compte, en se laissant guider par leurs émotions, non par des détails techniques qui risquaient de les faire déraper.

Le psychologue avait aussi parlé de mesure de la colère. Sur une échelle de un à dix, la sienne frôlait sans doute la barre du neuf, aurait-il constaté. Ce qui la fit réfléchir à *sa* propension à commettre un meurtre. Fixant son pendule, un objet aussi rigoureux qu'un métronome, Anne Lenoir conclut que oui, elle en serait capable. Pour suivre le rythme, sa propre colère ne devait donc pas faiblir. La première bille monta très haut et émit un claquement si sec en tapant sur la deuxième qu'Anne sursauta. Lorsque la dernière eut repoussé les quatre autres, la femme refusa d'accepter le mot « illusions » et le remplaça par « faisabilité ».

Temps fou

Laurent Miller se leva lourdement et enfila un pantalon de pyjama avant de se diriger vers la machine à café. Pendant que le liquide coulait, adossé au comptoir de la cuisine, le regard perdu vers l'extérieur, il vit deux écureuils se poursuivre sur les branches des arbres centenaires qui peuplaient le jardin. Rapides comme l'éclair, on aurait dit, à première vue, qu'ils s'amusaient. Or, à entendre leurs cris guerriers qui traversaient la fenêtre, cela ne semblait pas être une partie de plaisir. L'un traquait l'autre, qui avait dû essayer soit de lui voler son butin, soit de lui prendre sa place ou, pire, sa femelle. Hypnotisé par le ballet effréné, l'avocat plissa les yeux et grimaça lorsque le chasseur réussit à mordre violemment le malfaiteur, lequel émit une plainte déchirante et, guidé par son instinct, chercha à se mettre à l'abri. Les rongeurs continuèrent à se déplacer de manière de plus en plus énergique, l'empêchant de distinguer leurs pattes.

L'angoisse monta dans la gorge de Miller quand il fit le parallèle avec son histoire. Solveig le pourchassait, lui martelant que lui aussi avait empiété sur un territoire interdit. Et lui courait dans tous les sens pour tenter de s'en sortir. Qui serait le plus fort ? Son torse dénudé se couvrit de chair de poule. Il cligna fermement des yeux.

L'alarme de l'appareil le tira de son délire. Comme un automate, il se versa un café d'une main tremblante, délaissant pendant un instant le jeu féroce des bêtes. La première gorgée lui brûla la langue et la lèvre supérieure au moment où le quadrupède persécuté faisait un bond prodigieux vers l'arbre du voisin. Il disparut ainsi de la circulation, laissant son poursuivant agiter sa queue de manière frénétique, de toute évidence satisfait d'avoir eu le dessus. Dans ce cas-ci, le traqueur avait été le plus fort. Pour ne plus entendre les cris déments du vainqueur, Miller se boucha les oreilles.

Il posa ensuite les mains sur la surface de granit qui s'avéra aussi froide que sa volonté. Solveig remuait son passé et lui empoisonnait la vie. Il se promit de la retrouver et se jura d'être, lui aussi, le plus fort.

L'avocat sursauta lorsque la sonnerie du téléphone résonna dans la pièce comme si une voix tonitruante l'envahissait tout entière.

– Jean Lemaire, dit l'homme à l'autre bout du fil. Sans avoir terminé mes recherches, je voulais vous faire un topo.

Laurent Miller se réjouit. Il aimait les gens qui ne perdaient pas de temps.

– La femme est toujours enregistrée à la même adresse, mais semble s'être évaporée dans la nature. Son ancien employeur ne sait pas non plus ce qu'elle est devenue après qu'elle a donné sa démission, il y a un peu plus de sept ans. C'est un véritable *challenge*.

– Elle est déménagée sans faire de changement d'adresse. Une sans-allure…, grogna l'avocat.

– Ou un génie. Vous savez sans doute qu'après sept ans de disparition, on est déclaré mort par l'État. Je n'ose pas vous demander pourquoi vous voulez la retracer, mais si elle peut marcher librement… enfin presque… sans se faire harceler, c'est un moyen pas mal…

– Continuez et on verra où ça nous mènera, le coupa Miller qui raccrocha, les tripes nouées.

Adèle Granger

« Témoignage attendu de l'accusée, Adèle Granger »

– Dieu sait qu'il est attendu, en effet, dit Emma tout haut.

Emma se rendit d'abord dans la salle de débordement pour constater que madame Dubé n'y était pas. Dommage, elle raterait le témoignage le plus attendu, se dit-elle. Une drôle d'impression l'accompagna jusqu'à la salle d'audience qui était pleine à craquer. Des gens étaient même debout à l'arrière. Emma commença à compter les personnes présentes lorsqu'elle vit Pierre Dubeau, sagement assis dans la dernière rangée. C'était la deuxième fois qu'il était là, la première étant le jour où il avait témoigné. Soit il était solidaire avec son artiste, soit il était curieux d'entendre ce qu'elle avait à dire, comme tous les gens assis là. Et, bien sûr, il y avait Laurent Miller, égal à lui-même, avec son air trop confiant. Encore que… elle eût dit que, ce matin-là, celui-ci était moins évident. Le témoignage de sa femme l'inquiétait-il ?

Greffier :   La Cour appelle Adèle Granger.

Aux prises avec des fers aux chevilles, l'accusée dut se faire aider par deux constables pour se déplacer. Comme tous les autres, elle posa la main droite, entravée par les menottes, sur la Bible et jura.

Me Sawyer :   Madame Granger, vous pouvez expliquer à la Cour votre version des faits ?

La femme ne regardait que le juge, comme on le lui avait conseillé.

Accusée : Lorsque j'ai découvert que mon mari me trompait…

Déjà, elle fit une pause pour inspirer.

Accusée : … c'est la peine qui a dominé. Puis celle-ci s'est transformée en déception avant de devenir de la colère. Je l'ai ensuite suivi pour découvrir que ma rivale n'était nulle autre que… celle dont vous connaissez le nom…

Mᵉ Sawyer : Carmen Lopez ?

Accusée : Elle était l'assistante du galeriste où je devais exposer ma collection de photos. Je ne me méfiais pas d'elle. Ça m'a… bouleversée.

Mᵉ Sawyer : Parce que vous la connaissiez ?

Accusée : C'est un grand mot. Je ne lui avais parlé que deux ou trois fois. J'ai trouvé pire que… ce soit quelqu'un que mon mari et moi avions tous les deux côtoyé.

Mᵉ Sawyer : Vous avez dit qu'elle était votre rivale. En général, un rival est quelqu'un qu'on désire éliminer…

Mᵉ Hébert : Objection, Votre Honneur !

Juge : Rejetée. Continuez, maître Sawyer.

Mᵉ Sawyer : Alors, madame Granger…

Accusée : Je désirais qu'elle sorte de notre vie. Ce n'était pas nécessaire qu'elle meure pour ça.

Mᵉ Sawyer : Mais elle est morte.

On entendit des murmures parmi l'assistance.

Mᵉ Sawyer : Madame Granger, si vous vouliez que votre mariage dure, pourquoi avoir menacé votre mari de divorce ?

Anne vit les larmes brouiller la vue de la femme visiblement incapable de répondre.

Mᵉ Sawyer :   Alors, madame…

Accusée :   Ce fut une réaction émotive, sans plus.

Mᵉ Sawyer :   C'est aussi l'émotion qui vous a dicté les phrases incendiaires que vous avez écrites dans votre journal ?

Mᵉ Hébert :   Objection !

Accusée :   J'aurais bien aimé voir n'importe qui à ma place.

Bravo ! Adèle Granger était capable de riposter, se dit Anne. Elle avait le cran de se défendre devant les accusations sans nuances du procureur pansu.

Mᵉ Sawyer :   On a parlé de colère. Diriez-vous que la vôtre s'est décuplée au fil de vos écrits ?

Accusée :   Il fallait que j'extériorise ma déception et ma peine d'une manière ou d'une autre. C'est le meilleur moyen que j'ai trouvé.

Mᵉ Sawyer :   Sauf que c'est allé trop loin.

Mᵉ Hébert :   Objection ! Je crois que c'est mon confrère qui va trop loin.

Juge :   Retenue.

Mᵉ Sawyer :   Parlez-nous de la photo que vous avez vandalisée. C'est une… déformation professionnelle ou encore un effet de l'émotion ?

L'accusée baissa les yeux, puis les leva pour braver le regard de son mari qui, lui, en lorgnait une autre. La jurée n° 9.

Accusée :   C'était pour l'enlaidir.

Elle l'avait presque crié. Des oh ! et des ah ! s'élevèrent de la foule. Anne aurait voulu se taper dans les mains. À la place, elle se tritura les doigts.

Mᵉ Sawyer :   Toutes ces… stries et taches, vous rêviez de les lui faire dans la réalité ?

Mᵉ Hébert :   Objection ! Mon confrère va encore trop loin !

Juge :   Maître Sawyer, un peu de retenue.

Accusée :   Encore une fois, c'était émotif. Ça m'a donné la
                force d'aller la voir pour lui demander…

Mᵉ Sawyer :   Oui ?

Accusée :   … de nous laisser en paix.

Mᵉ Sawyer :   Vous pouvez relater à la Cour cette rencontre ?

Adèle regarda ses poignets entravés par les menottes, et en fit même tinter les chaînes. Comme pour bien signifier qu'elle n'était pas libre.

Accusée :   Je suis d'abord passée par la galerie, mais le
                propriétaire, Pierre Dubeau, m'a dit qu'elle
                n'était pas rentrée ce jour-là. Qu'elle ne se
                sentait pas bien.

Emma lorgna Dubeau qui se tenait les bras croisés, et devint perplexe. Lors de son témoignage, il avait dit le contraire. Selon lui, son assistante avait travaillé la journée du meurtre. Visiblement, Adèle ou Dubeau mentait…

Mᵉ Sawyer :   C'était bien le 7 mars ?

Accusée :   Oui. J'aurais voulu lui parler à son travail,
                mais j'ai dû me rendre chez elle.

Mᵉ Sawyer :   Selon son patron, monsieur Dubeau, elle avait
                travaillé ce jour-là.

Adèle Granger sembla désemparée.

Accusée :   Je… je ne l'ai pas vue à la galerie.

Mᵉ Sawyer :   Très bien. Alors, continuez.

Accusée :   Je suis arrivée chez elle, en fin d'après-midi.
                Elle a d'abord refusé de m'ouvrir. J'ai dû insister.

Mᵉ Sawyer :   Elle vous a invitée à entrer ?

Accusée :   … Oui.

Anne nota l'hésitation.

Me Sawyer :   Vous pouvez nous décrire le salon ?

Accusée :   En fait... l'entrée donne sur le salon.

Me Sawyer :   Comme si c'était une même grande pièce ?

Accusée :   Si on veut.

Me Sawyer :   Que lui avez-vous dit ?

Accusée :   Je ne me rappelle plus très bien les mots que j'ai
            utilisés pour la convaincre de renoncer, mais je
            crois avoir été correcte.

Adèle se tut comme si elle n'avait rien à ajouter. Anne eut envie de lui dire : « Vas-y ! Allez ! N'aie pas peur. Tu gagneras si tu vas au fond des choses. Ne le laisse pas t'avoir. »

Me Sawyer :   Vous pouvez continuer.

Accusée :   Soudain, elle est devenue agressive. Elle m'a
            prise par le bras et m'a entraînée vers la porte,
            puis elle m'a jetée dehors sans ménagement.

Me Sawyer :   Assez énergique comme réaction de la part d'une
            femme qui ne se sentait pas bien.

Accusée :   Ça s'est passé comme ça.

Adèle baissa la tête et Anne vit sa poitrine se soulever. Signe qu'elle prenait une grande inspiration.

Me Sawyer :   L'agressée est donc devenue l'assaillante ? C'est
            elle, la victime, pas vous.

Me Hébert :   Objection !

Le public réagit aussi. On marmonna un peu trop fort au goût du juge. Il abattit le maillet sur son socle.

Juge :   Silence, s'il vous plaît ! Je demanderais à l'as-
         sistance de garder ses réflexions pour elle.

Le procureur décida de profiter de l'engouement de l'assistance pour insister.

Me Sawyer :   C'est plutôt vous qui, voyant que la victime
              n'abdiquerait pas, l'avez empoignée et finalement
              étranglée sous le coup de l'émotion, comme vous
              le dites si bien…

La foule était au comble de la fébrilité. L'avocat de la Couronne persista :

Me Sawyer :   Et c'est là que votre bracelet s'est détaché.

Emma, qui avait observé les faciès tout au long de l'interrogatoire, vit Adèle Granger fermer les yeux et contracter la mâchoire.

Me Sawyer :   Ah, autre chose, le foulard coincé sous votre
              voiture était l'arme du crime ?

Soudain blême, l'accusée se leva, se tenant à grand-peine sur ses jambes. Et réussit à articuler…

Accusée :   Je ne suis pas une…

Puis, elle perdit conscience.

Greffier :   Constables, vite !

Le procès fut suspendu sans qu'on sache quand il reprendrait. Anne Lenoir et les autres jurés réintégrèrent leur salle, le temps que le juge décide du programme de la journée. Sitôt la porte refermée, le n° 5 lança :

— C'est une feinte !

— Tu y vas un peu fort, rétorqua la n° 4.

— T'as vu ça ! Elle a choisi le bon moment pour le faire, renchérit le n° 5.

— Tu es injuste, voyons ! Cette femme a été malade.

— Belle façon de s'en sortir ! continua le n° 5. Les femmes sont fortes à ce jeu-là.

– Et toi, belle façon de penser! s'offusqua la n° 4.

Voilà que les « tu » et les « toi » se répandaient comme une traînée de poudre, songea Anne.

La bagarre allait éclater entre les deux. Le n° 8 s'interposa :

– Allez, tout doux. La tension a monté dans la salle d'audience et ça se répercute ici. Ça ne sert à rien de s'emporter.

Cela dit sans la moindre agressivité. Une grande fermeté sous une douceur apparente. Surpris que l'ingénieur prenne la parole pour ramener le calme, les deux jurés s'assirent à leur place. Les autres les imitèrent, de même qu'Anne qui, inquiète, se demanda comment on pourrait faire consensus au moment des délibérations.

– Manon a raison, commença-t-elle. L'accusée a été malade. Elle a pu avoir une rechute. Imaginez comme ça doit être éprouvant, tout ça, pour elle.

– T'as un parti pris depuis le début, répliqua le n° 5.

– J'ai mon opinion, c'est tout.

– Tout le monde a droit à son opinion, d'ailleurs, ajouta l'ingénieur.

Ce qui irrita Anne. Comme s'il voulait lui faire comprendre que tous n'étaient pas ou ne seraient pas, le temps venu, de son avis. Se sentant devenir agressive, la n° 9 rejeta son fiel sur le procureur de la Couronne.

– Il n'y va pas de main morte, ce Sawyer! N'importe qui aurait eu un malaise.

– Ah, là! j'abonde dans ton sens, Anne, dit le n° 10.

– C'est son rôle, tout simplement, rectifia le n° 8, de manière désinvolte, les yeux toujours rivés sur son carnet.

Anne eut envie de le massacrer. Non mais, pour qui se prenait-il ?!

– Vous n'avez pas encore d'opinion avec tout ce qu'on a entendu jusqu'à présent? balança-t-elle sur un ton sans équivoque.

– Je garde mes réflexions pour moi. Quand viendra le temps…

On vint alors les avertir que l'accusée avait été transportée à l'hôpital et qu'on les préviendrait si le procès se poursuivrait ou non le lendemain. La journée se terminait donc ainsi, sur les bons mots de l'ingénieur, se dit Anne, ulcérée. En silence, les jurés rangèrent notes et crayons et, à tour de rôle, passèrent la porte.

Pendant ce temps, Emma discutait avec Elliot.
— Tu parles ! s'exclama celui-ci.
— De toute évidence, elle est encore fragile.
— Tu te rappelles comme c'était facile pour elle de mentir, de feindre ?
Emma l'avait tout de même vu blêmir. Ça, elle n'avait pas pu le simuler.
— Parlant de mentir... Elle a dit que Carmen n'était pas à la galerie le jour du meurtre parce qu'elle n'était pas bien. Dubeau, lui, a dit qu'elle y était. À l'évidence, un des deux ment.
— Pour le reste, tu crois ce qu'elle a dit ? demanda Elliot.
— À moitié.
— Mais encore ?
— Son histoire de victime assaillante est difficile à avaler. Surtout qu'elle était enceinte. On est plutôt vulnérable dans ces moments-là.
— Tu sembles au courant.
— Bah... laisse tomber.
Elliot eut l'air sceptique.
— Si c'est vrai, on s'est trompés sur toute la ligne.
— Tout se peut, conclut Emma, perplexe.

Ω

Estelle Sauvé s'informa à propos des sentiments d'Emma envers Laurent Miller. Ils n'avaient pas changé. Emma confirma qu'elle sentait l'homme capable de tout. La thérapeute la questionna de nouveau au sujet de ses intentions concernant Elliot. Emma confirma qu'elles n'avaient pas changé.
Sortant du bureau de la psychologue, elle vit madame Dubé assise à sa place habituelle. Elle avait l'air furieuse.

– Vous voyez bien qu'elle n'en peut plus ! Comment la justice peut-elle s'acharner ainsi sur une pauvre femme ?

– Si elle est coupable, elle n'a pas d'autre choix que de passer par là.

– Pendant que son mari se pavane et *cruise* tout ce qui porte une jupe. Inconcevable…

Emma l'avait aussi constaté. L'avocat regardait souvent la jurée n° 9. Elle avait même surpris quelques sourires engageants. Cette dame Dubé était visiblement perturbée. Comment pouvait-on s'en faire autant pour quelqu'un d'autre ? Au fond, elle faisait pitié, songea Emma qui n'osa pas lui demander de lui parler de son passé.

– Qui nous dit que ce n'est pas lui qui a déposé le bracelet chez la victime ? Vous y avez songé ?

– On a fait toutes les recherches nécessaires pour s'en assurer…

– Il a pu inventer toutes sortes de sornettes pour s'en sortir, vous ne croyez pas ?

– Avec le temps qu'il faisait ce soir-là, il n'a pas pu…

Voilà qu'elle se laissait entraîner malgré elle dans cet interrogatoire improvisé. Emma s'en voulut.

– Je n'ai pas à justifier l'enquête, madame Dubé. Au fait, quel est votre prénom ?

Maintenant que la femme brune s'ingérait dans ses affaires, Emma ne voyait pas pourquoi elle ne ferait pas la même chose avec elle.

– Aucune importance, dit madame Dubé qui leva une main en se dirigeant vers le bureau d'Estelle Sauvé.

– Dernière chose, je ne vous ai pas vue dans la salle de débordement.

Madame Dubé s'arrêta de marcher et se retourna.

– Je suis arrivée plus tard, ce matin.

Aucune importance ? C'était à voir. Son téléphone vibra dans sa poche.

– J'ai procédé à l'appariement des ADN de l'embryon et de Miller, et ils ne concordent pas, l'informa Jeanne.

– Miller n'est pas le père…, dit Emma, tout bas.

Encore une fois, l'avocat avait dit la vérité. Soit il était doué pour se défiler, soit il était l'homme sincère qu'il se vantait d'être. Il avait par contre tardé à révéler cette vérité.

– OK, Jeanne. Il me faut alors trouver la provenance de la semence, si je peux m'exprimer comme ça.

– Tu devras faire du zèle, mon amie. Il me faut de la nouvelle substance.

Le visage tourmenté de Pierre Dubeau s'imposa à l'esprit d'Emma.

Temps précaire

Emma invita Elliot à se joindre à elle.

– C'est curieux, je le pensais gai, dit Elliot.

– Tu n'en as jamais parlé.

– Je croyais que, pour toi aussi, c'était évident.

– Il peut être bi.

Le galeriste était occupé à disposer des cadres sur un mur. Il leur fit signe d'attendre un instant. Elliot s'assit sur un banc, tandis qu'Emma resta debout. Pierre Dubeau descendit enfin de son escabeau et s'approcha d'eux.

– Vous avez encore besoin de moi ?

– Pas de vous, de votre ADN, dit Elliot.

Emma le sentit se braquer.

– Je croyais que tout avait été fait, que l'enquête était terminée. Le procès est en cours.

– Une nouvelle information a été portée à notre connaissance.

– Ah oui... Mais, j'y pense, vous l'avez déjà... avec mes empreintes.

– On ne l'obtient pas toujours à partir de là, précisa Elliot.

Le spécialiste des prélèvements lui avait dit que les pourtours de l'empreinte n'étaient pas assez graisseux pour réussir à avoir les cellules qu'il fallait.

– Vous n'avez pas objection ? demanda Emma en sortant un coton-tige.

Le galeriste semblait sur la corde raide. Les gouttes de sueur apparues sur son front n'échappèrent pas à la détective.

– Je crois que la loi me donne le choix, non?

Bon, il connaissait les subtilités du métier, pensa Emma. Elle jeta un coup d'œil discret en direction d'Elliot. Dubeau allait-il se servir des outils mis à sa disposition?

– Si vous n'avez rien à vous reprocher, ça ne devrait pas vous poser de problème.

Elliot tentait de l'acculer au pied du mur.

– Pourquoi en avez-vous besoin?

– Un élément imprévu vient de s'ajouter au casse-tête. Il faut donc prendre l'ADN de toutes les personnes rencontrées jusqu'à présent.

– Et si je dis non?

– Un mandat est si vite obtenu, dit Elliot.

– C'est tard dans le dossier.

– Jamais trop tard pour bien faire.

Résigné, il se détourna d'eux et marcha vers son bureau, au fond de la galerie.

– Je ne voudrais pas me donner en spectacle.

Au moment où Emma fit le prélèvement, le col de la chemise de Dubeau bâilla, dévoilant un pendentif perdu dans sa toison noire.

Chacun regarda son téléphone. Un texto les avisait que l'accusée ne reviendrait pas avant quelques jours. Après une chute de pression importante, elle resterait en observation à l'hôpital. Le procès était donc interrompu jusqu'à nouvel ordre.

– Ça nous donnera le temps de régler certaines choses, dit Elliot.

– Tu as un autre chaudron sur le feu?

– J'ai laissé Isabelle, dit-il d'un trait, comme si les mots lui brûlaient la langue.

La nouvelle la laissa sans voix. Emma se contenta de le regarder.

– Ma femme…, précisa-t-il. Toute cette histoire m'a fait réfléchir. Je ne veux pas jouer double jeu comme cet abruti d'avocat. Et je sais que toi non plus.

Emma ne parlait toujours pas.

– Je me permets donc de demander à ma lieutenante-détective-capitaine de songer à un nouvel aspect de son avenir. Et au mien… par le fait même.

Elle était incapable d'articuler un seul mot. Elliot en rajouta :

– Je ne te promets pas de soirées tranquilles. Tu comprends, je suis sergent-détective, alors…, dit-il. Par contre, les nuits…

Décontenancée et en dépit du grand frisson qui la parcourut, Emma choisit de changer de sujet.

– Ah oui, je ne t'ai pas dit… j'ai remis Dubois à sa place.

– Pourvu que tu ne fasses pas la même chose avec moi… Hé ! nos téléphones n'ont pas vibré en même temps pour rien ! ajouta-t-il en lui faisant un clin d'œil.

Plus tard… beaucoup trop tard, en fait, Emma s'assit au piano et laissa ses doigts effleurer les notes. *O-o-h Child* résonna dans la pièce. Une nouvelle vie pouvait commencer. Si elle le voulait, bien entendu. Au fait, le voulait-elle ? « Allez chercher ce que vous voulez », avait dit Estelle Sauvé. Le « pourquoi » avait-il porté ses fruits ?

Elle délaissa son instrument, se lova en boule dans son fauteuil et pleura doucement.

Ω

« JE SAIS. »

Le message était fixé à la porte à l'aide de gommette. Un frisson particulièrement désagréable longea l'échine de Miller. Les menaces revenaient à une vitesse folle. Il prit le temps de respirer pour mieux évaluer la situation.

Les enquêteurs… Il revit les visages de la lieutenante et du sergent. Ces deux-là étaient perspicaces, il les avait jaugés. De toute évidence, Carrière se retenait de mordre. L'avocat le comprenait, il aurait fait pire à sa place. Quant à la lieutenante Clarke, elle avait un cul superbe et des lèvres à faire damner un saint, mais elle était intraitable. Ce qui, Miller devait l'avouer, lui plaisait, lui qui aimait les femmes de tête, d'action, les femmes énigmatiques aussi. Et Emma Clarke était tout ça. En d'autres circonstances, il l'aurait sans aucun doute invitée et séduite, comme les autres avant elle. Il se fit la réflexion que les détectives étaient peut-être amants. Miller aurait juré que oui. La morsure de la jalousie le fit grimacer. Il en voulut au sergent Carrière.

Mais il lui fallait se concentrer sur l'essentiel : trouver Solveig. Une évidence lui sauta soudain aux yeux.

Elle ose se présenter devant ma porte… Il faudrait que je monte la garde, merde! C'est ça, je vais coucher sur le seuil comme un bon chien le ferait pour son maître. Que fait ce satané détective? Il devrait lui mettre la main au collet, à cette cinglée!

L'avocat paniquait de plus en plus.

La sonnerie de son téléphone le fit sursauter.

– Votre Solveig reste introuvable. J'ai remué ciel et terre, et *niet*, elle s'est évaporée dans la nature.

– Ça ne m'arrange pas. Vous avez vérifié son passeport?

– C'est fait. Elle n'a pas traversé de frontières.

– Elle est toujours dans les parages, alors…, murmura Miller.

– Si c'est ça, elle est bien tapie dans l'ombre en attendant son heure de gloire.

Voilà que le détective se faisait l'avocat du diable. Malgré l'angoisse qui lui broyait l'intérieur, Miller devait admettre qu'il préférait tout de même traquer Solveig qu'une personne désireuse de le faire chanter et dont il aurait ignoré l'identité. Au moins s'attaquait-il à quelqu'un qu'il connaissait par cœur. Du moins l'avait-il toujours cru.

– Elle ne semble plus avoir de voiture, et son permis de conduire n'a jamais été renouvelé. Quant à sa carte d'assurance maladie, il y a belle lurette qu'elle n'a pas servi. Et il n'y a aucune carte de crédit enregistrée à son nom.

Laurent Miller était sidéré. Comment pouvait-on disparaître ainsi ?

– Ou elle se terre quelque part par ici, ou elle est partie en douce, ailleurs dans le monde, sous un faux nom. Ça s'est déjà vu.

– Donc, elle est un peu partout et un peu nulle part, réfléchit Miller. Gardez les yeux ouverts, je vous paierai ce que vous voudrez.

Il raccrocha en même temps qu'une idée se frayait un chemin dans sa tête. Et si elle avait changé de nom ?

Temps flou

Emma songea bien sûr aux paroles pour le moins inattendues d'Elliot. Qu'allait-elle faire avec ça? Elle décida qu'elle y songerait en temps et lieu. Pour l'instant, madame Dubé n'avait pas voulu dire son prénom. Curieuse de savoir d'où venait cette femme, Emma se demanda si…

Onze heures trente-cinq. Elle avait juste le temps.

Une femme aux yeux rougis sortit de derrière la porte hermétique. Emma fit signe à l'assistante de ne pas se déranger et se présenta sur le seuil du bureau où Estelle Sauvé inscrivait des notes dans un dossier.

– Toc, toc. Excusez-moi.

La thérapeute leva un regard étonné.

– Emma! On s'est vues, hier. Quelque chose ne va pas?

– Elliot a laissé sa femme. Mais ce n'est pas pour ça que je suis venue. J'aurais plutôt une question.

Madame Estelle posa les coudes sur le bureau et croisa ses longs doigts.

– Vous en êtes ravie, j'espère.

– Je suis ambivalente.

– D'accord, je n'insiste pas. Pas maintenant. On en reparlera. Alors, votre question?

– C'est possible de connaître le prénom de la cliente qui vient juste après moi, le vendredi?

– C'est… confidentiel, Emma. Je ne le ferais pas si on me le demandait pour vous.

– Je sais. C'est juste que… Ah, et puis, non, laissez tomber, c'était une mauvaise idée, dit-elle en tournant les talons.

– Cette femme vous importune.

C'était plus une affirmation qu'une question. Emma s'arrêta à mi-chemin.

– Mon assistante m'en a aussi parlé.

– J'aimerais savoir à qui j'ai affaire.

– Il y a des gens qui se mêlent de tout, vous le savez. Comme tout ça est de notoriété publique, surtout à cause de l'avocat connu, les commentaires peuvent fuser.

Emma compta les secondes avant que la psychologue enchaîne :

– Diane. Diane Dubé. Et c'est bien parce que ça concerne votre enquête.

– Merci. Je serai d'une discrétion absolue.

Emma marcha vers la porte, puis…

– Si j'osais vous demander une adresse, un numéro de téléphone…

Estelle Sauvé balança la tête de gauche à droite.

– Votre droiture vous honore, Estelle ! Je peux vous appeler Estelle ?

Emma arriva au QG en quatrième vitesse. Elle grimpa l'escalier sans en dénombrer les marches, cette fois, puis arriva nez à nez avec un Sherlock Holmes qui mettait en valeur les pectoraux de Renaud.

– J'ai besoin de toi.

– Encore ? railla-t-il.

– Diane Dubé. Je veux savoir qui elle est. Où elle vit. Ce qu'elle fait dans la vie. Ce qu'elle a vécu.

– Crime ! Tu chômes pas. On peut savoir où tu t'en vas avec ça ?

Pour toute réponse, Emma ramassa son perfecto abandonné sur le dossier d'une chaise et encouragea son collègue d'une œillade complice.

Plus tard dans l'après-midi…
– Ce n'est pas les Diane Dubé qui manquent. Il me faudrait au moins un autre renseignement sur elle.

Emma s'agita sur sa chaise.
– Je n'en ai pas, Renaud.
– Crime! Si je savais au moins où elle habite…
– C'est peine perdue, dans ce cas-là.
– Tu la connais comment, cette fille?

La vibration de son téléphone la sauva. Et sa sauveuse ne fut nulle autre qu'Estelle Sauvé.
– Tu me donnes une seconde…
– Emma, c'est Estelle. J'ai réfléchi. Comme c'est un cas particulier, que l'intimidation se passe dans mon bureau et… que je vous apprécie, je vais vous donner un numéro de cellulaire.

Emma, qui jubilait, brandit un poing devant Renaud.
– Ne croyez pas que c'est une habitude…
– Tout ce que je crois, c'est que… vous êtes extraordinaire. Merci de tout cœur, Estelle.

Elle raccrocha.
– C'est un numéro de cellulaire, dit-elle en tendant un papier à Renaud.
– Hé! tu niaises pas avec la *puck*.
– Les contacts, Renaud, les contacts. J'ai aussi les miens, tu sais.
– Hmm… mais là, pas de mandat, pas de renseignements. Les compagnies de sans-fil sont pointilleuses.
– Aucun moyen de contourner?
– Nan… Après avoir testé un millier de fois…
– Merde! On pourrait la retracer à l'aide du GPS?

– Hmm… difficile de savoir avec précision où se trouve l'utilisateur. En ville, les tours de télécommunication sont à un ou deux kilomètres les unes des autres, et ça ne donne pas l'endroit exact de la provenance de l'appel. On a juste droit à un périmètre donné. Donc, on ne peut pas savoir si la personne parle de son domicile ou de n'importe où ailleurs.

– À moins que… tu appelles madame Dubé?

– Pour lui dire quoi?

– Ah! Renaud, tu as plus d'un tour dans ton sac…

Devant son air interrogateur, Emma précisa:

– Tu pourrais l'inviter à sortir…

– Elle a l'air de quoi?

– Un peu perturbée, mais… pas mal, je dirais.

– J'ai une meilleure idée, capitaine.

La réquisition de mandat venait de traverser les ondes du scanneur. *Ouf*, un café ne serait pas de refus! Longeant le couloir vers la cuisinette, Emma entendit des pleurs qui la menèrent au bureau d'Elliot. Elle s'approcha sur la pointe des pieds et vit une jeune fille, papier-mouchoir en main, assise devant lui. Emma s'empressait de s'éloigner lorsque Elliot la héla.

– Emma! Je dois te présenter quelqu'un.

Mal à l'aise, Emma pointa à peine le nez dans l'ouverture du paravent. Malgré les larmes, le visage de la fille s'illumina.

– Emma Clarke!

– Je te présente Élodie, ma fille.

Devant la crise de son adolescente, Elliot avait de toute évidence décidé de faire diversion.

– Enchantée, dit Emma en lui tendant la main.

Émue, Élodie s'en empara.

– T'es mon idole, madame la détective!

Emma avait oublié que les ados faisaient preuve de familiarité assez rapidement.

– Ton nom et ton visage sont épinglés sur les murs de sa chambre, précisa Elliot.

– Je n'ai rien d'une idole, se défendit Emma.

– Un jour, je serai nommée à ta place.

– Elle n'est pas de tout repos, ma place.

– Je ferai avec, t'en fais pas.

– Je sens que Dubois n'a pas fini de sévir…, railla Elliot.

– Hé! dis, je peux voir ta moto?

Emma lança une œillade à Elliot qui s'approcha.

– Vous êtes faites pour vous entendre, lui murmura-t-il.

Dans l'ascenseur, Élodie se tourna vers Emma et lui balança:

– J'espère au moins que si mon père laisse ma mère, c'est pour toi.

Emma ravala ce qu'elle était tentée de dire.

Après avoir laissé Élodie enfourcher la Ninja, l'avoir écoutée parler de ses études et de son désir de les poursuivre à Nicolet, Emma prit la route en direction nord. Elle avait prévenu l'adolescente de la vie difficile qu'elle affronterait si son projet se concrétisait. Or, la jolie et allumée Élodie lui avait tenu tête. Elle était ni plus ni moins un miroir. Emma se reconnaissait dans cet entêtement, cette rébellion. Elle pensa à sa sœur et songea qu'avec cette enfant – oh! pardon, jeune fille –, elle pourrait se reprendre et faire en sorte de la protéger. Un sourire se dessina sur ses lèvres.

Se garant devant chez son capitaine, Emma eut la grande surprise de le voir marcher sur le trottoir. Même si le pas était incertain, on sentait l'efficacité de la réadaptation.

– Hé! capitaine.

Arthur Burn se retourna et mit sa main gauche en visière pour se protéger du soleil. Puis il afficha un sourire un peu moins décalé que la fois précédente. Emma aurait sauté de joie.

– Je vois qu'une aide serait superflue, blagua-t-elle en marchant à ses côtés.

– Ça va bien, articula-t-il du mieux qu'il le put.

Spontanément, Emma l'embrassa sur la joue. Il lui prit la main et la serra. À sentir la pression de ses doigts, elle se dit que ses forces revenaient. Enfin.

– Il s'en est passé, des événements, depuis qu'on s'est vus.

Elle lui raconta tout depuis qu'il avait tracé le mot « *tenacity* ».

– On ne me dira pas que je n'en ai pas fait preuve.

– Dub…, prononça Burn avec difficulté.

– Le chef? J'ai bon espoir qu'à l'avenir il me traitera comme une femme mérite de l'être.

– *Atta… boy!*

– Excusez-moi, mon téléphone…

– Le mandat vient d'entrer. Je m'occupe de fouiller la vie de ta Diane, dit Renaud.

– Je ne reçois que de bonnes nouvelles, aujourd'hui!

Elle effleura le bouton rouge et s'apprêtait à prendre congé du capitaine…

– *Keep going!*

Son pouce droit fit mine de se lever. Les progrès étaient de plus en plus visibles.

Encore une bonne nouvelle, songea Emma.

Ω

Vingt heures. Laurent Miller avait fait exprès de se rendre à son bureau, alors que la plupart des gens l'avaient quitté. Il s'offrit d'abord un cognac, s'assit derrière le clavier de l'ordinateur et joua au recherchiste. Il trouva les archives dont il avait besoin et fouilla les années, les unes après les autres. Le nombre de requêtes en changement de nom présentées au tribunal le surprit. Il ne s'attendait pas à ce qu'elles soient si fréquentes.

Il devait scruter les huit dernières années. Au bout des quatre premières, il se leva pour s'étirer, et constata que son verre était vide. Il se resservit. L'horloge indiquait 21 h 36. Miller se rassit et se remit au travail. Il devait trouver. À 23 h 50, il mit fin à ses recherches. Le nom de Solveig Blanchet n'apparaissait nulle part

Frustré, l'avocat se recula sur sa chaise et laissa la fatigue l'envahir. Contre toute attente, il pleura comme un enfant.

Cette nuit-là, ce fut la jurée blonde qui tint le couteau. Attaché, il ne pouvait bouger. Ironiquement, il y prit plaisir jusqu'à ce qu'elle vînt trop près de lui et brandît la lame acérée sous son nez. En tentant de se défaire de ses liens, il ne réussit qu'à transpirer comme un porc.

Il se réveilla, les mains empoignant fermement le matelas, l'écume aux lèvres. Le réveil indiquait 5 h 39. Assis au milieu du grand lit, il songea à la rivalité entre les écureuils, et pensa à la n° 9 qui venait de se substituer à Solveig. Il la vit tout à coup comme une ennemie.

Il se rendit dans la cuisine, posa les mains sur le granit froid et regarda par la fenêtre. Sous une pluie diluvienne, le vent malmenait les feuilles qui semblaient avoir envie d'abdiquer. Tout comme lui. Puis, au milieu de la tempête, il aperçut de nouveau deux écureuils sur une branche de l'immense épinette. Immobiles, ils se faisaient face. Pas un millimètre de leur corps ne bougeait. Soudain, l'un d'eux sauta à la gorge de l'autre, le mordant si fort que le second poussa une plainte poignante qui se répercuta dans l'aube. Miller porta ses mains à son cou, comme si la morsure était là plutôt que sur celui du rongeur. Enfin, tremblant, il alluma la machine à café.

Temps gris

– Le test n'a pas encore parlé, déclara Jeanne qui nettoyait ses intruments.

Dos au comptoir en acier inoxydable longeant la salle d'autopsie, Emma laissa son regard errer sur les instruments en métal qui jonchaient une table en acier, ainsi que sur une balance à organes suspendue au bout du billard aussi métallisé. Heureusement, aucun corps n'y était étendu en attendant d'être disséqué. L'odeur de la mort qui flottait dans la pièce, depuis longtemps imperceptible pour Jeanne, devenait entêtante pour Emma. Or, cette fois, cela la perturba moins que d'habitude.

– Je ne sais pas pourquoi je veux tant savoir, dit Emma.

– Ta conscience ou ton sixième sens te parle, mon amie. On en a l'habitude.

– C'est comme si j'avais un doute…

– À propos du bonhomme?

– Oui et non. Je commence à penser qu'on a peut-être fait inculper la mauvaise personne.

– Tout le monde peut se tromper, Emma. N'empêche, cette femme avait toutes les raisons de vouloir que la maîtresse disparaisse, et toi, tu avais tous les éléments en main pour…

– Je sais, l'interrompit-elle en songeant à quel point elle admirait son amie de travailler dans un environnement aussi macabre qu'aseptisé.

Ω

– Diane Dubé est décédée il y a six mois.

Le résultat tomba comme un pavé dans une mare d'eau corrompue.

– Les nouvelles étaient trop bonnes… On sait qui elle était ?

– La trentaine. Pas mariée. Pas d'enfant. Elle s'est suicidée pas longtemps après s'être fait avorter.

– On parle encore d'avortement…

– Ç'a l'air qu'on nage là-dedans.

– Conclusion : son téléphone a atterri dans les mains d'une femme qui se fait passer pour elle.

– Une chose est sûre : il n'est jamais ouvert, continua Renaud. Donc, impossible de le suivre à la trace et de prendre l'utilisateur en flagrant délit dans sa chambre à coucher.

– La compagnie de télécom peut annuler l'abonnement ?

– Pourquoi ils perdraient un compte payé tous les mois ?

– Parce qu'on le paie ? s'étonna Emma.

– En argent sonnant. C'est étrange en crime !

– On sait qui paie ?

– Au nombre de personnes qui passent au comptoir, pas certain que la réceptionniste se souvienne de tout le monde.

– Hmm… pourquoi garder un téléphone qu'on n'utilise pas ? se questionna Emma.

– Elle l'ouvre peut-être quand elle en a vraiment besoin et ce n'est pas assez long pour qu'on puisse la retracer.

Elle finit par rentrer chez elle et, un verre de vin blanc à la main, se réfugia dans le salon où elle pianota plus qu'elle ne joua *Mad World*. Cet air la portait à réfléchir sur les mauvais penchants des humains. Elle conclut qu'elle n'avait plus d'autre choix que de demander des explications à Diane Dubé en personne. De plus, elle avait besoin de ses révélations…

– Merde! Tout un casse-tête, dit-elle à voix haute.

Un texto la tira de ses réflexions. Le procès reprendrait le lendemain matin.

Ω

Le liquide ambré tournait dans le verre blotti au creux de sa main, tandis que son regard se perdait au-delà de la fenêtre. Le palais de justice, illuminé à cette heure, lui parut gigantesque et redoutable. Pourtant aguerri à plaider entre ses murs, il le craignit tout à coup, comme s'il devenait menaçant. Il se tourna vers les immeubles voisins. Des centaines de néons étaient allumés et le resteraient jusqu'au lendemain matin. Alors que chez lui, la nuit serait entièrement noire… La gorgée brûlante qui coula dans sa gorge le rassura à peine.

Son téléphone sonna. Il le regarda durant vingt bonnes secondes avant de répondre. À l'entendre, l'interlocuteur était de toute évidence très inquiet.

– Pour la dixième fois, lâche ton ordi! le sermonna Miller. Ton obsession va finir par causer notre perte.

Soucieux, il raccrocha et décida qu'il était temps de rentrer. Il verrouilla son bureau et descendit dans le garage souterrain. Il déverrouilla sa voiture en restant à bonne distance. L'idée d'une bombe lui pétant au visage sitôt le système d'alarme désactivé lui trottait dans la tête depuis des jours. Si on lui avait dit que l'idée était folle, il aurait répliqué que nul ne savait jusqu'où des menaces pouvaient aller. Soulagé de ne voir aucun papier ni colis déposé sur le capot de sa BMW, il démarra et roula doucement vers la sortie en scrutant les alentours. Démasquer Solveig cachée derrière un pilier, il en rêvait.

Arrivé chez lui, l'avocat n'actionna pas l'ouvre-porte de garage. L'idée de sortir de celui-ci dans l'obscurité lui était tout à coup insupportable. Il préféra se garer à l'extérieur. Après avoir ouvert la porte, il lança ses clés sur la table de l'entrée, alluma la lampe qui projeta un halo tamisé, prit son courrier sur le perron et entra. Parmi les factures, un message écrit à l'encre rouge : « JE NE TE LÂCHERAI PAS. »

Il eut l'impression de recevoir une décharge électrique. Pétrifié, il fixa les lettres écarlates, et revit l'écureuil qui défendait son territoire, ne laissant aucune chance à son ennemi. Comme un automate, il marcha vers l'armoire, sortit la vodka et en but une longue gorgée à même la bouteille. Les menaces de Solveig l'avaient-elles rendu alcoolique ? Chose certaine, ne pas succomber à l'alcool s'avérait de plus en plus difficile, voire impossible. Cette démone l'épiait derrière les fenêtres, il en était certain. Il courut vers celles-ci, en ferma violemment les volets. Le fait que sa prédatrice était introuvable la rendait encore plus coupable à ses yeux. Elle n'avait pas disparu pour rien. Cette fille était comme une écharde impossible à retirer, même avec une aiguille chauffée à blanc. Elle le rendait fou.

C'en était assez ! Il se dirigea vers la trappe dissimulée dans le plancher, sous la carpette de son bureau, et en sortit le Glock caché là. Si jamais…, s'était-il dit. Il s'assura qu'il était chargé et passa la soirée entre celui-ci et la bouteille de vodka.

Après une nuit faite de cauchemars troublants et de réveils brutaux, il décida de ranger l'arme dans la boîte à gants de sa BMW.

Mauvais temps

– Alors, Emma, je suis curieuse. Vous avez trouvé Diane Dubé ? demanda la thérapeute.

– Oui et non. Elle s'est suicidée, visiblement après s'être fait avorter, il y a six mois.

Estelle Sauvé ouvrit tout grand la bouche et les yeux.

– Ne vous surprenez pas trop. Si vous saviez ce qu'on voit dans notre métier. Il ne faut pas trop s'en faire. Je finirai bien par savoir…

– Je peux faire quelque chose ?

– Ce n'est pas à vous de le faire. Je n'aimerais pas que vous soyez mêlée à ça, dit Emma en repoussant une mèche folle derrière son oreille.

Il y eut une longue pause, puis Emma déclara :

– Estelle, j'ai pris une décision.

La psychologue se cala sur sa chaise.

– Je vous écoute.

– Je vais laisser une chance au coureur. Le coureur étant… Elliot.

Et elle partit d'un grand rire.

– En fait, je ne sais pas auquel de nous deux je laisse cette chance : lui ou moi.

– Peu importe. Je crois que c'est une excellente idée. Le bonheur n'a pas de prix. Essayez de le capturer.

Emma fut surprise de ne pas rencontrer la femme brune, alias Diane Dubé, de l'autre côté de la porte. S'était-elle rendu compte que sa démarche ne menait à rien ? Son opinion était de plus en plus mitigée au sujet de cette femme.

Ω

Laurent Miller ferma la porte de son bureau et appela l'ascenseur. Une fatigue extrême lui était tombée dessus tout d'un coup. Il réalisa qu'il était à bout de nerfs. Bien sûr, il gardait contenance devant la Cour et ses confrères. Rien ne devait paraître, alors qu'au fond il n'était plus que l'ombre de lui-même. Pourquoi Solveig ne se montrait-elle pas ? Son stratagème de le pourchasser jour et nuit ne menait à rien de concret. Si ce n'est qu'à le déstabiliser comme il n'aurait jamais cru pouvoir l'être.

Il passa la porte du garage et fut tenté de le parcourir, espérant trouver sa harceleuse derrière une de ces foutues colonnes de béton. Il déverrouilla sa voiture à distance et expira bruyamment. Encore une fois, rien n'explosa. Il déposa sa mallette, ouvrit la boîte à gants et s'empara du Glock. Longeant les murs, il marcha, l'arme camouflée sur le côté de sa cuisse. Malgré ses efforts pour être discret, il eut l'impression que ses semelles faisaient un bruit d'enfer en raclant le sol. Ses yeux fouillaient l'espace mal éclairé. Un des néons fixés au plafond clignotait, semblant vouloir le guider vers la cachette de Solveig. Rendu au milieu du garage, le cœur voulant lui sortir de la poitrine, l'avocat décida de faire demi-tour. Il s'assit derrière le volant, prit à peine le temps de régulariser sa respiration et démarra sur les chapeaux de roue.

Alors qu'il débarquait de sa voiture, l'air de *O-o-h Child* chanté par Beth Orton joua dans la nuit. Comme pour le narguer. Miller ressortit le Glock de sa cachette et le pointa en avant en se dirigeant vers la voix profonde, presque inquiétante, qui s'amplifiait à mesure qu'il approchait des haut-parleurs placés au-dessus de la terrasse arrière. Il leva la tête vers eux. On avait utilisé sa propre enceinte, c'était à peine croyable! Jusqu'où irait cette cinglée? Se précipitant vers l'avant de la maison, il vit un fenêtre ouverte. On l'avait forcée et on avait réussi à pénétrer chez lui... Arrivé dans le garage, il prit un escabeau et retourna sur la terrasse. En équilibre précaire sur le dernier échelon, il constata que les fils avaient été trafiqués. Révolté, il les arracha et les lança de toutes ses forces dans le jardin. Ils atterrirent sur la grosse branche de l'épinette norvégienne, son arbre préféré sur lequel les écureuils s'étaient fait la guerre, et y restèrent accrochés. Miller les regarda pendouiller dans le vide. Puis il se tourna vers la fenêtre de la cuisine et les vit. Les mots écrits à même la vitre: «T'AS PEUR, HEIN?»

Il vit rouge.

– Tu la veux comment, ta guerre? Cruelle, venimeuse, sanglante? hurla-t-il, encore juché dans le noir.

SIXIÈME PARTIE
LE DÉBUT DE LA FIN

Adèle Granger

Emma se précipita vers la salle de débordement et constata que la pseudo Diane Dubé brillait encore une fois par son absence. La perplexité la gagnait de plus en plus. À quelle mascarade s'amusait donc à jouer cette femme? N'ayant plus beaucoup de temps avant la reprise du procès, elle courut jusqu'à la salle d'audience et vit Adèle Granger qui s'avançait vers la barre.

Les jambes de l'accusée semblèrent flageolantes lorsqu'elle prit place devant son avocat.

Mᵉ Hébert : Madame Granger, comment allez-vous?

Accusée : Comme on peut aller, assise dans un box d'accusés.

Mᵉ Hébert : Surtout lorsqu'on n'a rien à se reprocher.

Mᵉ Sawyer : Objection!

Juge : Continuez, maître Hébert.

Mᵉ Hébert : Après votre accident de voiture, vous avez été plongée dans le coma?

Accusée : Oui.

Mᵉ Hébert : Ensuite, vous avez souffert d'amnésie?

Accusée : C'est ça.

Mᵉ Hébert : Pouvez-vous affirmer que votre mémoire est maintenant revenue à cent pour cent?

Accusée : Pas tout à fait, mais c'est de mieux en mieux.

Me Hébert : Vous vous souvenez exactement de ce qui s'est passé le jour du meurtre ?

L'accusée baissa les yeux vers ses poignets menottés.

Accusée : Je crois… oui.

Me Hébert : Vous soutenez votre version des faits selon laquelle la victime vous a malmenée ?

Accusée : Oui.

On murmura dans la salle.

Me Hébert : Avant cet épisode éprouvant de votre vie, avez-vous déjà ressenti une colère similaire ?

Accusée : Oui. La première fois que j'ai compris que Lau… mon mari avait une maîtresse.

Me Hébert : Alors, il en a eu d'autres…

Accusée : Au moins une, à ma connaissance.

Me Hébert : Vous la connaissiez ?

Accusée : J'ai fini par savoir qui c'était.

Me Hébert : Quelle a été votre réaction à ce moment-là ?

Accusée : Je me suis assise avec mon mari pour lui dire que je ne pouvais tolérer la situation.

Me Hébert : Il vous a comprise ?

Accusée : Il a fini par la laisser.

Me Hébert : Comprenons bien. Votre mari avait une maîtresse et vous saviez qui elle était. La colère s'est emparée de vous. Avez-vous pensé, à un moment, à… tuer cette femme ?

Adèle Granger fit non de la tête.

Juge : S'il vous plaît, madame, il faudrait que vos réponses soient audibles.

Accusée :   Jamais.

Me Hébert :   Conclusion : une immense colère ne vous a pas
                 menée dans vos derniers retranchements.

Des gens dans l'assistance s'agitèrent sur leur siège. On chuchota.

Me Hébert :   Revenons à la deuxième maîtresse. C'est donc elle
                 qui, ironiquement, vous a agressée ?

Me Sawyer :   Objection ! Cet élément n'a pas été prouvé, Votre
                 Honneur !

Juge :   Rien n'est encore prouvé, maître Sawyer…

On aurait dit que le silence s'était fait encore plus lourd dans
la salle.

Me Hébert :   Comment qualifieriez-vous votre mémoire actuellement ?

Accusée :   Sauf pour certains détails, elle est revenue.

Me Hébert :   Certains détails comme le fait de ne pas vous
                 rappeler si vous portiez ou non votre bracelet ce
                 jour-là ?

Accusée :   Il me semble que non…

Me Hébert :   Il devait donc être bien au chaud dans le coffre-
                 fort dont vous seule connaissiez la combinaison ?

Accusée :   C'est le même code depuis des années et… je ne
                 l'ai jamais caché à mon mari.

L'accusée avait regardé intensément Laurent Miller en disant
cela, ce qui contredisait l'affirmation qu'il avait faite durant son
propre témoignage. Anne aurait voulu applaudir cette femme qui
ne semblait pas avoir froid aux yeux.

Quant à Emma, elle admira la verve de maître Hébert. Sa
réputation n'était plus à faire. Il fallait avouer que sa cliente se
débrouillait fort bien, même si sa mémoire n'avait pas encore atteint
son sommet. Elle fit le tour de l'assistance, y vit à peu près les
mêmes visages qu'elle avait dénombrés des dizaines de fois, ainsi

que le galeriste. Et enfin, Laurent Miller, trop fier, trop pédant, en dépit de ce qui venait d'être dit.

Mᵉ Hébert :   Tiens donc, c'est l'arroseur arrosé…

Mᵉ Sawyer :   Objection ! Quand même, maître Hébert !

Mᵉ Hébert :   Pas d'autre question.

Pendant que l'avocat de la défense, de toute évidence fier de sa performance, retournait à sa table, celui de la Couronne marchait droit vers le box du jury. Il se tourna vers l'accusée.

Mᵉ Sawyer :   Madame Granger, j'aimerais que vous disiez à la Cour et au jury où vous vous trouviez lorsque madame Lopez vous a… brusquée.

Accusée :   … Dans le salon et l'entrée. Il n'y a que quelques pas entre les deux.

Mᵉ Sawyer :   C'est pour cette raison que votre bracelet est tombé directement… sur la table du salon.

Le procureur avait mimé le geste d'un objet qu'on échappe en disant cela. Adèle Granger avait baissé les yeux sur ses mains enchaînées. Le greffier s'était levé.

Greffier :   L'audience reprendra à 13 h 30.

Les jurés mangèrent dans leur salle.

— Y a plus grand doute que c'est elle, balança le n° 5.

— Hé ! hé ! pas si vite, répliqua la n° 4. On n'est pas encore en délibérations.

— Je la crois pas, c'est simple.

Avec ce que le n° 5 vivait dans sa propre vie, c'était clair qu'il était devenu vindicatif, pensa Anne.

— On sent la colère émaner d'elle, renchérit le n° 10 qui croqua sans délicatesse dans une carotte.

— Ça ne veut pas dire qu'elle soit passée à l'acte, argumenta la n° 4.

— On sait qu'elle s'est dédite plusieurs fois devant les policiers et les psys, continua le n° 10.

— C'est facile de dire que t'es allé t'expliquer avec quelqu'un dans les minutes avant qu'y soit assassiné, pis qu'en plus, c'est comme ça que t'as perdu ton bracelet, y alla le n° 5.

Anne était étourdie et à bout de nerfs d'entendre les canines attaquer les légumes. Elle était figée sur sa chaise, incapable d'articuler le moindre mot. Levant les yeux, elle rencontra ceux du n° 8. Cet homme conservait un calme olympien en dépit de tout ce qui se disait. Comment arrivait-il à ne pas intervenir? Ah oui! se souvint-elle, il avait choisi d'attendre la fin avant d'émettre son opinion.

— Cette femme est une furie! avança le n° 1.

— Vous y allez un peu fort, dit Manon Bélanger.

Un silence s'abattit sur la pièce ainsi que sur la tête d'Anne. Sonnée, elle avait à peine entendu l'intervention du n° 1 qui, jusque-là, avait rarement ouvert la bouche.

— Hé, gang! Faudrait peut-être songer à nommer un président, suggéra le n° 10, comme pour détendre l'atmosphère.

Des mains se levèrent. Le n° 8 fit l'unanimité. Enfin… presque.

L'audience reprit à l'heure dite. Le regard d'Anne s'attarda sur Laurent Miller. Il réussissait à conserver son air arrogant malgré ce qu'il vivait. La n° 9 le vit s'asseoir de manière protocolaire, ajuster sa cravate et se composer une moue dédaigneuse. Elle le détesta si violemment qu'elle frissonna de tout son corps.

Me Hébert :   Madame Granger, lorsque la victime vous a montré, la porte, dans quel état était-elle?

Accusée :   Je dirais… hystérique.

La foule se rebella. Le juge tapa du maillet. Le silence tardait à se faire. Anne Lenoir se tordit les doigts, ce qui attira le regard d'Emma.

Mᵉ Hébert : Vous a-t-elle fait mal lors de cette altercation?

Accusée : Ses ongles ont blessé le haut de mon bras.

Mᵉ Hébert : Elle n'était donc pas aussi douce qu'on l'a laissé entendre…

L'avocat planta un regard défiant dans celui de Laurent Miller. Celui-ci le soutint sans broncher. Les jointures d'Anne craquèrent sous la pression. Les yeux du n° 8 se posèrent sur celles-ci.

Mᵉ Hébert : Je n'ai pas d'autre question.

Juge : Maître Sawyer…

Mᵉ Sawyer : Seulement un commentaire… C'était l'hiver, non? Il faudrait de sacrés ongles pour passer à travers un manteau, non?

L'assistance ne se pouvait plus. Les gens parlaient de plus en plus fort. Le juge retapa du maillet avant de faire signe aux avocats de s'approcher de sa table. Ils discutèrent un moment, puis les avocats retournèrent à leur place.

Juge : Cette salle a été indisciplinée aujourd'hui. Que cela ne se reproduise plus. Sinon, je devrai faire évacuer.

Le magistrat prit quelques secondes avant d'enchaîner :

Juge : Messieurs les avocats, je vous demanderais de préparer votre plaidoirie pour demain matin. Maître Sawyer, vous serez le premier à parler. La durée?

Mᵉ Sawyer : Au plus, une demi-journée.

Juge : Et vous, maître Hébert?

Mᵉ Hébert : Guère plus.

Juge :   Très bien. Mesdames et messieurs du jury, je vous donnerai ensuite mes instructions. Veillez à apporter le nécessaire pour les besoins des délibérations. Greffier...

Greffier : L'audience est levée et reprendra demain matin, à 9 h. Veuillez vous lever.

Emma dirigea son attention vers le jury où elle vit des femmes et des hommes ordinaires qui devraient juger une des leurs. Quelle tâche ce serait ! Elle s'arrêta aux physionomies, aux airs inquiets pour certains, indifférents pour d'autres. Quant à la n° 9, elle se démarquait des autres. Elle ne paraissait ni fébrile ni neutre, mais semblait plutôt porter un masque. Celui de la dureté. Elle se leva en même temps que ses compagnons et tandis qu'elle attendait derrière le n° 8 pour descendre de l'estrade, Emma ne put en détacher les yeux. Le mot « mascarade », auquel elle avait songé quelques heures plus tôt, lui revint en mémoire.

Ω

Laurent Miller ramassa son porte-documents et se tourna vers le box du jury ; la n° 9 le regardait. Rêvait-il ou affichait-elle vraiment un sourire assassin ? La scène de son cauchemar lui revint à une vitesse folle. Elle avait eu ce même rictus au moment où la lame du couteau avait frôlé sa carotide. L'avocat s'était réveillé, les mains autour de sa gorge nouée, les sens en alerte, la peau moite. Puis il se dit qu'il voyait le mal partout. Solveig le tenait. Elle tirait les ficelles comme s'il était un pantin à sa merci.

Avait-il peur, comme le message le laissait entendre ? En réalité, tout le terrorisait. Les écureuils qui, semble-t-il, s'étaient donné le mot pour le confronter à ses démons, les enquêteurs qui, de toute évidence, ne lâcheraient pas le morceau, et bien sûr Solveig, l'âme diabolique. Il commençait même à craindre la jurée n° 9 après qu'elle l'eut menacé dans son cauchemar.

Non et non ! Je dois changer d'attitude, se convainquit-il. Au fond, la jurée ne lui avait souri que pour l'encourager, voire l'inviter à aller un peu plus loin. En voilà une autre qui flanchait devant ses charmes ! Alors que les jurés passaient leur porte, il sortit en bombant le torse.

Ω

Anne Lenoir s'enferma dans les toilettes et arracha sa perruque sans se soucier que quelqu'un puisse entrer. Fulminante, elle rencontra son reflet dans le miroir. Les deux regards, le réel et le virtuel s'affrontèrent. Elle eut l'étrange impression que le deuxième ne lui appartenait pas. Il était intense, cruel, révélateur. Comme s'il lui envoyait un message. Elle le soutint pendant plusieurs minutes en cogitant sur ses chances de réussite : quasi nulles. Elle savait maintenant que les autres jurés ne la suivraient pas dans sa folle démarche. Que c'était impossible de tous les rallier à sa cause. Que l'unanimité devait être atteinte. Qu'un retournement de situation et d'opinion relevait de l'utopie. Nul besoin d'entendre les plaidoiries des avocats. Sa mission était bousillée.

Anne Lenoir comprit ce qu'elle devait faire.

Avec des gestes calculés, la n° 9 enleva son maquillage, ôta lentilles et prothèse et rangea tout dans son sac.

Alors qu'elle sortait des toilettes, elle heurta presque Emma Clarke qui scrutait la foule. La cherchait-elle ? La détective avait dû constater qu'elle n'était pas dans la salle de débordement. Anne baissa la tête et se dirigea droit vers la porte du palais, un sourire pervers aux lèvres.

Ω

Assis dans sa voiture, l'avocat attendit de la voir passer. La loi lui interdisait d'engager la conversation avec un juré, et il n'était pas dans son intérêt de l'enfreindre. Après le procès, il serait bien temps…

Au même moment, la femme, maintenant débarrassée de ses artifices trompeurs, roula doucement à côté de la BMW de l'avocat. La tentation fut forte de lui faire un clin d'œil tout en lui montrant un majeur, mais elle se retint.

Pire des temps

Le cœur battant, Elliot sur les talons, Emma marcha d'un pas rapide vers le bureau du shérif.

– Qu'est-ce qu'il y a ?

– On l'a ratée, maugréa Emma.

– Qui ça ?

– La n° 9.

– Tu parles de quoi, au juste ?

– Suis-moi.

On leur présenta la shérif responsable du dossier. Emma montra son badge.

– Nous sommes les détectives chargés du cas Adèle Granger. Nous avons absolument besoin de connaître l'identité de la jurée n° 9. Le sort de la cause en dépend.

– Suivez-moi.

Se hâtant derrière la shérif, Emma se remémora l'absence de Diane Dubé dans la salle de débordement. Ses allusions et allégations. Son désir de vengeance inassouvie. Les rencontres sans doute intentionnelles chez la psychologue. Maintenant, elle comprenait.

– Tu vas enfin me dire ce qui se passe, murmura Elliot.

– Dans deux minutes.

La femme ouvrit un dossier et en sortit une pile de feuilles.

– N° 9, hein ? Ah, voilà. Anne Lenoir.

– Et que fait-elle dans la vie ?

– Elle est maquilleuse sur les plateaux de tournage de films.

Elle avait tout ce qu'il lui fallait sous la main..., songea Emma.

La dame nota sur un bloc-notes les coordonnées de la grande femme dont la chevelure brune avait été camouflée sous une perruque blonde, dont la dentition avait été transformée par une prothèse et dont la couleur des yeux s'était éclaircie grâce à des lentilles, chaque fois qu'elle se présentait au tribunal. La seule chose qu'elle n'avait pas su dissimuler était sa manie de se triturer les doigts jusqu'à s'en faire blanchir les jointures.

Emma ressentit un certain soulagement. Elle avait au moins résolu une partie du casse-tête. Elle remercia la shérif et rebroussa chemin, Elliot toujours sur ses talons.

– Mais enfin, Emma, qu'est-ce que tu me caches?

– Avant, il faut aller voir le juge.

Le juge Lecours étant occupé avec les deux avocats, Emma et Elliot durent patienter un bon quart d'heure avant de pouvoir le rencontrer.

– Maintenant, on a le temps, dit Elliot, un brin maussade.

Emma raconta tout. La femme brune qui se faisait appeler Diane Dubé; ses confessions au sujet de l'avortement; sa haine envers les hommes de la même trempe que Laurent Miller et ses allégations à propos de celui-ci; le téléphone cellulaire volé ou autrement pris, toujours fermé, mais payé tous les mois; le vrai nom enfin trouvé, Anne Lenoir; son métier de maquilleuse; et enfin le tic qu'Emma n'avait pas raté. L'idée folle que cette femme puisse être la meurtrière passa comme un flash dans sa tête. Et puis non, les tentacules du hasard n'étaient tout de même pas aussi longs. Tueuse et jurée...

Une femme à lunettes en demi-lune et chignon gris les pria d'entrer. Le juge leva à peine le nez de ses papiers.

– Que me vaut d'être dérangé en plein travail?

– Une des jurés est déguisée.

Lecours déposa son crayon et enleva ses lunettes.

– Expliquez-vous.

Emma relata le stratagème, une fois encore.

– Vous pouvez le prouver ?

– C'est simple, on n'a qu'à l'intercepter avant l'audience de demain et lui demander de retirer sa perruque.

Le juge se cala contre son dossier et médita pendant les vingt-trois secondes comptées par Emma.

– C'est grave, parce que si c'est vrai, le procès sera invalidé, déclara-t-il.

Ω

Au même moment, Anne Lenoir se présentait rue Notre-Dame. La réceptionniste l'annonça à Laurent Miller.

– Elle a pris rendez-vous ? demanda-t-il.

– Elle dit vous connaître.

La femme se leva de derrière l'immense comptoir.

– Je vous accompagne.

La porte du bureau de l'avocat se referma derrière elle. Anne jouit presque de voir cet homme à quelques pas d'elle.

– Que puis-je faire pour vous ?

Le silence accueillit d'abord sa question. Puis Anne y alla :

– *O-o-h Child* est devenu un ver d'oreille, pas vrai ? finit-elle par dire.

Il afficha un visage défait.

– Les paroles disent tout, n'est-ce pas ?

– C'était vous !

– Ah, ne me dites pas que vous m'avez prise pour quelqu'un d'autre…

L'avocat semblait sidéré.

– Qui êtes-vous ?

Son air paniqué procura à Anne une deuxième jouissance.

– J'ai senti et vu votre anxiété. Je savais que vous feriez tout pour découvrir qui était à l'origine de ça.

– Qu'attendez-vous de moi ?

Il conservait un certain calme, mais il ne tarderait pas à se métamorphoser en angoisse, jubila-t-elle.

– Agresseur! hurla-t-elle, soudain. Tu n'es qu'un agresseur! Je le sais et tu le sais aussi.

Agresseur. Le mot tilta dans la tête de Miller. Mais non, il ne pouvait pas s'être trompé, c'était Solveig, l'instigatrice de toutes les menaces. Et pas cette femme.

– N'essaie pas de te défiler. Il est trop tard! s'enflamma-t-elle.

– …

– Tôt ou tard, tout le monde saura quel pervers tu es.

– D'où tenez-vous ces sornettes?

– Tuer des enfants est immonde!

L'avocat se mit à transpirer.

– Je n'ai jamais rien fait de tel!

– Ah non! Que fais-tu des enfants qui ne demandent qu'à vivre comme n'importe quel autre enfant? À combien t'en es-tu pris?

Miller sentait de plus en plus la soupe chaude. Des menaces, il en avait reçu dans sa vie, mais jamais comme celles-là. Il pensa à sa réputation, à sa carrière si jamais la femme devait le traîner dans la boue. Et transpira de plus belle.

– Quelles preuves avez-vous?

– Ah mais, je les garde pour le moment où je dévoilerai tout.

L'avocat sursauta et tenta de se lever, mais ses jambes refusèrent de le soutenir.

– Tu n'es qu'un individu dégoûtant! Un monstre! Tu veux savoir… tu me fais pitié, maître Miller.

Les derniers mots avaient été prononcés avec mépris. Le serpent crachait enfin son venin. Libérait ses tripes de tout le fiel qui l'empoisonnait depuis trop longtemps.

Miller regretta la porte capitonnée de son bureau qui ne laissait pas filtrer les cris, et le Glock terré dans la boîte à gants de sa voiture, qui lui aurait permis de tenir cette détraquée à distance.

Anne mit les mains sur le bureau, se pencha en avant pour planter son regard dans le sien et cracha d'une voix sourde :

– Je sais. Tu comprends ?

Soudain, l'avocat vit rouge, se leva comme un ressort, contourna son bureau en moins de deux et la saisit à la gorge. Les hurlements et les accusations devaient cesser. Il serra de toutes ses forces. Il ne sentait que ses doigts qui pressaient le cou blanc. Le brutalisait. Voulait la faire taire. À tout prix.

– Tu ne gâcheras pas ma vie, espèce de garce, jeta-t-il d'une voix gutturale.

Dotée d'une force qu'elle ne soupçonnait pas, Anne tourna dans tous les sens, puis se retrouva dos au bureau. Les doigts meurtriers martyrisaient sa trachée. Elle étouffait. Sa gorge brûlait. Ses yeux voulaient sortir de leurs orbites. Sa langue pendait au coin de ses lèvres. La salive coulait de sa bouche. Elle ne percevait que le regard de Miller devenu méconnaissable. Empreint de cruauté.

De manière frénétique, ses doigts balayèrent le dessus du bureau. Il fallait trouver un objet, n'importe lequel. Pour assommer l'assaillant. Pour avoir de l'air. Pour mettre un terme à la souffrance. Une seule pensée parvenait encore à son cerveau : l'assurance qu'elle ne s'était pas trompée. Il était l'étrangleur. Celui de Carmen Lopez, et maintenant le sien. Enfin, sa main rencontra un bout de métal, qu'elle saisit avec peine. Elle le brandit et sentit la lame du coupe-papier s'enfoncer dans la chair, le sang chaud gicler sur sa main, les doigts relâcher enfin leur étreinte mortelle.

Le corps de Miller s'effondra pendant qu'Anne toussait à s'en arracher les poumons. Ses mollets heurtèrent une chaise en reculant ; elle s'y affala. La n° 9 le regarda agoniser, l'air hagard. Puis elle entendit des voix lointaines. Comme si elles ne voulaient pas parvenir jusqu'à elle. Les pleurs d'enfant et le claquement des billes de son pendule occupaient toute sa tête.

Juste à temps

Son iPad émit le bip qui annonçait une nouvelle.

Dernière heure :

« *Laurent Miller, avocat reconnu, assassiné dans son bureau de la rue Notre-Dame* »

Estomaquée, Emma continua de lire.

« *Une femme serait responsable du meurtre. À première vue, il semblerait que l'avocat ait tenté de l'étrangler et qu'elle se soit défendue avec un coupe-papier.* »

– Anne Lenoir. Elle l'a poignardé…, murmura la policière.

Elle porta à son oreille son téléphone qui vibrait dans sa main. Renaud.

– Une bombe vient d'éclater. Miller est à la tête d'un réseau pédophile qui a étendu ses tentacules jusqu'en Europe.

Trop sonnée, Emma resta silencieuse.

– Ça fait un bout que la GRC est sur le coup. Une douzaine d'exploiteurs ont été arrêtés et, sous promesse d'une accusation moins lourde, l'un d'eux a fini par dévoiler le nom de Miller. Au moins cinq enfants de moins de dix ans ont été arrachés aux mains des monstres.

Sidérée, Emma ne put s'empêcher de penser au petit bonhomme londonien disparu depuis des mois. Il faudrait qu'elle appelle son père.

Bien qu'elle n'eût pas soupçonné l'avocat pour la bonne raison, son fichu sixième sens ne l'avait pas trompée. La confiance en cet homme n'avait pas été au rendez-vous. Jamais.

– Trop tard, on ne pourra pas le poursuivre.

– Qu'est-ce que tu dis ?!

– Tu n'as pas lu l'autre bombe ?

– Trop occupé avec les gars de la GRC pour regarder les infos.

– Miller est mort.

– Mort ?!

– Assassiné par Diane Dubé, alias Anne Lenoir.

– Crime, de quoi tu parles ?!

Emma lui fit part de ce qu'elle venait d'apprendre.

Elle eut ensuite Elliot au téléphone.

– Tu as vu la nouvelle ? dit celui-ci.

– C'est comme si j'avais assisté au tournage d'un film et que, là, je le regardais en direct.

– C'est quand même incroyable !

– Il faut reparler au juge.

Ω

Le lendemain matin, le juge annonça que le procès était annulé. Le public fut prié de quitter la salle d'audience. On entendit de vives protestations. Les constables durent de nouveau intervenir.

Lorsqu'il fut seul avec les avocats, les membres du jury, les policiers et l'accusée, le juge expliqua que le procès reprendrait plus tard, qu'il y aurait de nouvelles convocations de candidats jurés. Il remercia les jurés, se désola qu'ils aient dû assister à l'audience sans avoir la possibilité de jouer leur rôle jusqu'au bout, et les pria enfin de rentrer chez eux. Il attendit qu'ils soient partis pour s'adresser aux avocats et aux policiers.

– La jurée n° 9 sera évidemment accusée d'outrage au tribunal et sans doute de meurtre.

– Sauf votre respect, Votre Honneur, commença maître Hébert, ne sommes-nous pas devant un cas de légitime défense ?

– Ce sera à la Couronne d'en décider.

Il se tourna ensuite vers l'accusée, laquelle paraissait sous le choc :

– Quant à vous, madame, vous devrez rester en cellule le temps que tout soit organisé.

Ω

– Eh bien voilà, les ADN concordent.

– Pierre Dubeau est le père…

– C'est indéniable, confirma Jeanne.

Un nouvel obus ! Emma ne savait pas trop quoi en penser. Pourquoi le galeriste avait-il menti à propos de sa liaison avec Carmen Lopez ? Était-ce parce que cela l'aurait mis sur la sellette ? Ou il n'avait simplement pas voulu que ça se sache. Elle repensa au « pourquoi » tant évoqué par Estelle Sauvé. Sa vie n'était qu'une série de « pourquoi », songea-t-elle.

Chose certaine, il fallait l'affronter.

Alors qu'elle attendait qu'Elliot réponde, elle réentendit les paroles de Dubeau et revit ses airs désolés et insultés depuis le début de l'affaire. Mais, par-dessus tout, elle pensa à leur rencontre à la galerie, alors qu'il installait la collection d'Adèle Granger. Ils avaient parlé de bonheur. Elle se rappela avoir trouvé ce moment d'intimité surréaliste.

– Dubeau est le père, dit-elle simplement lorsque Elliot décrocha.

– Décidément, on aura eu droit à toutes les surprises !

Ω

Emma s'arrêta devant la galerie On aura tout vu !

– Jamais cette expression n'aura pris autant de sens, dit-elle tout bas avant de suivre Elliot à l'intérieur.

Sur un simple coup d'œil de son employée, Pierre Dubeau se retourna.

– Nous aurions besoin d'éclaircissements, commença Emma.

– Que voulez-vous savoir ?

Le ton était froid et le visage, fermé.

– Pas ici. Au quartier général.

– J'y suis obligé ?

– Non. Mais si vous n'avez rien à vous reprocher, vous devriez coopérer.

Le galeriste prit un temps pour réfléchir, puis se dirigea vers son bureau, au fond du commerce. Il revint au bout de plusieurs minutes, son manteau sur le dos.

– C'est un cachottier, ce Dubeau, dit Elliot, assis au volant de la Charger.

– Ce sera intéressant d'entendre ce qu'il a à dire.

– Tu doutes de lui ? demanda Elliot.

– Je doute de tout le monde.

– Hmm… hmm… je commence à te connaître.

– Vous voulez boire quelque chose ? demanda Emma.

Dubeau fit non de la tête.

La policière voulut profiter de ce que le galeriste semblait impressionné par la salle d'interrogatoire. Il ne cessait de se triturer les doigts en regardant autour de lui. L'image d'Anne Lenoir, alias Diane Dubé, faisant un geste similaire refit surface dans la tête d'Emma. C'était toujours impressionnant de se retrouver là, même si on n'avait rien à se reprocher. La pièce dénudée ne laissait place à aucune distraction sauf celle d'écouter et de répondre aux questions qui vous étaient posées. Elle se contenta donc de siroter son eau en feuilletant ses notes.

– Si on en venait au fait ? dit-il.

Emma crut déceler un trémolo dans la voix. Elle se recula sur sa chaise et croisa les bras. Elliot, lui, resta près de la porte.

– Voilà, certains éléments nous titillent.

– Lesquels?

– Le premier : vous aviez un différend avec Carmen puisque vous vous êtes engueulés à quelques reprises.

L'homme ne bougeait plus et la regardait, l'œil frondeur.

– Je vous ai déjà expliqué pourquoi.

– Le deuxième : lors de votre témoignage, vous avez mentionné que votre assistante avait travaillé la journée du meurtre, alors que madame Granger a affirmé le contraire.

– Elle a menti, se défendit-il.

– Le troisième : vous portiez des gants lorsque vous vous êtes présenté chez votre assistante, alors que la température était douce.

– Je souffre de…

– Ah oui, la maladie de Raynaud, compléta Emma. J'ai consulté Google. Elle ne se manifeste pas seulement en cas d'exposition au froid…

Dubeau soutint le regard de la détective.

– Elle le fait aussi au moment d'un stress émotionnel…

Le galeriste sembla déstabilisé, puis se reprit :

– Dans mon cas, c'est toujours quand il fait froid.

– J'ai aussi lu que cette maladie est plus présente chez les femmes que chez les hommes. C'est nettement plus rare chez les hommes, précisa Emma qui avait insisté sur le mot «nettement».

Par l'expression qu'il affichait maintenant, Emma sentait que l'homme perdait de son assurance.

– Le quatrième : vous avez tout fait pour qu'on incrimine Laurent Miller, intervint Elliot.

– Je crois… je crois que cet homme est… machiavélique. Je l'ai toujours dit et le maintiens.

– Ce n'est que supposition de votre part.

– Il se sert des femmes, vous comprenez? Non, je crois… je crois que vous ne saisissez pas bien.

– Ce qu'on saisit, c'est que le fait d'avoir des maîtresses ne fait pas nécessairement de lui le monstre que vous décrivez, dit Emma.

Dubeau se renfrogna et continua son jeu de doigts.

– Et le cinquième et non le moindre, continua Emma, Carmen était enceinte et vous le saviez. Vous avez d'abord cru que l'enfant était le vôtre…

– Vous n'avez pas le droit! objecta-t-il.

– Le différend venait de l'enfant à naître, je me trompe?

Dubeau se braqua.

– Vous ne supportiez pas que Carmen soit avec Miller alors que…

– Arrêtez!

– D'accord. Alors, racontez-nous.

Le galeriste se prit la tête entre les mains durant quelques minutes, puis les reposa sur la table. Emma le vit déglutir péniblement.

– Vous changez d'avis pour le verre d'eau?

Il opina de la tête et mit une main sur son visage, comme s'il voulait le cacher.

Après qu'Elliot eut déposé le liquide devant lui, Dubeau se lança:

– Un soir de vernissage…. je crois que… qu'on avait un peu bu… On s'est retrouvés dans mon bureau… Carmen et moi, je veux dire… Ça s'est passé sur le bout de ma table de travail… que je n'ai plus jamais vue sans me remémorer ces moments…

Il baissa la tête.

– Je l'aimais… déjà à ce moment-là. Après quelques semaines, elle m'a dit qu'elle était enceinte, mais que le bébé était celui de l'avocat. Je voulais en être sûr, alors je lui ai suggéré de faire un test de paternité. Ce qu'elle a refusé catégoriquement.

– D'où les altercations entre vous, commenta Emma.

– Je l'ai épiée jusqu'au jour où elle s'est rendue à la… clinique d'avortement. J'ai su à ce moment-là que je ne saurais jamais s'il était de moi…

L'homme, visiblement éploré, s'arrêta. Emma l'incita à continuer.

– Après sa mort, j'ai appris qu'elle n'était pas passée à l'acte. Qu'elle était toujours enceinte. Ça m'a bouleversé… Ça m'a brisé le cœur…

Dubeau avait maintenant les yeux embués et la voix chevrotante. Emma jeta un œil à Elliot. Il l'encouragea du regard.

– Nous l'avons fait pour vous.

– De quoi… parlez-vous ?

– Le test de paternité.

– Qu'est-ce que…

– Le labo sait comment s'y prendre.

L'homme ne savait plus où regarder. Il passait d'un détective à l'autre, l'air affolé.

– Vous en étiez le père, monsieur Dubeau, lâcha Emma.

Le galeriste devint livide, ouvrit la bouche, mais pas un mot n'en sortit. Il eut l'air hagard durant plusieurs secondes, puis s'écroula sur la table.

– Nooon !

Le cri se répercuta brutalement contre les murs. La douleur parut insupportable. Il hoqueta et se tapa le front sur la table durant de longues secondes. Une éternité. Puis des mots impensables furent prononcés d'une faible voix :

– Mon enfant… J'ai tué mon enfant…

Dubeau venait de craquer. Et venait d'avouer être le meurtrier de Carmen Lopez. Alors qu'Elliot était sans voix, ironiquement, Emma ne fut pas surprise de son aveu. On aurait dit que les points qu'ils venaient d'énumérer ainsi que les mensonges du suspect tout au long de l'enquête avaient provoqué une éclaircie dans son cerveau.

Le galeriste pleurait à gros sanglots maintenant. Emma eut un élan de pitié, mais réussit à le contenir. Les policiers escortèrent un Pierre Dubeau en lambeaux vers une cellule.

– Probable donc qu'il se soit rendu chez elle pour encore en discuter et que ça ait dégénéré.

– C'était bien une histoire de triangle amoureux, finalement…
Emma fixa un point, loin derrière Elliot.

– Les preuves étaient si évidentes pour condamner Adèle
Granger.

– Ne t'en veux pas. J'étais aussi d'accord.

– Après qu'on l'a arrêtée, j'ai douté de Miller. Comme si je
n'avais pas fait tout ce qu'il fallait. Puis la femme perturbée, Anne
Lenoir, maintenant qu'on connaît son nom, est venue confirmer
mes doutes. En même temps, Dubeau n'était jamais loin dans mes
pensées.

– On a fait tout ce qu'on pouvait, étant donné les circonstances.

– Tu sais, Elliot, je commençais à avoir pitié d'elle. De cette
femme un peu folle. J'ai même pensé, l'espace d'un instant, qu'elle
pouvait être la meurtrière et essayait de faire passer sa folie sur
quelqu'un d'autre.

– Maintenant, c'est une *vraie* meurtrière.

– Elle risque de s'en tirer avec la légitime défense.

– Par contre, le juge ne la ratera pas avec l'outrage au tribunal.

– Quel gâchis…, se désola Emma avant de s'accoter doucement
sur l'épaule d'Elliot.

Sans dire un mot, celui-ci l'enlaça et lui flatta les cheveux.

– On s'est trompés, Elliot. Une femme a failli être condamnée.

Pour toute réponse, il embrassa sa tempe et la berça comme une
enfant.

Avec le temps

Son père l'appela avant qu'elle ait eu le temps de le faire.

– On a retrouvé le petit William.

– Il était entre les griffes des exploiteurs?

– Tu es au courant?

– La filière s'étendait un peu partout en Amérique et en Europe. J'ai pensé que…

– On ne peut pas croire…

Charles Clarke s'interrompit, la voix cassée.

– Il n'est pas trop mal en point?

– Ses parents l'entourent comme un poussin.

Ω

Emma avait juste le temps de s'arrêter en chemin avant son rendez-vous chez Estelle Sauvé.

Arthur Burn semblait faire de gros efforts pour se tenir sur une seule jambe. Emma le regarda à distance raisonnable avant de s'avancer.

– C'est vous qui parliez de ténacité?

Sans crier gare, elle l'embrassa sur la joue.

– Vous serez toujours mon modèle, capitaine!

Burn afficha un sourire un peu moins décalé, ce qui était plus qu'encourageant. Assis tous les deux au salon, Emma lui raconta la fin des événements.

Ω

Exténuée, Emma se cala dans le fauteuil en cuir et expira tout l'air de ses poumons.

Estelle Sauvé attendit. Ne dit rien. Ne la brusqua pas. Servit deux verres d'eau. Et croisa ses longues jambes.

Emma sortit enfin de son mutisme et raconta tout à sa psychologue. Celle-ci l'écouta sans broncher.

– Je m'en veux terriblement.

– Allez-y, libérez-vous, dit madame Estelle.

– Une femme a failli être condamnée par ma faute.

– Dites plutôt que vous l'avez sauvée.

– *In extremis*, oui…

La psychologue fit une pause de neuf secondes exactement.

– Vous ne m'aviez pas dit vouloir sauver au moins une vie au cours de la vôtre ?

Emma baissa les yeux sur ses Converse et, sans retenue, se mit à pleurer.

ÉPILOGUE
Temps de grâce

J'ai été abusée. Par un seul homme. Un homme de pouvoir. Un obsédé sans compassion. Un ogre qui ne pensait qu'à ses «besoins». Qu'à sa perversion.

Si j'avais été un garçon… Et puis non, ça n'aurait fait aucune différence. Certains ont vécu le même drame. Du moment qu'on était un enfant… Impuberté, tel était le mot d'ordre. Et ce l'est encore aujourd'hui.

On ne m'a pas crue. On ne m'a pas protégée. On m'a laissée seule avec mon désarroi. Ça n'aurait servi à rien que je le crie sur les toits. Comme au tribunal. De toute manière, je n'avais pas le courage de le faire… Quand j'ai été enfin «pubère», peut-être même un peu plus, j'ai fugué. Je me suis cachée. Je suis revenue. J'ai fugué encore et encore. M'a-t-on cherchée? Sans doute, mais je ne l'ai jamais su. En fait, je ne voulais pas le savoir. Je me sentais abandonnée. Laissée à moi-même.

Un jour, j'ai fait de vraies valises et me suis réfugiée dans cette petite maison à la porte bleue. La paix ferait désormais partie de ma vie, ai-je pensé. Mais il m'a trouvée. Et il est revenu pour supposément s'expliquer. S'excuser. Je ne l'ai pas cru. J'étais toujours traumatisée. Je l'étais tant, qu'à ce moment-là je me suis sentie obligée de changer de nom. Pas officiellement… mais dans ma vie qui ne devait plus redevenir un enfer. Je ne sais pas ce qui m'a retenue d'aussi changer de sexe. Le cran m'a manqué, peut-être…

Aujourd'hui, je vis ma vie, cahin-caha, entre les petits boulots et les appartements miteux. Mais personne ne m'embête, car je ne laisse personne m'embêter.

Quand j'ai su pour l'ogre, je l'ai maudit. J'avais tant prié pour qu'il paie un jour.

Et voilà qu'une autre, avec plus de cran que moi, est passée à l'acte.

Pour notre souffrance.

Pour l'espoir.

Pour notre paix, enfin.

Je la remercie et la salue bien bas d'avoir enfin débarrassé la Terre de Laurent Miller.

Marie, alias Solveig.

Juste merci

Avant d'atteindre sa finalité, un manuscrit nécessite une attention constante et rigoureuse. Chacun y va donc de ses forces, de ses qualités et de son amour des mots.

J'ai l'immense privilège de travailler avec une équipe sans pareille.

Ingrid Remazeilles, mon éditrice, mon amie. Je te remercie pour ta confiance renouvelée, pour avoir dit oui une autre fois. Je m'en sens choyée.

Marilou Charpentier, mon ange gardien. Tu as su m'encourager tout au long des nombreuses péripéties qui ont ponctué l'écriture. Ton aide m'est précieuse, si tu savais.

Patricia Juste, réviseure à l'œil de lynx. Je le redis : tu m'as « sauvé la vie » ! En plus d'avoir fait germer en moi une énergie insoupçonnée.

Audrey Faille, réviseure à l'œil aussi acéré. Tu as scruté les mots et les phrases jusqu'à les « épucer ».

Élaine Parisien, correctrice, qui a peaufiné le tout jusqu'à la dernière minute.

Alain Delorme, le grand manitou de l'équipe.

Juste merci, à vous aussi, qui avez bien voulu m'écouter et me nourrir de vos conseils indispensables.

Dominic St-Laurent, avocat criminaliste, qui n'a pas été avare de son temps ni de son expérience, et qui, en plus, est devenu mon ami.

Yann Dazé, pathologiste au Laboratoire de sciences judiciaires et de médecine légale, qui m'a reçue les bras ouverts et m'a démystifié son monde occulte.

Gilles Chamberland, psychiatre et directeur des services professionnels à l'Institut Pinel, qui a pris le temps de me recevoir et me conseiller avec une telle générosité.

François Julien, mon ami et expert en scène de crime, qui est toujours aussi disponible et prompt à répondre à mes questions pointues.

Vous êtes une mine d'or !

Isabelle Raymond qui a été jurée et qui m'a gentiment permis de profiter de son expérience.

Nicolas Raymond, mon grand fils et mon expert (privé...) en informatique et en télécommunication, qui m'a secourue encore et encore. ;)

Suzanne Daigle, mon amie et première lectrice enthousiaste.

Jacqueline Cooke, ma mère allumée, pour son imagination débordante.

Catherine Cooke, ma sœur, pour son talent de persuasion extratordinaire.

Mes fidèles lecteurs sans qui je mettrais sans doute un peu moins d'ardeur au travail.

Emma et sa gang qui continuent de m'inspirer.

Enfin, Guy, mon amour, mon complice, mon confident. Tu connais maintenant tous les méandres du long chemin jusqu'à l'accomplissement. Je te suis si redevable.

Sans vous tous, ce livre n'existerait pas.